تکنیک آواز

اثر:

ل. ب. هندرسون

مترجمان :

لیلا خانی- لیدا خانی

انتشارات کتاب آبان

سرشناسه: هندرسن، لارابراونینگ، ۱۹۰۶ – م.

Henderson, Larra Briwning

عنوان و نام پدیدآور: تکنیک آواز/ اثر ل. ب. هندرسن؛ مترجمان لیلا خانی، لیدا خانی.

وضعیت ویراست: (ویراست ۲)

مشخصات نشر: تهران: کتاب آبان، ۱۳۸۶.

مشخصات ظاهری: ۳۱۹ ص.: مصور، پراتیسیون.

شابک:

ISBN: 978-964-8913-32-3

وضعیت فهرست‌نویسی: فیپا

یادداشت: عنوان اصلی: .How to train singers: Featuring "Natural" techniques and wxwrcises

موضوع: آوازخوانی –- آموزش.

شناسه افزوده: خانی، لیلا، ۱۳۵۱ –   ، مترجم

شناسه افزوده: خانی، لیدا، ۱۳۴۹ –   ، مترجم

رده‌بندی کنگره: ۱۳۸۶ ۸ب۹ه/MT۸۲۰

رده‌بندی دیویی: ۷۸۳/۰۴۳

شماره کتابشناسی ملی: ۱۰۵۷۷۴۲

کتابخانهٔ ملی ایران

م۸۴-۹۷۵۷

انتشارات کتاب آبان

تکنیک آواز

اثر: لارابراونینگ هندرسن

مترجمان: لیدا خانی - لیلا خانی

ویراستار: فاطمه مظلوم

طراحی جلد و صفحه آرایی: لیلا خانی   نظارت چاپ: سودابه سلیمی

لیتوگرافی، چاپ و صحافی: طیف‌نگار

نوبت چاپ: دوم ۱۳۹۰   تیراژ: ۲۰۰۰ جلد

شابک: ۳-۳۲-۸۹۱۳-۹۶۴-۹۷۸   ISBN: 978-964-8913-32-3

خیابان انقلاب-خیابان فخررازی-کوی داریان-مجتمع ناشران-واحد ۱۰

تلفن: ۶۶۹۵۵۰۱۲ (۸ خط)   فاکس: ۶۶۴۰۱۶۴۳

Website: www.abanbook.com

Email: Info@abanbook.com

ترجمه‌ی این اثر را به

پدر و مادر عزیزمان تقدیم می‌کنیم

به پاس زحمات بی‌دریغشان

لیلا خانی ـ لیدا خانی

فهرست

مقدمه مترجمان

آنچه پیش رو دارید ویرایش دوم از کتاب تکنیک آواز می‌باشد. نظر به استقبال چشمگیر هنرجویان و اساتید از این کتاب بر آن شدیم تا نسخه جدیدی از این تألیف باارزش را جهت استفاده عزیزان به جامعه هنر عرضه کنیم. در این نسخه علاوه بر تمرینات مطرح شده گذشته حدود صد تمرین آوازی جدید جهت افزایش و تثبیت وسعت صدا، چابکی در خواندن، تمایز حروف واکدار، استاکاتو و آغازه، خواندن با صدای کشیده و ممتد و همچنین مطالب کاملتری درباره حفظ و نگهداری صدا و خط آوازی و گسترش آن و غیره ارائه شده است.

تکنیک آواز حاصل پنجاه سال تجربه لارابروانینگ به عنوان یک سوپرانو، معلم آواز و سخنران است. این تکنیک برای هنرجویان و خوانندگان آواز، گویندگان، معلمان آواز و تئاتر و حتی متخصصان حنجره بی‌نظیر است. چرا که به کمک آن می‌توان صدا را ساخت و طول عمر صدا را ضمانت کرد، و حتی صداهای آسیب‌دیده را بهبود بخشید و به حالت طبیعی برگرداند. براونینگ بدین منظور ابتدا عضلاتی را که در آواز خواندن دخالت دارند به طور مفصل بررسی می‌کند و با تصاویری فرم صحیح بدن، فک، ماسک، زبان، سر و ... را هنگام آواز خواندن نشان می‌دهد. سپس گام به گام تمریناتی را از مقدماتی تا پیشرفته ارائه می‌کند که برای تسلط بر این تکنیک ضروری‌اند. تمامی تمریناتی با هماهنگی طبیعی اعضای بدن همراه است و به هنرجو کمک می‌کنند تا هنگام آواز خواندن از ساز آوازی بدون هیچ‌گونه ناراحتی در قسمت حنجره نگهداری کند.

علاوه بر توصیه‌های عملی برای حفظ و نگهداری صدا، نویسنده به خطراتی اشاره می‌کند که صدای گویندگی نیز همچون صدای خوانندگی نیاز به مراقبت دارد و به شیوه صحیح صحبت کردن می‌پردازد. از همین روست که این تکنیک را برای گویندگان نیز سودمند می‌یابیم.

در انتها علل کلی مشکلات صدا و مواردی چون پولیپ، گره‌های روی تارهای صوتی،

خونریزی تارهای صوتی، التهاب حنجره، لوزه، ضربه‌های روحی بررسی می‌شود و براونینگ به سؤالاتی پاسخ می‌دهد که ممکن است از سوی هنرجویان آواز مطرح شود.

در خاتمه از راهنمایی‌ها و زحمات استاد آواز جناب آقای محسن پورحسینی و دکتر فرهاد ترابی متخصص حنجره و گفتاردرمانی قدردانی و تشکر می‌نماییم.

لیلا خانی ـ لیدا خانی

مقدمه

هستون ال. ویلسون[1]

استاد ممتاز دانشگاه کالیفورنیا در سن‌دیه‌گو

پزشکی فرصت‌های تفننی فراوانی را در ارتباط با تخصص پزشکان ایجاد می‌کند. علاقهٔ
من به مطالعهٔ تخصصی گوش و حلق و بینی، از موسیقی شروع شد. فعالیت من به عنوان
یک نوازندهٔ حرفه‌ای قدیمی در ساز بادی، مرا به آواز علاقمند کرد.

در طی ارتباطاتی که با موزیسین‌ها داشتم، بسیاری از نوازندگان و خوانندگان از
تخصص من استفاده می‌کردند. این بود که خیلی زود فهمیدم ایجاد یک صدای آوازی
خوب، تقریباً در تمام جهات، شبیه ایجاد صدا در کلارینت یا دیگر سازهای بادی یا
برنجی است. نفس‌گیری و لبخند داخلی نیز، همانند عوامل دیگری که لارا براونینگ
هندرسون[2] ارائه می‌دهد مشابه هستند. تفاوت عمده این است که برای ایجاد صدا نوازندهٔ
ساز بادی از قمیش یا قمشی‌هایی که در خانوادهٔ ابوا هستند استفاده می‌کند، نوازندهٔ
سازهای برنجی، لب‌ها را روی جریانی از هوا به لرزش در می‌آورد، و خواننده یا گوینده
از تارهای صوتی خود استفاده می‌کند. هنگامی که از قمیش یا لب‌ها بد استفاده شود
تارهای صوتی آسیب می‌بینند. نوازنده ممکن است شغل خود را از دست بدهد، اما
می‌تواند معلمی پیدا کند که به او شیوهٔ صحیح را آموزش دهد.

خواننده نیز با استفادهٔ نادرست از تارهای صوتی‌اش ممکن است به آنها آسیب
برساند. بنابراین هنگام بروز مشکلات مربوط به خواندن باید به متخصص حنجره مراجعه
کرد. خوشبختانه، به ندرت یک خواننده یا گوینده بر اثر آسیب حنجره کار خود را از
دست می‌دهد. معاینهٔ پزشکی دقیق یا جراحی، به همراه تعلیم صحیح، می‌تواند صدا را به
حالت طبیعی برگرداند. قبل از کار با لارا براونینگ هندرسون، من اغلب خود را در دو
نقش می‌دیدم. نه تنها بیماران را معالجه می‌کردم، بلکه سعی می‌کردم در زمان محدود،

---

1. Heston L. Wilson   2. Larra Browning Henderson

عادات صدایی صحیح را تعلیم دهم. حالا، با فرستادن خواننده یا گوینده نزد او یا یکی از شاگردانش می‌توانم اطمینان حاصل کنم که تعلیم صحیح آواز، بنیان نهاده خواهد شد. لارا براونینگ هندرسون ادعا می‌کند که تکنیک او بر اساس شیوهٔ تدریس دکتر فرانک ای میلر، و ماد داگلاس توئیدی[1] است. کار دکتر میلر در آرشیوهای تاریک تاریخ پزشکی باقی مانده است. اما مطالعات وسیع او در زمینهٔ صدای انسان، مایهٔ سربلندی و افتخار است.

لارا براونینگ هندرسون تمامی افتخارات را به او، و هـمچنین بـه دکـتر مـیلر و مـاد داگلاس توئیدی اعطا می‌کند. تکنیک او بر پایهٔ علمی و حاصل پنجاه سال تجربه به عنوان یک سوپرانوی واگنری، معلم و سخنران است. من تکنیک او را با بیمارانی که به نزد او یا یکی از شاگردانش فرستاده‌ام، به طور کامل آزموده‌ام.

لارا براونینگ هندرسون بر این موضوع که صدای خوانندگی و گویندگی مـانند هـم هستند بسیار تأکید می‌کند. امیدوارم این کتاب برای گویندگان و معلمان تئاتر مفید واقع شود. این کتاب برای متخصصان گوش و حلق و بینی، در تشخیص مشکلات مربوط بـه صدا و معالجهٔ آنها، بسیار سودمند خواهد بود. و بیش از همه، برای معلمان آواز بی‌نظیر است.

صدا بعد بسیار مهمی در زندگی روزمره دارد؛ شیوه‌های ارتـباط گـفتاری بـه طـرز فوق‌العاده‌ای افزایش یافته است. امروزه نمی‌توانید کسی را بیابید که از تـلفن یـا ضبط صوت استفاده نکند. تلویزیون، رادیو و سینما نیاز فراوانی را در زمینهٔ مـطالعات آوایـی ایجاد کرده است. پیشرفت تکنولوژی در پزشکی فرصتهای جدیدتری برای مطالعهٔ آواز در اختیار ما قرار داده است. خواندن کتاب دکتر فرانک ای. میلر (Frank E. Millers) بدون داشتن زمینهٔ پزشکی مشکل است. ماد داگلاس توئیدی کتابی ننوشت. اما لارا براونینگ هندرسون به شیوه‌ای می‌نویسد که علاقه و اشتیاق یک شاگرد مبتدی و پیشرفتهٔ آواز و یک معلم یا متخصص گوش و حلق و بینی را، به یک اندازه برمی‌انگیزد. مطالب این کتاب برای تمامی کسانی که به مبحث صدا علاقه‌مندند، استاندارد است.

آنچه این کتاب می‌تواند برای شما انجام دهد.

در این کتاب نشان داده می‌شود که چگونه می‌توان خوانندگان را آموزش داد تا با تنوع،

---

1. Maud Douglas Tweedy

آزادی، راحتی و پایداری در صدایشان، و بدون ناراحتی گلو بخوانند، خواه باخ بخوانند، خواه اپرا یا موسیقی محلی. تکنیکی که در این کتاب ارائه شده طول عمر صدا را ضمانت می‌کند. اگر شاگردی دارید که صدای خراب یا بیمار دارد، راهنمایی‌های موجود در کتاب به بهبود و بازگشت صدا کمک می‌کند.

در این کتاب هدف کمک به ساختن صداست و برای رسیدن به آن شیوه‌ای گام به گام در نظر گرفته‌ایم. بدین ترتیب که برای ایجاد بهترین حالت صدا بیش از هفتاد تصویر آورده‌ایم که تکنیک‌های صحیح و نادرست (فرم بدن، فک، ماسک، زبان، سر و غیره) را نشان می‌دهد. همچنین بیش از صد و هفتاد تمرین ـ که شیوهٔ اجرای صحیح آنها توضیح داده شده ـ آورده‌ایم برای تسلط بر تکنیک آوازی ضروری‌اند. در انتخاب تمرینات بسیار دقت کرده‌ام. به عنوان مثال برای از بین بردن ویبراتوی نامساوی، صدای تودماغی و بسیاری از مشکلات آوازی دیگر در فصل ۷ تمرینات دقیقی ارائه شده است. همچنین برای پیشرفت و توانایی در تغییر رنگ‌های آوازی متون آوازی، در فصل ۱۰ تمریناتی به صورت واضح بیان شده است. کلید اصلی برای استفادهٔ صحیح از صدا، داشتن تکنیکی کامل است. هدف از تکنیک این کتاب، شناخت توانایی‌ها و محدودیت‌های صدا در طی یک تجربهٔ صحیح است و انجام آن مستلزم درک کارهای ذهنی و بدنی است. امیدوارم که به شما کمک کند تا آن را بهتر درک کنید.

با این تکنیک در بدن واکنش‌هایی ایجاد می‌کنید و آگاهانه تلاشتان را شروع می‌کنید. با ادامهٔ آن این واکنش‌ها خودکار می‌شود. این همان چیزی است که منظور و هدف تکنیک کامل است.

تمامی این تمرینات با هماهنگی طبیعی اعضای بدن مطابقت می‌کند. این تمرینات به هنرجو کمک می‌کند تا هنگام خواندن آواز هماهنگی‌های لازم را به دست بیاورد. به طوری که سرانجام سیستم عصبی خودکار کنترل را به دست می‌گیرد. با استفاده از این تمرینات همانند زمانی که تمرینات مشکل‌تر یا جدیدتر را انجام می‌دهید، حس غریزی شما در تنظیم وقت افزایش می‌یابد.

همان طور که می‌دانید بسیاری از معلمان برای تدریس تکنیک آوازی تنها از صداهای واک‌دار[1] (حروف صدادار) روی گام‌ها استفاده می‌کنند. حسن این تکنیک این

---

۱. صداهای واک‌دار یا واکه‌ها، همان حروف صدادار می‌باشند.

است که صداهای بی‌واک[1] (حروف بی‌صدا) به طور ماهرانه و با روش علمی انتخاب شده است تا واکه‌ها را به جای صحیح خود انتقال دهد.

در طی پنجاه سال تدریس آواز، صداهای زیادی را شنیده‌ام که از نظر فیزیکی آسیب دیده بودند. زیرا طوری از آنها استفاده شده بود که با ساز طبیعی صدا ناسازگار بود. تکنیک آوازی باید با فیزیولوژی و آناتومی طبیعی سازگار باشد.

معلمی داشتم که استخوان لامی و غضروف تیروئید مرا با دست می‌گرفت، و هنگامی که آواز می‌خواندم روی کمر من می‌نشست. پس از درس اشک از چشمانم روی چهره‌ام جاری می‌شد. در کمتر از شش ماه به طور کامل صدایم را از دست دادم و وسعت صدایم بسیار کم شد. من نقش‌های لیریک را در آیدا، توسکا، و قدرت سرنوشت به راحتی می‌خواندم. همچنین صدای من به سوپرانوی دراماتیک تمایل داشت. هنگامی که بورسیهٔ تحصیل در نیویورک را دریافت کردم، فکر می‌کردم که یکی از بهترین و حرفه‌ای‌ترین‌ها خواهم شد، اما بزودی دریافتم که چنین نخواهد شد.

به هر حال، باقیماندهٔ ترم مدرسه را با آن معلم ادامه دادم. سپس به خاطر این تجربهٔ وحشتناک کنسرواتوار را ترک کردم و شهر نیویورک را به مدت سه سال برای بهترین، حساس‌ترین و باهوش‌ترین معلم آوازی که می‌توانستم پیدا کنم، جستجو کردم.

جستجو هنگامی به پایان رسید که وارد استودیو ماد داگلاس توئیدی شدم. از طریق تکنیک او بود که دوباره توانستم وسعت صدایم را به دست آورم و پیشرفت سریعی داشته باشم. پس از شروع شش هفته کار با او ــ همیشه سه یا چهار بار در هفته کار می‌کردیم ــ برای سولوی سوپرانو در بزرگترین معبد یهودیان در شهر نیویورک آزمون صدا دادم و انتخاب شدم. در سراسر بیست و پنج سال شغل خوانندگی‌ام هرگز تکنیکی را که ماد داگلاس توئیدی به من داد، فراموش نکردم. به نظر من این تکنیک بسیار مؤثر است. و شبیه تکنیک معلمانی است که با آنها در وین، مونیخ و زوریخ کار می‌کردم.

این کتاب به شما می‌گوید چگونه از ساز آوازی نگهداری کنید. خواننده هرگز نباید هیچ گونه ناراحتی را در قسمت حنجره تجربه کند. با استفاده از این کتاب، معلم می‌تواند به هر سؤال مربوط به ایجاد صدا پاسخ گوید.

امیدوارم نتایج حاصل از مطالعهٔ این کتاب برای شما بسیار مفید و هیجان‌انگیز باشد، همان طور که فراگیری این تکنیک برای من و بسیاری دیگر چنین بوده است.

---

۱. صداهای بی‌واک یا همخوان‌ها همان حروف بی‌صدا می‌باشند

راهنمای تلفظ

از آنجایی که بسیاری از خوانندگان این کتاب با الفبای آوایی بین‌المللی آشـنا نـیستند،
تمامی تمرینات و مثال‌های داده شده در این کتاب، از راهنمای تـلفظ حـروف صـدادار
(واکه‌ها) که در پایین آمده است، پیروی می‌کند.

a	at
ah	father
aw	awful
ay	hate
ee	easy
eh	every
eye	eye
ih	it
oh	know
oo	moon
uh	up

فصل ۱

توصیه‌های عملی برای حفظ و نگهداری صدا

مهم‌ترین اصل برای پروردن یک صدای خوب و زیبا، داشتن یک مکانیسم صدایی سالم و فیزیولوژیکی است که بتوان با آن کار کرد. این کار باید به طور محدود و درک واضحی از تکنیک صدایی فیزیولوژیکی، همان‌طور که در این کتاب آمده، انجام شود.

استفادهٔ نادرست از صدا

اولین قدم در جهت تکنیک صحیح، حفظ و نگهداری صداست. همان‌طور که می‌دانید قبل از اینکه یک ماشین بسیار عالی کار کند باید تمامی قسمت‌های آن درست کار کند. اگر چرخ‌ها منظم حرکت نکنند، یا قسمتی از موتور احتیاج به تعمیر داشته باشد، خرابی جدی‌ای به بار خواهد آورد. چنین چیزی در مورد صدا نیز صدق می‌کند. مراقبت و نگهداری نادرست از صدا، صدمات جبران‌ناپذیری در پی خواهد داشت. به هر حال، برخلاف یک ماشین که اجزای آن قابل تعویض‌اند، انسان فقط یک جفت چین صوتی دارد؛ بنابراین به شیوهٔ نادرست آنها را به کار نگیرید و یاد بگیرید چگونه از آنها استفاده کنید. این امر موضوع کتاب حاضر است.

زمانی که دانشجوی سال دوم بودم، یعنی در اوایل کار خوانندگی‌ام استفادهٔ بد از صدا درس خوبی به من داد. گروهی از ما در یک شب سرد در هوای آزاد برای تفریح آواز می‌خواندیم. دو نفر از ما که صدای سوپرانو داشتیم سعی می‌کردیم در گروه با صدای تنور بخوانیم. خوشبختانه من به موقع متوجه شدم و دست از آوازخواندن کشیدم. دختر دیگر همچنان به آواز خواندن ادامه داد و آواز خواند و آواز خواند. هنگامی که به خانه رسید صدایش گرفته بود. تا چهار روز به سختی می‌توانست صحبت کند. بعد که به متخصص حنجره مراجعه کرد، به او گفت که از حنجره‌اش بسیار بد استفاده کرده است به طوری که

احتمالاً تارهای صوتی‌اش هرگز دوباره حالت طبیعی خود را نخواهند یافت. و همان طور هم شد! او نه‌تنها صدای آوازخواندنش را از دست داد بلکه از آن پس هنگامی که صحبت می‌کرد نیز صدایش گرفته و خش‌دار بود.

باید به اندازهٔ کافی در مورد خطر زیاد آواز خواندن در هوای سرد شبانه یا فریاد کشیدن از سر شوق و جیغ کشیدن تأکید کنم. هرگز جیغ نکشید. زمانی که در آلمان بودم، مادری کودک خود را نزد من آورد. به قدری صدایش گرفته بود که به سختی می توانست صحبت کند. همچنین او را نزد متخصص حنجره فرستادم ــ من همیشه از کسانی که در صحبت کردن یا آواز خواندن با مشکل جدی روبه‌رو هستند، می‌خواهم که به متخصص حنجره مراجعه کنند. متخصص حنجره گفت که یکی از تارهای صوتی او بر اثر جیغ کشیدن پاره شده است.

چنین مسئله‌ای برای یکی از همکاران من در جنگ جهانی دوم در هنگام یک حمله هوایی اتفاق افتاده بود. او بسیار ترسیده و جیغ کشیده و بر اثر آن صدایش صدمه دیده بود. خوانندهٔ دیگری را در آلمان ملاقات کردم که صدای بسیار گرفته‌ای داشت، و گفت: «هرگز نمی‌توانید تصور کنید که زمانی من یکی از خوانندگان خوب آثار موتسارت بوده‌ام.» گفتم: «خدایا، چه بلایی سر صدایتان آمده است؟» در پاسخ گفت: «در طی یک حملهٔ هوایی بسیار ترسیدم و جیغ کشیدم که این مسئله به تارهای صوتی من صدمه زد.»

مادرها نباید سر فرزندانشان داد و فریاد کنند. دو مادر به من مراجعه کردند که مشکلات جدی‌ای در صدا داشتند. پس از اینکه توسط متخصص حنجره معاینه شدند، مشخص شد که تارهای صوتی‌شان در اثر جیغ کشیدن بر سر فرزندانشان هنگام عصبانیت آسیب دیده است.

چگونه می توان در یک نقش اپرایی جیغ کشید بدون اینکه تارهای صوتی صدمه ببینند؟ با نفس‌گیری و hook (در فصل ۵) و با هدایت کردن جیغ به محلی که هنگام ادا کردن ning به صدا درمی‌آید، می توان جیغ کشید بدون اینکه به تارهای صوتی صدمه ای وارد شود. نفس‌گیری و hook در نگهداری صدابسیار مهم است و از صدمه زدن به تارهای صوتی جلوگیری می‌کند.

یک هنرجوی سال سوم از من خواست تا در برنامهٔ سال آینده‌ام برای او جایی نگه دارم. او صدای بسیار زیبا و زیری داشت و وسعت صدایی‌اش تا «دو بالا» بود. اما هنگامی که در پاییز برای شروع تدریس بازگشتم به من گفت که در یک اردوی موسیقی تابستانی صدایش صدمه دیده است. من شوکه شدم. او گفت که فقط می‌تواند تا «لا»

بخواند و نه بالاتر. وقتی از او پرسیدم که چه کاری انجام می‌دادند، گفت که هر روز چهار تا شش ساعت تمرین می‌کردند، گاهی هم تمرینات را بیرون در هوای سرد شبانه انجام می‌دادند.

نمی‌خواهم فکر کنید که من مخالف اردوهای موسیقی تابستانی هستم. اگر نکات اولیه را در مورد صداهایی که با آنها سر و کار دارند، رعایت کنند می‌توانند تجارب موسیقی خوبی را در اختیار شما بگذارند. اما در چنین اردوهایی معلم‌ها باید آگاه باشند که ساز صدا همانند هیچ یک از سازهای ساختهٔ دست بشر نیست. من طی سال‌ها تجربه‌ای که در کار با خوانندگان دبیرستانی داشته‌ام دریافته‌ام که در طی تمرینات اردوهای تابستانی از آنها انتظارات زیادی می‌رود.

در کارگاه آوازی که در شمال شرقی داشتم، یک هنرجوی هفده ساله که در صدایش نابهنجاری بسیار محسوسی وجود داشت نزد من آمد. در درس اول مشخص شد که هنگام آواز خواندن طنینی در صدایش وجود دارد که طبیعی نیست. با درس دوم کاملاً معلوم شد که اشکالات فیزیکی اساسی در مکانیسم صوتی‌اش وجود دارد.

او را نزد متخصص حنجره فرستادم که خبر غم‌انگیزی به من داد. تارهای صوتی این هنرجوی جوان «کمانی» شده بودند. (این واژه به تغییر شکل فیزیکی، یعنی ساختار طبیعی تارهای صوتی اشاره می‌کند. اگر قادر به دیدن تارهای صوتی درون گلو بودید، می‌دیدید به نظر خمیده یا کمانی شکل‌اند.) البته، چنین مشکل صوتی، داشتن آینده‌ای را با این صدا بسیار مشکل می‌ساخت، زیرا صداهایی که از گلویش بیرون می‌آمدند دارای یک درجه، بافت، رزنانس و ویبراسیون هماهنگ نبودند.

پی بردم که مشکل او یک نقص مادرزادی نبود، بلکه به سبب تعلیمات نادرست و استفادهٔ نادرست از صدایش چنین حالتی پیش آمده بود. صدای او در یک کر آسیب دیده بود. قطعاتی که برای این گروه انتخاب شده بود، برای این صدای تِنور جوان در محدوده‌ای بسیار بالا قرار داشت. مدت تمرین پنج ساعت در روز بود، که برای صداهای جوان بسیار طولانی است. فکر می‌کنم حالا می‌توانم بفهمم که چرا تارهای صوتی او خمیده شده بودند. البته می‌دانم که با کار بسیار دقیق می‌توان این مشکل را، بسته به شدت آن، رفع کرد.

هنگامی که قمیش یک کلارینت فرسوده یا خراب می‌شود، می‌توانیم آن را دور بیندازیم و یک قمیش نو بخریم. اما در مورد تارهای صوتی چنین نیست! اگر یک نوازندهٔ ساز بادی که ملزم به استفاده از لب‌هایش برای مدت زمانی بسیار طولانی است دست از نواختن بکشد، قابل قبول است زیرا نمی‌توان بدون محدودیت از عضلات استفاده کرد.

همچنین اگر نوازنده‌ای به علت خستگی زبان و لب‌هایش از نواختن خودداری می‌کند قابل قبول است، باید به خواننده اجازه داد که موسیقی را در تمرین «علامت بگذارد» (یعنی یک نت زیر را با نیروی بیشتری بخواند یا به نرمی یک اکتاو بم‌تر از نت واقع در پارتیتور بخواند).

اعضای گروه کر یک مدرسه، که در یک مسابقه شرکت می‌کردند به علت تمرین بیش از حد گلویشان قبل از مسابقه صدمه دیده بود. رهبر آن گروه با نسخهٔ پزشک، اسپری‌ای برای تسکین دردی که خواننده‌ها در گلویشان احساس می‌کردند، خریداری کرد. هرگز نباید برای ادامهٔ خواندن، از هیچ قرص مکیدنی یا اسپری‌ای که دارای خواص تسکین‌دهندگی است، استفاده کرد. با استفاده از این روش‌های مصنوعی، شما فقط درد را تسکین می‌دهید. هنگام درد، بدن شما سعی دارد چیزی به شما بگوید: «بگذار صدایت استراحت کند». با ادامه دادن به آواز، شما آسیب جبران‌ناپذیری به تارهای صوتی خود وارد می‌کنید.

متخصصان حنجره به ما می‌گویند که دود سیگار تارهای صوتی را بسیار تحریک می‌کند و باعث ایجاد تاول‌های کوچک می‌شود. کسی که به طور جدی کار آواز انجام می‌دهد، نباید سیگار بکشد. سیگار نه‌تنها تارهای صوتی را تحریک می‌کند، بلکه تمامی بافت ششها، گلو و حفره‌های بینی را تحریک می‌کند؛ گنجایش تنفسی را کاهش می‌دهد و محدوده‌های زیر صدا را خراب می‌کند.

متخصصان حنجره معتقدند که تأثیر الکل روی تارهای صوتی مانند تأثیر آن بر یک فرد الکلی است که در اثر الکل مویرگ‌هایش خونریزی کرده و بدین سبب پوستی سرخ‌رنگ دارد. از آنجایی که الکل حالت سست‌کننده دارد زمانی که تارهای صوتی باید به عملکرد خود برای صحبت یا آواز ادامه دهند، اگر از نوشابه‌های الکلی استفاده شود صدمات وارده افزایش می‌یابد.

نوشیدنی‌های خنک نیز، زیان‌بارند. حتی اگر مایع به روی تارهای صوتی نرود، باعث سفت شدن نرم‌کام و قسمت‌های گلویی می‌شود؛ که هر دو بسیار مهم هستند.

استراحت کامل صدا

هنگامی که خواننده حرفه‌ای از خستگی شدید صدا در یک دوره طولانی رنج می‌برد چه باید بکند؟ آیا درست است که بگوییم با وجود تکنیک آوازی کامل چنین مشکلاتی نباید اتفاق بیفتد؟ برترین تکنیک‌های آوازی در جهان نیز اکنون نمی‌تواند انتظارات اجراهای

حرفه‌ای را برآورده کند. در صورت امکان به مدت یک هفته تا ده روز به صـدای خـود استراحت دهید و معجزات آن را ببینید.

امروزه بر سر استراحت صدا بین پزشکان اختلاف نظر وجود دارد. درست است کـه عدم فعالیت باعث تنبلی در هماهنگی عضلات می‌شود و اینکه استفاده مداوم از ساز صدا برای سلامت کلی صدای خواننده لازم است، اما در صورتی کـه خـواننـده در شـرایط فیزیکی نامناسب به طور مداوم به اجرا می‌پردازد، استراحت کـامل صـدا بـرای مـدت کوتاهی می‌تواند بسیار مؤثر باشد.

البته استراحت کامل صدا باید در زمانی انجام شود که دیگر روش‌ها برای بازگرداندن قدرت و سلامتی صدا بی‌تأثیر بوده باشد. هنگام استراحت کامل صدا خواننده بـایـد از تمامی فعالیت‌هایی که باعث نزدیکی گره‌های آوازی می‌شود خودداری کند. یک دفترچه و چند مداد باید جایگزین عضلات آوازی شود و سکوت کامل برقرار گـردد. از زمـزمـه کردن نیز باید پرهیز شود، زیرا برخورد هوا با تارهای صوتی در هنگام زمزمه کردن بسیار زیان‌بخش‌تر از بلند صحبت کردن است.

دو یا سه روز استراحت کامل صدا نتایج شگفت‌انگیزی به همراه می‌آورد. در صورت لزوم، آخر هفته را به جایی بروید. اگر پس از چند روز هیچ‌گونه پیشرفتی حاصل نشد باید جدی‌ترین معالجه را شروع کنید: بیست روز (یا دو هفته) سکوت کامل، بارها ثابت شده که چنین تجویزی از بسیاری از تمرینات درمانی، نفس‌گیری، دارو و ماساژ مؤثرتر بوده است.

گلوی خشک

گاهی اوقات خوانندگان از خشکی گلو در هنگام اجرا شکایت می‌کنند. آیا در این مورد می‌توان کاری انجام داد؟ در ابتدا خواننده باید به خاطر داشته باشدکه خشکی گلو یکی از عوارض جانبی اضطراب در هنگام اجرا است. هرچه از نظر تکنیکی و عضلانی آماده‌تر باشید، احتمال خشکی گلو کمتر است. گاز گرفتن نوک زبان به آرامی و قطره‌قطره نوشیدن آب به طور موقت به رفع خشکی گلو کمک مـی‌کند. امـا، مـهم‌ترین نکـته روانشناسی رفتارهای اجرایی است. به تماشاگران به چشم افرادی که محتاج خدمات شمـا هستند بنگرید و بپذیرید که شما در مقابل آنها قرار گرفته‌اید تا بخشی از شناخت مـوسیقایی و هنری خودتان را با آنها تقسیم کنید.

بسیاری از خوانندگان به این موضوع پی برده‌اند که با استفاده کم یا استفاده نکردن از

نمک در غذایشان در نزدیکی زمان اجرا به طور قابل ملاحظه‌ای خشکی گـلو کـاهش می‌یابد. نوشیدن آب بیشتر نیز در روزهای اجرا (یا به طور کلی) از خشکی گلو در هنگام خواندن می‌کاهد.

جویدن آدامس با استفاده از قرص‌های مکیدنی نیز تنها به افزایش بزاق دهان به طور موقت کمک می‌کند و به دنبال آن گلو خشک‌تر نیز می‌شود. جویدن و بلعیدن یک یا دو تکه میوه یا مرکبات در بین هر پرده روش بهتری است. ایجاد یک فضای اجرایی مثبت و بانشاط بیش از هر چیز دیگر به از بین رفتن خشکی گلو کمک می‌کند.

تمیز یا صاف کردن گلو

به خاطر سلامتی صدا، خواننده باید از هرگونه عملی برای « تمیز کردن » گلو خودداری کند، خصوصاً در زمان‌های اجتناب‌ناپذیر ناتوانایی‌های آوازی. بیشتر خوانندگان بسیار مواظب سلامتی خود هستند و نسبت به بسیاری از مردم کمتر دچار سرماخوردگی و یـا بیماری‌های تنفسی می‌شوند. هنگامی که چنین بیماری‌هایی ظاهر می‌شود، خوانـندگان بسیار سریع‌تر می‌خواهند بهبود پیدا کنند.

اغلب بهترین روش تمیز کردن مخاط گلو، خواندن است. اجـرای آرپـژهای سـریع، گلیساندو، آغازه سریع، یا تریل تقریباً همیشه اثربخش‌تر از « تمیز کردن » گلوست. البته اگر واقعاً چیزی برای تمیز کردن در گلو وجود داشته باشد. متأسفانه، خواننده نمی‌تواند از چنین روشی برای تمیز کردن گلوی خود، هنگامی که روی صحنه منتظر اجرای قسـمت خود می‌باشد استفاده کند. در چنین مواقعی قورت دادن آب دهان می‌تواند کمک کند.

خواننده نباید از سرفه جهت تمیز کردن گلوی خود، هنگامی کـه مـخاط روی نـای، حنجره و یا حلق وجود دارد استفاده کند. برای حفظ سلامتی صدای خود تا آنجایی کـه ممکن است از سرفه کردن و « تمیز کردن » گلو خودداری نمائید.

جویدن

آیا هیچ تمرینی وجود دارد که خوانندگان بتوانند از آن برای مواقعی استفاده کنند که تنش، خستگی و فشارهای ناشی از اجراهای بیش از حد، توان آنها را گرفته است یا شرایـطی فیزیکی‌شان به طور موقت قادر به اجرا در بهترین شرایط خود نیست؟

چندین دهه است که برخی از متخصصان گفتار درمانی و متخصصان حنجره به ارتباط بین جویدن و سخن گفتن علاقه نشان داده‌اند. جویدن در برخی از شرایط خاص می‌تواند

با ایجاد ارتباط بین صدای آوازی اولیه و صحبت کردن باعث پیشرفت صدا شود.

امیل فروشلز (Emil Froeschels) یکی از پیشکسوتان آدامس درمانی چنین اظهار می‌کند که «آدامس جویدن» روشی «آرام‌بخش» نیست، بلکه وسیله‌ای است برای ایجاد ارتباط بین صدا و صحبت کردن. اگرچه خواننده‌ای که تمرینات آدامس جویدن ــ صحبت کردن را انجام می‌دهد به طور بسیار واضح احساس آرامش را تجربه می‌کند.

فروشلز پیشنهاد می‌کند که از "ham-ham-ham" به عنوان یک سیلاب مناسب برای تمرین می‌توان استفاده کرد. تجربه نشان می‌دهد که بهتر است بیست بار در روز و هر بار فقط به مدت چند ثانیه این تمرین انجام شود. خواننده باید در هنگام جویدن به آنچه می‌خواهد بگوید بیندیشد.

خستگی آوازی در صدای خواندن همیشه ناشی از شرایط موجود در صدای صحبت کردن نیست، اگر به عنوان یک خواننده حرفه‌ای هفته بسیار پرکاری را پشت سر گذاشته‌اید، مثلاً بیش از یک نقش داشته‌اید که فشار فیزیکی، آوازی و احساسی زیادی به شما وارد کرده است ــ شرایطی که باید از آن پرهیز کرد ــ یا اگر مجبور هستید بیش از حد از صدایتان در تمرین و یا تدریس استفاده کنید از تمرینات زیر بهره ببرید.

تمرین

بدنتان را در حالت بسیار راحتی در صندلی جای دهید، اما سر و گردن خود را صاف نگه دارید. اگر در حالت ایستاده نیز این تمرین را انجام دهید از ارزش آن کاسته نمی‌شود. تصور کنید که در حال جویدن دو قطعه بزرگ استیک (دو آدامس بادکنکی بزرگ نیز همین کار را می‌کند) در دو طرف دهان خود هستید؛ با دهان باز و با سروصدا و بدون توجه به آداب بجوید "mum-mum mum" با سرعت طبیعی صحبت کردن.

فک خود را بیش از حد در حالت عمودی باز نکنید، زیرا حتی در هنگام جویدن یا صحبت کردن نیز چنین نمی‌کنید. به مدت چند ثانیه به جویدن ادامه دهید و سپس جویدن را متوقف کنید. پس از آنکه چندین بار این عمل را انجام دادید، استراحت کنید. پس از چند دقیقه چند سیلاب به آن اضافه کنید، مثلاً یک خط از متن آوازی، و همچنان که به حرکت لب‌ها، گونه‌ها و فک توجه می‌کنید به جویدن ادامه دهید. چند بار به مدت بسیار کوتاه به همین روش در طی روز این تمرین را اجرا کنید.

پس از این تمرین می‌توانید نرم شدن عضلات گلو و گردن را به خوبی احساس کنید. ثابت شده است که گرفتگی عضلات در ناحیه حنجره‌ای در هنگام جویدن کاهش می‌یابد.

همچنین باید به خاطر داشت که مشکلات واقعی صدا، همیشه ناشی از فعالیت بیش از حد حنجره است.

در واقع، برخلاف تصور همه، خوانندگان حرفه‌ای مرتب به جویدن روی می‌آورند. برخی از خوانندگان مشهور بین هر پرده اجرا با سر و صدای فراوان به جویدن می‌پردازند. خوردن مقدار اندکی غذا باعث آرامش مکانیزم آوازی هنگام جویدن می‌شود. همچنین بلعیدن‌های گاه و بی‌گاه صدا را صاف می‌کند.

خوانندگان و متخصصان حنجره

خواننده در هر جایی که زندگی می‌کند، باید به نزدیک‌ترین متخصص حنجره، آن هم در زمانی که هیچ‌گونه مشکلی در صدای آوازی ندارد مراجعه کند. معلمان آواز خصوصاً آنهایی که در ارتباط با کالج‌ها و دانشگاه‌ها می‌باشند، باید با یک متخصص حنجره مقیم در دانشگاه در ارتباط باشند و ترتیبی بدهند که تمامی دانشجویانشان در شروع کار تحت معاینه قرار گیرند تا از سلامتی خود اطمینان حاصل کنند.

ارتباط بین خواننده و متخصص حنجره باید مانند ارتباط بین خواننده و معلمش باشد. متخصص حنجره‌ای که با خوانندگان آشنایی ندارد ممکن است گاهی دچار سردرگمی شود که چرا خوانندگان به وی مراجعه می‌کنند.

خواننده باید بدون هیچ‌گونه احساس خجالتی با متخصص حنجره خود ارتباط برقرار کند. کوچک‌ترین ناراحتی در گلو ممکن است منجر به شرایط بحرانی برای خواننده شود. هیچ چیزی ناامیدکننده‌تر از این نیست که متخصص حنجره بگوید: اینقدر بچه نباش «فقط کمی گلویت سرخ و متورم شده است.» یک خواننده خوب به یک متخصص حنجره خوب نیازمند است که با روحیات او آشنایی داشته باشد. بیشتر خوانندگان هنگامی‌که دچار بیماری‌های تنفسی می‌شوند به دکتر مراجعه نمی‌کنند که این اصلاً کار درستی نیست.

به هر حال، هنگامی که اضطراب‌های ناشی از اجرا با مشکلات فیزیکی درهم می‌آمیزند، متخصص حنجره باید نقش اصلی را در روانشناسی اجرا داشته باشد.

متخصص حنجره و معلم آواز باید با یکدیگر در کنار آمدن با صدای بیمار همکاری کنند. هیچ معلم آوازی نباید مسئولیت‌های پزشکی را به عهده بگیرد. همچنانکه متخصص حنجره نباید به تدریس آواز بپردازد. حتی متخصص حنجره‌ای که خود آواز می‌خوانده است و به موفقیت‌هایی در سطح یک خواننده تازه کار نائل آمده، باید از دادن هرگونه

پیشنهادی در مورد تکنیک‌های آوازی خودداری کند. معلمین آواز نیز نباید نسخه‌های پزشکی تجویز کنند.

وزن و صدای خوانندگی

چه وزنی برای خوانندگان مناسب است؟ آیا این موضوعی که اغلب خوانندگان بیش از حد چاق در مصاحبه‌هایشان می‌گویند حقیقت دارد: وزن اضافی برای اینکه خواننده بتواند صدای خود را در خانه‌های اپرا منعکس کند یا به آن زرنانس بیشتری بدهد لازم است. به طور حتم چنین نیست! وزن مطلوب برای خواندن، همان وزن مناسب برای هر فعالیت دیگری است.

خوردن یکی از روش‌هایی است که به خواننده کمک می‌کند تا تمامی ناراحتی‌های ذهنی را که از آن رنج می‌برد به دست فراموشی بسپارد. بیشتر خوانندگان چاق دچار تنگی نفس هستند، درست مانند بازیکنان چاق بیس‌بال که هنگام دویدن مشکل دارند. نگاه کردن به سینه چاق و کم‌نفس خواننده چاق در اوج یک آریای دراماتیک نه زیباست و نه برای سلامت خواننده خوب است.

آداب و عرف اپرا در دهه‌های اخیر نسبت به اصول انضباطی خوانندگان سیر نزولی داشته است. اگر کسی می‌خواهد در اپرا مشغول به کار شود، باید تمامی ضوابط فیزیکی را نیز در نظر بگیرد. هیچ دلیلی وجود ندارد که یک رومئو چاق را در اپرا بیشتر از تئاتر بخواهیم. صدا تنها همه چیز نیست! خواه در اپرا، خواه روی صحنه کنسرت. خوانندگان جوانی که خواهان کار روی صحنه‌های اپرایی می‌باشند باید کاهش وزن را مانند دیگر کارها در برنامه آمادگی شغلی خود قرار دهند. تعداد اندکی از خوانندگان چاقی که در دنیای مدرن راه خود را به صحنه‌های کنسرت باز کرده‌اند نباید باعث گمراهی خوانندگان دیگر شوند که باور کنند چاقی موضوع زیاد مهمی نیست. در دنیای امروز تقریباً غیرممکن است که فردی چاق بتواند خواننده موفقی شود، همان‌طور که غیرممکن است که یک خواننده مرد که قد کوتاهی دارد بتواند شغلی در اپرا داشته باشد. این ممکن است خیلی منصفانه نباشد، اما یک واقعیت است.

رژیم غذایی خواننده

گاهی شاهد آن هستیم که رژیم‌های غذایی خاصی در روز اجرا در بین خوانندگان مد می‌شود. ارزش غذایی مواد «طبیعی» ــ رژیم‌های سبوس‌دار، رژیم‌های گیاهی، ماست،

یا استیک و کاهو ــ هرچه که باشد، بهترین رژیم برای خواننده، رژیمی است که او را به مواد غذایی لازم برای زندگی روزمره مجهز کند. هیچ غذا یا نوشیدنی بخصوصی وجود ندارد که بتواند شرایط ویژه‌ای برای حنجره ایجاد کند. هر چیزی که مغذی است و موجب التهاب معده نمی‌شود، رژیم غذایی مناسبی است. رژیم غذایی که از پروتئین بالایی برخوردار است برای فعالیت‌های فیزیکی بالا توصیه می‌شود، در صورتی که وجود موادی که دارای نمک فراوان هستند در رژیم غذایی همان‌طور که در تمامی وقایع ورزشی چنین است، باعث تشنگی و خشکی گلو می‌شوند. خوانندگان به گره‌های آوازی مرطوب نیازمندند و باید خود را به نوشیدن زیاد مایعات عادت دهند. زیرا به علت عرق کردن در لباس‌های اجرا زیر نورهای سنگین و در نقش‌های مشکل و توان‌فرسا بدن آب زیادی را از دست می‌دهد.

عادات غذا خوردن خوانندگان اغلب به عادات ملی آنها در جامعه‌ای که بزرگ شده‌اند بستگی دارد. برخی از خوانندگان ناهارشان را دیر می‌خورند و تا بعد از اجرا چیزی نمی‌خورند. این عادت را بیشتر خوانندگان امریکایی دارند. زیرا بیشتر آمریکایی‌ها زود شام می‌خورند؛ که اغلب به زمان اجرا بسیار نزدیک است.

بسیاری از خوانندگان ایتالیایی و فرانسوی چندین ساعت قبل از زمان اجرا غذای سبکی می‌خورند و سپس با اشتهای بیشتر پس از اجرا غذا می‌خورند. در حالی‌که آلمانی‌ها، قبل از اجرا غذای سنگین می‌خورند تا بتوانند به چیزی هنگام آواز خواندن فشار بیاورند. هر تکنیکی که برای نفس‌گیری دارید واضح است که شکم‌پر، مانع استفاده صحیح از دیافراگم می‌شود. با این وجود انرژی برای کار فیزیکی و فعالیت خوانندگی نیز لازم می‌باشد. یک غذای متعادل مغذی و بدون نمک چندین ساعت قبل از اجرا، مناسب می‌باشد.

شیوهٔ صحیح صبحت کردن

خواننده‌های جوان نباید در دانشکده زیاد صبحت کنند. متخصصان حنجره معتقدند که صحبت کردن به شیوهٔ نادرست بسیار بیشتر از نادرست آواز خواندن به تارهای صوتی آسیب وارد می‌کند. بنابراین هنگامی که دارید صحبت می‌کنید، در مورد بدن و حالت سر فکر کنید. نفس را با قفسهٔ سینه به سمت بالا اما نه با شانه‌های بلندشده، با سینه‌ای فراخ و نه افتاده، نگه دارید.

به نفس‌گیری و عضلات hook که در فصل پنجم کاملاً شرح داده شده است مراجعه

کنید. همچنین به « لبخند داخلی » یا « حفرۀ دهانی » یا «گنبد» فکر کنید. تمامی اینها بعداً توضیح داده خواهند شد. بگویید ning و به صوتی که درست در همان نقطه ارتعاش می‌کند فکر کنید. آن سطح ارتفاع صدای طبیعی شماست. بگذارید مغزتان کار را برای شما انجام دهد. همان طور که صحبت می‌کنید، احساس لبخند داخلی را داشته باشید و بگذارید که فک به آسانی در آن مدار به حرکت درآید. نفس را نگه دارید، احساس کنید کاملاً در تمام جمله‌ای که می‌گویید درگیر هستید. نگذارید این احساس تا زمانی که اصوات از دهانتان خارج می‌شود از بین برود. در پایان جمله، شکم را آزاد کرده و بگذارید نفس وارد شش‌ها شود. شما مجبور نیستید هوا را به درون بکشید. فشار هوای خارج از شش‌ها پس از رها کردن عضلات شکم بیش از درون است و در نتیجه پس از رها کردن عضلات شکمی، هوا به سادگی وارد شش‌ها می‌شود. با نگه داشتن لبخند داخلی، خط آوازی را که هنگام خواندن با آن سر و کار داشتید، نگه خواهید داشت، و گلوی شما از صحبت کردن خسته نخواهد‌شد.

خواننده نباید سعی کند در سر و صدای یک اتاق شلوغ، در مهمانی‌ها و یا در رستوران‌ها صحبت کند. این بخشی از مراقبت صحیح از صداست. ما بیش از آواز خواندن، صحبت می‌کنیم؛ پس در مورد چگونگی صحبت کردن خود بیندیشید و از صدایتان به دقت محافظت کنید. درست صحبت کردن به شما کمک می‌کند که خوانندۀ بهتری بشوید.

تأثیر محیط

سرما: هوای سرد برای خواننده می‌تواند فاجعه‌آمیز باشد. هنگامی که هوا از تارهای صوتی عبور می‌کند، آنها را سفت می‌کند. دونده‌ای که قبل از مسابقه به روی پاهایش آب یخ می‌ریزد، می‌تواند مشابه این موضوع باشد. اغلب یک پیانیست قبل از اجرا دستکش‌های گرم می‌پوشد و یک بالرین از شلوار گرمکن استفاده می‌کند، به این علت که عضلات انعطاف‌پذیر باقی بمانند و هرگز سفت نشوند. خواننده باید آگاه باشد که شرایط بیرونی صد در صد بر صدا تأثیر دارد. هنگامی که خواننده در کنسرت ــ شاید با یک ارکستر ــ در حال اجراست یا بر روی سن نشسته و منتظر اجراست، باید مراقب باشد که سردش نشود. مشکل دیگری که یک خواننده ممکن است با آن مواجه شود این است که خواننده مجبور باشد از رختکن با درجه حرارت بسیار متفاوت به روی سن برود. یکی از همکارانم Lohengrin را اجرا می‌کرد. رختکن بسیار گرم و تالار بسیار سرد بود. در پایان

پردهٔ اول به خاطر تفاوت دمای فراوان مجبور شدند شخص دیگری را جایگزین او کنند. من نیز چنین تجربه‌ای را داشته‌ام. رختکن بسیار گرم و تالار بسیار سرد بود. احساس کردم که صدایم پس از دومین بار در رختکن دارد از بین می‌رود. مقداری آب نمک برای قرقره خواستم و گفتم که باقی کنسرت را در زمان‌های تنفس در تالار می‌نشینم. خواننده باید از تمام این چیزها آگاهی داشته باشد و برای محافظت از ساز صدا در مقابل آسیب‌های وارده احتیاط کند.

تمرینات فیزیکی و خواندن

قبلاً گفته شد که آرامش و سکوت برای خواننده در روز اجرا توصیه می‌شود. آیا فعالیت‌های فیزیکی در طی روزهای تمرین نیز توصیه می‌شود؟ هر روزی به جز روز اجرا برای یک خواننده جدی، روز تمرین است، به جز روزهای تعطیلی یا روزهای پریود و بیماری.

وزنه‌برداری، هندبال، اسکواش، تنیس، شنا و امروزه خصوصاً قدم‌دو، برای پرورش بدن خوانندگان بسیار توصیه می‌شود. چنین فعالیت‌هایی اگر سلامت شرایط عمومی بدن را تضمین کنند بسیار مفیدند.

حتی در سال‌های نخستین، این سؤال پیش می‌آید که آیا عضلاتی که مستقیماً با خواندن ارتباط دارند، باید به اندازه خاصی رشد کنند. فعالیت‌های فیزیکی که باعث انعطاف و نرمی در حرکات سبک می‌شوند، برای خواننده مناسب‌ترند. دویدن در هوای سرد باعث مشکلات تنفسی در بعضی از خوانندگان می‌شود که باید از آن اجتناب کنند. به طور کلی، خواننده باید زمان بیشتری را در اتاق تمرین و زمان کمتری را در باشگاه‌های بدن‌سازی و دویدن در پارک‌ها صرف کند.

تأثیر سلامت جسمانی بر روی صدا

هر خواننده‌ای باید برای تقویت حفرهٔ قفسهٔ سینه و قسمت‌های پایین شکم تمرینات فیزیکی‌ای را انجام دهد. شنا نیز بسیار مفید است اگر سرتان را در زیر آب نکنید و کلر وارد سینوس‌های پیشانیتان نشود. بعضی از باله‌ها نیز بسیار مفیدند.

تعادل هورمون‌ها در تمام طول کار برای خواننده بسیار مهم است.

دارو: مصرف دارو بر روی صدا به طور حتم تأثیر می‌گذارد و به روی بعضی از صداها بیش از بقیه.

تیروئید: میزان ترشح غده تیروئید نیز چیزی است که خواننده باید از آن آگاهی داشته باشد و نباید بسیار بالا یا پایین باشد. تعادل تیروئید به شدت بر روی صدا تأثیر می‌گذارد. هنگامی که یک خواننده صدایش می‌گیرد و نت‌های بالاتر را نمی‌تواند به آسانی قبل بخواند و صدایش خسته شده، عاقلانه این است که به پزشک مراجعه کند زیرا احتمال اختلال در کار تیروئید وجود دارد.

عادت ماهیانه: دورهٔ عادت ماهیانه می‌تواند در صدا تغییراتی ایجاد کند. در این دوران حاد نباید خیلی از صدای خود انتظار داشته باشید. تارهای صوتی در روزهای اول عادت ماهیانه و چند روز قبل آن متورم می‌شود. در اروپا این روزها « روزهای احتیاط » نامیده می‌شود و از شخص انتظار اجرا نمی‌رود. در ایالات متحده به « روزهای احتیاط » اغلب توجهی نمی‌شود.

حاملگی: اگر همه چیز در طی دوران حاملگی خوب پیش برود، شخص برای خواندن آزاد است. پس از زایمان، هنگامی که بدن ضعیف و خسته است، نباید بلافاصله شروع به خواندن کرد.

یائسگی: در زمان یائسگی، یک زن ممکن است عدم تعادل هورمونی را تجربه کند، که می‌تواند بر روی صدا تأثیر بگذارد. بنابراین بسیار عاقلانه است که توسط پزشک زنان و متخصص حنجره معاینه شود؛ البته مطلوب‌تر آنکه هر دوی آنها با یکدیگر کار کنند. به هر حال به خواندن ادامه دهید چراکه این از مفیدترین کارهایی است که می‌توانید انجام دهید. از نظر من، عمر طولانی صدا با مراقبت صحیح از آن ارتباط مستقیم دارد.

فصل ۲

قدم‌های نخستین در جهت پیشرفت تکنیک آوازی سالم

اگر انجام کاری هدف شماست، باید در طول راه نیز اهدافی داشته باشید که ما آن را « جهت » می‌نامیم سپس باید « پشتکار » و « انضباط » داشته باشید. سه نکتهٔ بسیار مهم در آواز خواندن عبارت‌اند از: جهت، پشتکار و انضباط.

هنرجویان آواز باید به اهمیت تعلیم و همچنین آماده کردن مطالب خواسته‌شده و حفظ تمامی آنچه در هر درس یاد گرفته‌اند، پی ببرند. استفاده از کاست برای این کار سودمند است . خواننده باید هر درس را ضبط کند و پس از هر درس، توضیحات را از روی نوار بنویسد. تمرین پرانرژی و جدی، با توجه به نکات خوب درس آواز، بهترین شیوه برای کسب بهترین نتایج است.

هنرجویان باید از نظر موسیقایی آماده باشند و با ترجمهٔ لغت به لغت آوازها و آریاها به زبان مادری خود بر سر درس حضور یابند. متن باید در ابتدا بدون موسیقی و سپس با موسیقی تمرین شود. هنرجو هرگز نباید سعی کند موسیقی و متن را در یک زمان با هم بخواند. این مسئلهٔ بسیار مهمی است. در کر، خواننده باید در ابتدا با استفاده از tah tah tah روی خط آوازی موسیقی را فرا بگیرد. هنگامی که یک قطعهٔ آوازی را یاد می‌گیرید، متن را با ریتم بخوانید و موسیقی را به گوشتان بسپارید ، قبل از اینکه هر دو را با هم اجرا کنید.

اگر بخواهید به روش دیگری عمل کنید، وقت خود را هدر می‌دهید، اما بدتر از زمان تلف‌شده، صدمه‌ای است که به تارهای صوتی وارد می‌شود؛ زیرا اصوات ایجادشده در جای صحیح خود نمی‌نشینند و حمایت نمی‌شوند، که در نتیجه هنرجو به جای ساختن خط آوازی، به خراب کردن آن می‌پردازد. این شیوه باعث می‌شود که بر روی اجرای حقیقی تکنیک آواز و ترجیحاً اصول بحث شده در این کتاب تمرکز کند.

فراگیری آواز با هر تکنیکی نیاز به درک و مطالعهٔ وسیع و دقیق دارد. تکنیک صحیح

آوازی، می‌تواند شما را تبدیل به یک خوانندهٔ بزرگ در قطعات ادبی آوازی بکند. بدون تکنیک چنین اجرایی وجود نخواهد داشت.

دورنماهای فراوانی برای هنرجویان آواز وجود دارد، اما قبل از هر چیز باید بر مقدمات و اصول تکنیک برای انتقال پیام آواز، کاملاً تسلط پیدا کرد.

شروط لازم: گوش موسیقایی و چشم تیزبین

هم هنرجو و هم معلم باید گوش بسیار دقیق موسیقایی و چشم بسیار تیزبینی داشته باشند و هماهنگی‌های فیزیکی مؤثر در ایجاد صدای صحیح را ببینند و بشنوند. آنچه از نظر تکنیک درست یا نادرست است بر اساس احساسات جسمانی می باشد. انجام تمرینات در مقابل آینه باعث می‌شود، هنرجو بفهمد چه احساسی دارد تا بتواند آن دو را هماهنگ کند. هنگامی که هماهنگی صحیح به صورت یک عادت درمی‌آید، سیستم عصبی غیرارادی قادر به تلسط بر مراحل آوازی خواهد بود و با استفاده از این احساسات اجرای خوبی صورت خواهد گرفت.

گوش دادن و نگاه کردن

اولین نکتهٔ مورد توجه در طی درس این است که معلم باید با دقت به آواز خواندن هنرجو گوش دهد. معلم نباید دائماً با آوازخواندن به توضیح بپردازد، زیرا ممکن است هنرجو از معلم تقلید کند. گوش دادن به خواننده‌های دیگر خوب است، اما نباید از صدای آنها تقلید کرد.

هنگامی که هنرجو آواز می‌خواند، معلم هرگز نباید با او بخواند. زیرا در این صورت نمی‌تواند به درستی صدای هنرجو را بشنود. تصحیح تکنیک نادرست و ناهماهنگی عضلانی، به همراه تأیید تکنیک صحیح و هماهنگی عضلانی صحیح مهم‌ترین موفقیت دوران آموزش می‌باشد. هنرجو برای گوش دادن، نگاه کردن، تصحیح و پیشنهادات مؤثر معلم، به او شهریه پرداخت می‌کند، در غیر این صورت، تکنیک بد را بدون معلم نیز می توان اجرا کرد.

بعضی از معلمان، پیانیست‌های ماهری هستند. و با این قابلیت، بیشتر اوقات ذهن آنها بین هنرجو و همراهی کردن آنها تقسیم می‌شود ــ که نباید چنین باشد. همراهی کردن هنرجو با پیانو در طی مدت درس کم‌اهمیت‌ترین موضوع مورد توجه در تدریس تکنیک آوازی است. معلمی که پیانو می‌نوازد ممکن است هنرجو را از نظر دینامیک و ریتم

هدایت کند، که این امر ممکن است هنرجو را به معلم وابسته کند، و از بین بردن آن مشکل است. این موضوع باید به دقت مورد توجه قرار گیرد و از آن اجتناب شود.

پیدا کردن معلم آواز

قبل از اینکه هنرجو بتواند پایهٔ خوبی برای ساختن صدایش ایجاد کند باید معلم آوازی پیدا کند که از نظر اخلاقی خوب باشد و در تکنیک صدا از دانش فراوانی برخوردار باشد.

یک معلم آواز در درجهٔ اول باید خوانندهٔ خوبی باشد. این امری ضروری است. بسیار اتفاق می‌افتد که مربیان ــ بعضی از مربیان خوب ــ تصمیم به آموزش آواز می‌گیرند. از نظر من این یک اشتباه است. من قبل از اینکه ماد داگلاس توئیدی را در نیویورک ببینم، چنین معلمی داشتم. او می‌توانست به خوبی اصوات را بشنود. اما پس از مدتی (پس از صرف زمان و پول بسیار) دریافتم که بسیاری از چیزهایی که در مورد رنگ صدا به من گفته است، دقیقاً برعکس است. یک معلم خوب بسیار ارزشمند است، و شما باید یک متخصص آواز (یک معلم آواز) داشته باشید، کسی که احساسات ایجاد صدای خوب را تجربه کرده باشد.

این تئوری که «هنرجوی مذکر باید با معلم مذکر کار کند و هنرجوی مؤنث با معلم مؤنث» هیچ پایه و اساسی ندارد. چنین فرضیه‌ای صرفاً براساس تفاوت‌های فیزیکی موجود در مکانیسم صدای هر جنس واقعیت ندارد. این موضوع که حنجرهٔ مردان معمولاً بزرگتر از زنان است، درست است. اما عضلات و اعصابی که در خواندن دخالت دارند از نظر ساختاری و دینامیکی یکسان‌اند. تنها تفاوت، ممکن است تغییر هورمون‌ها و چگونگی تأثیر آنها بر روی مکانیسم آوازی باشد. انتخاب معلم، تنها براساس تفاوت‌های جنسی، کاملاً غیرموجه می‌باشد.

یک حقیقت بسیار مهم در انتخاب معلم آواز، اعتماد است. هنرجو باید کاملاً به معلم اعتماد داشته باشد و از تعلیمات او پیروی کند، و فراگیری روند کار باید پیشرفت مداوم او را تضمین کند. وقتی هنرجو تکنیک و تأثیر آن را بر روی صدا درک کند، قادر خواهد بود پیشرفت حتمی خود را در داشتن صدایی آزاد با گرمی، رنگ، و شور و هیجان احساس کند. این کار معلم است که صدا را آزاد کند، اما در وسعت بخشیدن به صدا نباید به زور متوسل شود.

هنرجوی دوراندیش باید به صدای هنرجویان معلمی که قصد دارد با او کار کند، گوش کند. بعضی از معلمان صدای هنرجویانشان را تنها بزرگ‌تر می‌کنند، در حالی که این به

مفهوم بهتر نیست. معمولاً وقتی صدایی با زور بزرگتر می‌شود، خواننده قابلیت خواندن mezzo poco یا pianissimo را از دست می‌دهد. اما هنگامی که از تکنیک صحیح آواز استفاده می‌شود، صدا از نظر حجم رشد می‌کند و قابلیت آهسته خواندن را نیز پیدا می‌کند.

مدت زمان تمرین

«چه مدت باید به تمرین ادامه دهیم؟» پاسخ این است که مادامی که شخص آواز می‌خواند یا تعلیم می‌بیند، نمی‌تواند صدای واقعی خود را بشنود. نوار صدای شخص نیز آیینهٔ دقیقی از صدای او نیست، زیرا معمولاً یا در اتاق تمرین یا در استودیو ضبط می‌شود که فاقد تجهیزات برای ضبط دقیق‌اند. خواننده به یک جفت گوش و چشم دیگر نیاز دارد که برای پیشرفت به سمت یک خوانندهٔ خوب شدن او را کمک کند. من خیلی خوش‌شانس بودم که می‌توانستم صدای خود را با معلم بسیار خوبم، ماد داگلاس توئیدی، کنترل کنم. در سراسر کار فعال خوانندگی‌ام هرگز بدون او بیش از دوازده یا هجده ماه کار نکردم. و حتی هنگامی که بیشتر مشغول آموزش شدم، هنوز با او صدایم را مقایسه می‌کردم. دفعات بسیاری نیز هنرجویانم را به نیویورک می‌بردم تا با او کار کنند، و خود نیز درس‌هایشان را مشاهده می‌کردم. چه موقعیت نادری!

برای هر معلم آوازی بسیار مهم است که بداند چه کاری انجام می‌دهد، حتی اگر هنوز در کار اجرا باشد. من اغلب به داگلاس توئیدی می‌گفتم: «صادقانه می‌گویم در این سال‌هایی که با شما کار کرده‌ام، همه فکر می‌کردند که من این تکنیک را کاملاً می‌دانم. اما من هر دفعه که با شما کار می‌کنم چیز جدیدی یاد می‌گیرم.» او جواب داد: «لارا، من در هر روز از زندگی‌ام از هنرجویانم مطالب جدیدی یاد می‌گیرم و به ندرت روزی می‌آید که نخواهم با دکتر میلر دربارهٔ بعضی مسائل خاص صحبت کنم.»

ترکیب تکنیک‌های مخالف

بسیاری از تکنیک‌هایی که معلمان استفاده می‌کنند نادرست است و آنها بیهوده سعی در ساختن خط آوازی دارند. این تکنیک‌ها کاملاً با تکنیک توضیح داده شده در این کتاب متفاوت‌اند و بهتر است که آنها را با هم ترکیب نکنید.

همهٔ تعلیمات خوب دارای اهداف مشابهی‌اند، اما شیوه‌های کسب آنها بسیار متفاوت است. ترکیب شیوه‌های مختلف، مثل این است که دو معمار با سبک مختلف طراحی و مهندسی، بر روی یک ساختمان کار کنند. همان طور که باید تنها یک معمار داشته

باشیم، باید با یک معلم آواز که تنها از یک تکنیک استفاده می‌کند، کار کنیم.

براساس «فک و ماسک افتاده» (شکل ۲ـ۱) لب‌ها جمع شده‌اند (همانند زمانی که فلوت می‌نوازید) (شکل ۲ـ۲) دو نمونه از تکنیک‌هایی هستند که با اصول تکنیک در این کتاب تناقض دارند. حتی هنگامی که در حال خواندن oh هستید لب‌ها نباید جمع و سفت شود. اصل «فک افتاده» بر اساس پایین انداختن فک است، چیزی که من بر روی هر حرف صدادار در محدوده‌های بسیار زیر در نظر می‌گیرم. اصل «صورت افتاده» باعث می‌شود که چهره ــ بدون هیچ گونه دخالت بالشتک[1]‌های زیر چشم‌ها یا لب بالایی ــ روی همهٔ حروف صدادار و بی‌صدا بیفتد. هنگامی که فک بیش از حد باز شود نمی‌توان کلمات را درست و واضح تلفظ کرد و اصوات از جای صحیح خود بیرون نمی‌آیند. در بیشتر مواقع این باعث می‌شود که همهٔ نت‌های دارای یک رنگ زیر کوک خوانده شوند؛ خصوصاً روی حروف واکداری که به یک فضای عقبی[2] بزرگ و نرم‌کام قوسی‌شکل

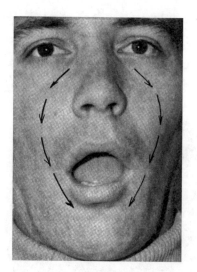

شکل ۲ـ۱
فک و ماسک افتاده (نادرست)

۱. cushion، عضلات بالای استخوان‌های گونه و زیر چشم‌ها. هنگامی که شخص می‌خندد یا لبخند می‌زند، این «بالشتک‌ها» روی چهره نمایان می‌شوند. ــ م.

۲. back space، فضای اطراف نرم‌کام و عقب دهان است. برای حس کردن این فضا، با آهی که شنیده شود بگویید kah. ــ م.

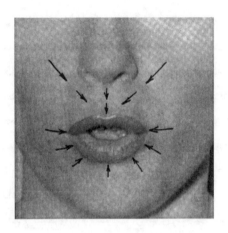

شکل ۲ـ ۲
لبهای فلوتی (نادرست)

نیاز دارد، که با لبخند داخلی شروع میشود. در این مورد در فصل ۵ با شکل توضیح داده خواهد شد. معلمان بسیاری را دیدهام که با فک افتاده درس میدهند؛ و به طور ثابت دست خود را بر روی چهرهٔ هنرجو میگذارند و عضلههای گونه را به سمت پایین میکشند. این درست برعکس چیزی است که باید انجام شود.

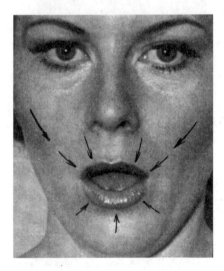

شکل ۲ـ ۳
لبهای جمع شده (oh / صحیح)

هنرجوی جدی

به همراه فراگیری تکنیک اصولی و خوب، نیاز به ترکیب خواندن قطعات آوازی به همراهی ساز پیش می‌آید. و در نهایت خواندن قطعه همان‌طور که آهنگسازان و نویسندگان لیبرتو می‌خواهند، انجام می‌شود. از آنجایی که معمولاً ساز همراهی‌کننده پیانو است، هنگامی که هنرجو در تکنیک خود بسیار پیشرفته شود باید یک آکومپانیست (همراهی‌کننده) پیدا کند. لازم به توضیح است که همهٔ پیانیست‌ها الزاماً آکومپانیست‌های خوبی نیستند. اغلب بهترین سولیست‌ها، برای ایجاد ارتباط لازم و واقعی بین خواننده و آکومپانیست فاقد احساس یگانگی لازم می‌باشند.

ایجاد ارتباط با آکومپانیست کاری پیچیده است که نمی‌توان آن را ساده انگاشت. آکومپانیست می‌تواند از ارزش خواننده بکاهد یا بر آن بیفزاید. هنرجو باید بین درس‌ها با آکومپانیست حداقل یک ساعت ــ و در صورت امکان، بیشتر ــ تمرین کند. هنرجو بهتر است در زمان‌های پایانی درس (پس از آنکه صدایش گرم شد) از حضور آکومپانیست بهره برد، که در آن صورت معلم می‌تواند بنشیند و خواننده را در هنگام کار با قطعهٔ آماده شده ببیند. در چنین فرصت مناسبی، معلم می‌تواند هر چیزی را که در تکنیک هنرجو دخالت دارد، و تأثیر متقابل آن با متن و موسیقی همراهی‌کننده را ببیند و بشنود؛ و اشکالات آوازی را تصحیح کند. پس از اینکه هنرجو آن‌قدر پیشرفته شد که بتواند رسیتال بدهد، باید قبل از هر درس، با تمرین و صدای گرم تمام درس‌ها را با آکومپانیست بخواند، تا زمانی که رسیتال تمام شود.

یک هنرجوی جدی که رشتهٔ آواز را انتخاب کرده است، باید در هفته دو یا سه جلسه با معلم و یک جلسه با مربی کار کند. مربی جمله‌بندی و تلفظ صحیح همهٔ زبان‌هایی که قطعهٔ آوازی به آن نوشته شده، و همچنین اجرا و سبک را آموزش می‌دهد.

معلم و مربی آواز باید کار یکدیگر را تقویت کنند. معلم باید « استاد » باشد و در کسب رنگ‌های صوتی، دینامیک‌ها و سبکی که مربی آواز خواستار آن است کمک کند. یک مربی معمولاً خواننده نیست، بنابراین نباید با تکنیک خواننده کاری داشته باشد. پس از اینکه خواننده در تکنیک خود به ثبات رسید، می‌تواند دروس آوازی کمتری داشته باشد و بیشتر بر شنوایی یک مربی آواز خوب تکیه کند. معلم و هنرجو با همراهی مربی می‌توانند با اعتماد به سمت اهداف برنامه‌ریزی‌شده پیش روند و سرانجام به اهداف نهایی دست یابند.

هنرجو هرگز نباید در تمرین افراط کند. به علاوه او باید قطعاتی را انتخاب کند که

مکمل وسعت فعلی صدا و توانایی‌هایش است. چیزهای فراوانی وجود دارند که هنرجو می‌تواند در سکوت آنها را فراگیرد مانند: حفظ کردن قطعه، ترجمهٔ متن اگر به زبانی دیگر باشد، پرورش شخصیت یا مجسم کردن حالتی که باید با صدا به شنونده منعکس کند، یا فقط در سکوت به روی تکنیک کار کند. فهمیدن متن و هماهنگ کردن معنای آن با خود موسیقی زمان می‌برد. این نقطهٔ اوج تمامی توانایی موسیقایی است. یک صدای زیبا، هنگامی که به خوبی جمله‌بندی می‌شود، یک تصویر آوازی را رنگ می‌کند که شنونده می‌تواند دقیقاً آن را تصور کند. هر یک از این مطالعات که قسمتی از آواز خواندن هستند، زمان زیادی می‌برند. با توجه به نکات بالا، هنرجو بدون اینکه حتی یک نت را به آواز خوانده باشد می‌تواند روزی یک یا دو ساعت تمرین کند.

ایجاد ابزار و امکانات

برای اینکه هنرجو به نحو کارآمدی تمرین آواز کند، باید اتاق تمرین و استودیو با «ابزار کار» مجهز شود.

اتاق تمرین باید تا آنجایی که ممکن است عایق‌بندی شده باشد تا صدا باعث مزاحمت دیگران نشود و دیگران نیز برای خواننده مزاحمت ایجاد نکنند. برای یک اتاق داشتن آکوستیک خوب ضروری است. «آکوستیک خوب» بدین معناست که برای کنترل اصوات نامنظم در سطوح مختلف ــ تحت بهترین شرایط ــ سقف باید بلند باشد زمین باید فرش شده باشد و اتاق با وسایل مختلف پر بشود. از امکانات مورد نیاز برای تمرین، یک پیانوی کوک‌شده است تا در طول تمرینات کوک صحیح حفظ شود. همراهی ساز پیانو اولین نیاز است. برای هنرجوی سطح متوسطی که سعی در یادگیری دروس جدید دارد، فراگیری قطعات آوازی از همان ابتدا بدون کمک پیانو غیرممکن است، مگر اینکه هنرجو از نظر سلفژ بسیار قوی باشد.

استودیو معلم نیز باید عایق‌بندی شده و دارای آکوستیک خوبی باشد و در یک مکان نسبتاً ساکت واقع شده باشد. باید از آیینه‌های قدی استفاده شود تا هنرجو بتواند سرتاپای خود را ببیند و در نتیجه بتواند فرم صحیح بدن را حفظ نماید.

آیینهٔ دستی نیز یکی از وسایلی است که باید در استودیو موجود باشد تا هنرجو بتواند نمای کاملی از تمام صورت، زبان، دندان‌ها، نرم‌کام و سخت‌کام خود را ببیند. هنرجو می‌تواند جای صحیح اصوات را تثبیت کند. هنگامی که این نکته تثبیت شد، احساس تکنیک صحیح آوازی باعث ایجاد صدایی زیبا، گرم و کنترل‌شده می‌شود. این ایدهٔ خوبی

است که هنرجویان هنگام تمرین آیینه‌های دستی در اختیار داشته باشند. در این صورت احساس تکنیک آوازی صحیح در تمام مدت تمرین، همان طور که در طول درس لازم است، باقی می‌ماند.

وسیلهٔ مورد نیاز دیگر، که بعضی‌ها آن را اختیاری می‌دانند اما من آن را ضروری می‌دانم، یک ضبط صوت است که برای هنرجو و مربی می‌تواند بسیار مفید باشد. هنرجویان باید آگاه باشند که نسبت به صدایی که از ضبط صورت بیرون می‌آید خیلی انتقاد نکنند زیرا آن نمی‌تواند همانند یک ضبط حرفه‌ای که در استودیوهای آکوستیک‌شده است، آیینهٔ واقعی صدا باشد. در صورت تمایل می‌توان هر درس را ضبط کرد و برای مرور نگه داشت. وسایل صوتی ــ خصوصاً ضبط صوت‌های کوچک‌تر قابل حمل ــ به هنرجو کمک می‌کند که تمام مراحل درس را بخوبی به خاطر بیاورد. در استودیو یک ضبط صوت نیز برای معلم بسیار مفید است تا بتواند رسیتال‌های استودیویی و قطعاتِ موجود را برای تمرینات بعدی ضبط کند. زیرا بسیاری از هنرجویان ضبط صوت‌های بزرگی دارند و ترجیح می‌دهند در صورت امکان درس‌هایشان را با وسیلهٔ مجهزتری که در استودیو هست ضبط کنند.

فصل ۳

آناتومی و فیزیولوژی: مبانی تکنیک صحیح

از آنجایی که این تکنیک را یک متخصص حنجره با تحقیقات علمی روی بیمارانش کامل کرد، مطالعهٔ آناتومی و فیزیولوژی برای درک مطالب این کتاب ضروری است. دسترسی داشتن به ابزار آناتومی و فیزیولوژی در استودیو مهم است تا هنرجویان بتوانند از چگونگی کار ساختارهای اصلی با یکدیگر در آواز آگاه شوند. تأکید بسیار زیاد بر آناتومی و فیزیولوژی می‌تواند در درک تکنیک آواز مضر باشد اما دانستن آناتومی مقدماتی و چگونگی عملکرد آن مهم است.

در این کتاب شرح عضلات بسیار پیچیده‌ای که در آواز خواندن دخالت دارد غیرممکن است. معلمان آواز باید یک یا چند کتاب عالی در مورد آناتومی در دسترس داشته باشند. دراین مورد هر چه دانش شما بیشتر باشد، درک شما نیز بیشتر خواهد بود.

همیشه از آشنایی‌ام با هری جی. لوئن[1] در نیویورک، بسیار خشنودم. عامل پیشرفت من در مورد عملکرد دیافراگم و تمام ناحیهٔ شکمی در هنگام آواز خواندن او بود. او باعث شد که من یک خوانندهٔ حرفه‌ای تربیت کنم و با استفاده از فلوروسکوپ قادر به دیدن عملکرد دیافراگم و تمام ناحیهٔ شکمی شوم. من می‌دیدم چگونه هنگامی که هنرجوی من قسمت‌های پایینی شکم را آزاد می‌کند، دیافراگم در حدود یک و نیم اینچ به سمت بالا حرکت می‌کند. این، اهمیت استفادهٔ کامل از ناحیهٔ شکمی را در تقویت صدا به وضوح نشان می‌دهد. هنگامی که هنرجو یک پاساژ استاکاتو را می‌خواند، حرکت دیافراگم شبیه صدای موج‌هایی است که از پرتاب یک ریگ به داخل یک دریاچهٔ آرام ناشی می‌شود. عضلات شکمی هنوز کششی منظم دارند بدون اینکه به سمت داخل یا خارج حرکت کنند.

---

1. Harry J. Lowen

استاکاتو با آزاد نگه داشتن فک بر محور خود و «قوسی» که در حفرهٔ دهانی احساس می‌شد، به وجود می‌آید. در حالی که ماسک[1] باز می‌شود، نفس نیز به کار گرفته می‌شود، (فصل ۵) و استاکاتو اتفاق افتاد. او مجبور نبود برای انجام آن کاری بکند.

بحث در مورد آناتومی و فیزیولوژی ناحیهٔ حلقی گلویی و صورت برای درک کاملی از بهترین و پرطنین‌ترین اصوات لازم است. حرکت زبان، فک، نرم‌کام و غیره در رزنانس و تمرکز روی صدایی که با آن صحبت می‌شود یا آواز خوانده می‌شود، تأثیر بسیار مهمی دارد. پس از بحث در مورد آناتومی و فیزیولوژی، هنرجو درک بهتری از هر تمرین و هدف آن خواهد داشت. با تکرار این تمرینات هنرجو ساختمان عضلانی بدن را برای واکنش صحیح تربیت می‌کند، و اجازه می‌دهد که اصوات در جایی که طنین دارد و از فشار قسمت‌های حلقی کاملاً آزاد است، بنشینند.

اصطلاحات معلم

من همیشه ترجیح داده‌ام در مورد «نشستن» یک صوت تا «قرارگرفتن» آن صحبت کنم. آواز کشفی پیوسته از احساسات جدید در سر، حفرهٔ دهانی و قسمت سینه در وسعت‌های صوتی متفاوت است. باید اعتراف کرد که اصطلاحات معلم آواز خاص حرفه‌اش می‌باشد. هنگامی که کسی می‌گوید: «صدا در جلو می‌نشیند» جلو بودن صدا را احساس می‌کند. یعنی جلو بودن صدا در حفرهٔ دهانی و حفره‌های بینی احساس می‌شود. هنگامی که «صدا کاملاً در عقب می‌نشیند»، حسی کاملاً متفاوت از آنچه در حفرهٔ دهانی یا حفره‌های بینی است، ایجاد می‌شود. آن احساس دیگر در ناحیهٔ حلقی بینی نیست بلکه در ناحیه عقب حفرهٔ دهانی و گاهی در گلو احساس می‌شود. هرگز در گلو نباید چیزی احساس شود.

عضلات مربوط به روی بینی در کیفیت صدا اهمیت فوق‌العاده زیادی دارد. هنگامی که به طور صحیح آواز می‌خوانید، عضلات روی پل بینی، در عرض چهره، زیر چشمان و اطراف ماسک بسیار فعال هستند (منظور من این نیست که به سمت بالا کشیده می‌شوند). هنگامی که این عضلات فعال می‌شوند، با استفاده از حرکت قوسی نرم‌کام در «لبخند داخلی» می‌توان تلفظ خوبی داشت. (فصل ۵)

قدرت عضلات چهره و عضلاتی که در پهنای پل بینی هستند، باعث فعالیت آنچه من

---

۱. Mask، گروهی از عضلات چهره از زیر چشمان تا درون شقیقه‌ها، اطراف لبه‌های بینی و لب بالایی.

«عضلات درونی»[1] می‌نامم، می‌شود. نیروی عضلات چهره و عمل بالا کشیدن بالشتک‌های زیر چشم، گوشه‌های دهان که به سمت بالا حرکت می‌کنند نه به سمت بیرون، همگی «به کارگیری ماسک» نامیده می‌شوند.

ماسک (قسمتی از صورت، جایی که صدا روی آن می‌نشیند و صدا را در آنجا حس می‌کنید)، خصوصاً هنگام ایجاد حروف صدادار کوتاه[2] و حروف بی‌صدا[3] بسیار مهم است. بالشتک‌ها در هنگام خواندن حروف واکدار بلند مانند oo، tah و aw دخالتی ندارند. اما این نکته مهم است که بدون توجه به بلندی یا کوتاهی حروف واکدار، احساس شود که صدا با دیوارهٔ بینی ارتباط دارد (غضروف دو نیمهٔ بینی را جدا می‌کند)، و یک قدرت عضلانی در نزدیکی بینی وجود دارد. این نیروی عضلانی از نرم‌کام و «لبخند داخلی» سرچشمه می‌گیرد، به طوری که باعث افزایش فضای حفرهٔ دهانی و رزنانس اصوات و تلفظ کلمات می‌شود. به چنین احساسی از فضای داخلی دهان معمولاً به عنوان شکل «قوسی» یا «گنبدی» اشاره می‌شود.

بینی

بینی هوا را گرم و مرطوب می‌کند. قسمت بیرونی بینی در صدای آوازی بسیار مهم است. عضلات ظریف چهره می‌توانند به طور جزئی دو مجرای بیرونی را باز و بسته کنند. هنگامی که درست آواز می‌خوانید عضلات زیر چشم و همچنین عضلات بیرونی بینی کمی بالا می‌آیند. این عضلات بیرونی بینی به قدری کم بالا می‌آیند که عملکرد آنها کاملاً برای یک بیننده قابل مشاهده نیست، اما خواننده به طور حتم نیروی حاصله را در صدا احساس می‌کند. نتیجهٔ آن این است که دیواره‌های کناری سوراخ‌های بینی پهن، و راه‌های عبور بینی باز می‌شوند، و به نوبت رزنانس صدا افزایش می‌یابد. حفره‌های بینی در رزنانس اصوات، خواه به صورت یک نقطهٔ کانونی برای ویبراسیون‌های (لرزش‌های) همراه، یا به عنوان قسمتی مستقل، دخالت دارند. همچنین در کیفیت صدای متعادل یا تودماغی یا خیشومی مؤثرند.

---

۱. inside pull-ups، شامل عضلات نرم‌کام و سخت‌کام می‌شود. این عضلات (نیمهٔ بالای خمیازه) را در هنگام خمیازه کشیدن می‌توان احساس کرد و هرگز احساس نمی‌کنید که خمیازه به سمت گلو در پایین کشیده می‌شود. برای نتایج به خصوصی این عضلات را به طور مستقل از عضلات بیرونی (front pull-ups) نیز می‌توان استفاده کرد.

۲. حروف صدادار کوتاه (واکه‌های روشن)

۳. حروف بی‌صدا (همخوان‌های دمشی)

صدای گرم و متعادل رزنانسی دارد که با ویبراسیون اصواتی که از میان حفره‌های بینی می‌آیند، کمی تفاوت جزیی دارند.

در داخل بینی دو حفره وجود دارد که با یک دیواره از هم جدا می‌شوند. کف بینی قسمت بالایی سخت‌کام و نرم‌کام است. دیواره‌های داخلی بینی دارای مخروط‌های وارونه‌ای هستند که در داخل حفره‌های بینی آویزان‌اند. این مخروط‌های وارونه می‌توانند منبسط و منقبض شوند، و غده‌های مخاطی فراوانی دارند. هنگامی که هوا خشک است غده‌ها مخاط بیشتری تولید می‌کنند. انبساط یا انقباض مخروط‌های وارونه میزان قسمت تولیدکنندهٔ مخاط را، بسته به کیفیت هوای تنفس‌شده، تغییر می‌دهد. اگر ذرات مضر وارد شوند، بینی قادر به تولید مقدار زیادی مخاط می‌باشد. شخص نمی‌تواند هیچ یک از این فعالیت‌ها را به طور اتوماتیک کنترل کند. و این بدین معناست که خواننده باید از خواندن در درجه حرارت بسیار زیاد خودداری کند. خواننده همچنین از خواندن در جایی که خطر تنفس گرد و غبار فراوان، دود یا انواع دیگر آلودگی‌ها وجود دارد، اجتناب کند.

بیماری‌های فراوانی وجود دارند که باعث انسداد بینی می‌شوند، که می‌توان به آلرژی، پولیپ، انحراف دیوارهٔ بینی و سینوزیت اشاره کرد. هرگونه انسداد در بینی رزنانس را تغییر می‌دهد. در بیشتر مواقع عمل زیبایی بینی بر کیفیت صدا تأثیر می‌گذارد. یک خوانندهٔ خوب، قبل از اینکه چنین عملی را تنها به خاطر زیبایی انجام دهد، باید به پیامدهای آن نیز فکر کند.

حفرهٔ دهانی

حفرهٔ دهانی محل ورود غذا به دستگاه گوارش است که با لب‌ها و دندان‌ها شروع می‌شود. سخت‌کام و نرم‌کام به همراه دندان‌های بالایی سطح بالایی را شکل می‌دهند. زبان و دندان قسمت پایینی را تحت کنترل خود دارند. در پشت حفرهٔ دهان ناحیهٔ حلقی دهانی قرار دارد.

زبان یک ماهیچهٔ بلند است که به فک متصل است و به وسیلهٔ ستون‌های ماهیچه‌های جلویی و عقبی از سخت‌کام آویزان است. واژهٔ «آویزان» بسیار مهم است. هنگامی که از لبخند داخلی استفاده می‌کنید، زبان آزاد است، و برای به کار افتادن در هر جهتی که خواننده مایل باشد آماده است. در حقیقت، هنگامی که لبخند داخلی درست انجام شود به آواز خواندن تمایل پیدا می‌کنید. هنگامی که لبخند داخلی پایین می‌افتد، احساس

می‌شود که زبان برای کمی استراحت روی بستر خود افتاده است.

زبان در زیر به استخوان لامی (شکل ۳ـ۱) متصل می‌شود. استخوان لامی به فک یا استخوان فک، و به وسیلهٔ عضلات و رباط‌ها به جمجمه متصل است. حنجره از استخوان لامی آویزان می‌باشد.

زبان به طور مستقیم و غیرمستقیم با سخت‌کام و نرم‌کام، پایین جمجمه، حلق، حنجره و مجرای بلع در ارتباط است. بنابراین استفادهٔ نادرست از زبان می‌تواند عمل آواز را در هر یک از این قسمت‌ها تغییر دهد و صدایی بد ایجاد کند. زبان به شکل‌گیری کلمات بسیار کمک می‌کند و اگر به درستی تنظیم نشود، می‌تواند صدا را محدود کند و بهترین رزنانس ممکن صدا را غیرممکن کند. (شکل‌های ۳ـ۲ و ۳ـ۳)

سفت کردن گلو همیشه به عمل ماهیچه‌های بیرونی زبان بستگی دارد. (در فصل ۷ توضیحات مفصلی دربارهٔ مشکلات خواندن که از زبان ناشی می‌شود، داده خواهد شد.)

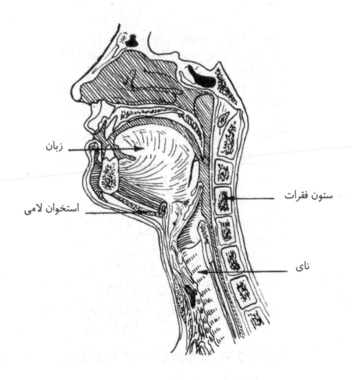

زبان

ستون فقرات

استخوان لامی

نای

شکل ۳ـ۱

زبان و ارتباط آن با دستگاه آوازی

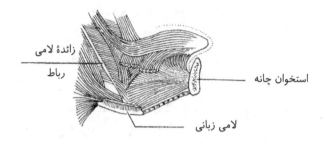

زائدهٔ لامی

رباط

استخوان چانه

لامی زبانی

شکل ۳ـ۲
عضلات زبان

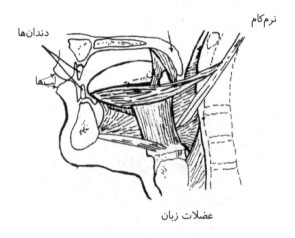

نرم‌کام

دندان‌ها

لب‌ها

عضلات زبان

شکل ۳ـ۳
عضلات متصل‌کننده زبان به دیگر قسمت‌ها

دندان‌ها و سخت‌کام از مهم‌ترین قسمت‌های حفرهٔ دهــانی‌انــد. در تــلفظ کــلمات و خصوصاً حروف بی‌صدا (همخوان‌ها و برای زبان همانند نقاط اتصال عمل می‌کند.

دندان‌ها باید سالم، محکم و در یک ردیف منظم باشند. اگر فک به سمت جلو باشد، دندان‌های جلویی در یک ردیف نخواهند بود و تقریباً شنیدن همخوان‌هایی مانند C و S و غیره، که احتیاج به کمک دارند، غیرممکن می‌باشد. خواننده باید در تمام مدتی که کــار آواز انجام می‌دهد، برای حفظ دندان‌های سالمش، از آنها به خوبی مراقبت کند.

هنرجوی دیگری با صدایی بسیار زیبا به نزد من آمد، اما صدای او در برخی جهات به نظر مسدود می‌آمد. با شنیدن صدایش به نظرم آمد مشکل از حفرهٔ دهانی‌اش است، سپس پی بردم که دندان مصنوعی دارد. فوراً پسرم را که دندان‌پزشک است صدا کردم، پس از اینکه او را معاینه کرد توضیح داد، بیمارانی که دندان مصنوعی‌شان خوب جا نمی‌افتد و یا بنا به دلایلی مانند اندازه، شکل و فاصلهٔ بین برآمدگی بالا و فک نمی‌توانند حرکت آن را درست کنترل کنند، در تلفظ و بیان خوب دچار مشکل خواهند شد. او همچنین گفت که اندازه و جای دندان‌های جلویی در تماس با لب‌ها از اهمیت بسیاری برخوردار است. همچنین توضیح داد، هنگامی که دندان‌پزشک دندان مصنوعی را در دهان جای می‌دهد باید سطوح ناهمواری را روی دندان درست پشت دندان‌های جلویی بالا اضافه کند. این سطوح جریان هوا را قبل از عبور از بین دندان‌های جلویی بالا و پایین می‌شکند و بنابراین در شکل دادن برخی از حروف بی‌واک و صدادار، و ادغام اصوات کمک می‌کند.

پسرم گفت که دندان مصنوعی این هنرجو به اندازهٔ کافی محکم نیست و او با عضلات فک و چانه آن را سر جایش نگه می‌دارد، بنابراین باعث ایجاد صدای عجیبی در هنگام آواز خواندن و صحبت کردن می‌شود.

هنرجوی دیگری به نزد من آمد که روی دندان‌های جلویش پلاک داشت. و این باعث ایجاد یک صدای کلفت یا خفه در هنگام آواز خواندن می‌شد. پسرم به من گفت که ساختار پلاک در تلفظ خوب از اهمیت بسیاری برخوردار است. او توضیح داد، هر چه پلاک طبیعی‌تر باشد، مصرف‌کننده تلفظ بهتری خواهد داشت. و تأکید کرد سطحی که به سمت زبان است نباید بیش از حد کلفت باشد و برجستگی‌ها و شیارها باید به شکل طبیعی‌تر به آن اضافه شود تا با سطح طبیعی زبان هماهنگی داشته باشد، به طوری که بتواند با تأثیر متقابل صدایی طبیعی بسازد.

اگر خواننده‌ای بنا به هر دلیلی مجبور است دندان مصنوعی یا پلاک داشته باشد، لازم است به دندان‌پزشکی مراجعه کند که به موضوع نگه داشتن صدای طبیعی برای آواز خواندن و صحبت کردن و همچنین اهمیت کار بیمارش آگاهی داشته باشد.

ممکن است شخصی با نابهنجاری در نرم‌کام یا سخت‌کام، یا با ناهنجاری و شرایطی که بعداً تشدید می‌شود متولد شده باشد. توجه پزشک یا متخصص ارتودنسی در دوران کودکی بسیاری از این مشکلات را برطرف می‌سازد. از مشکلات معمولی که بر سخت‌کام تأثیر می‌گذارد می‌توان به انسداد بینی از آلرژی، یا بزرگ شدن آدنوئیدها اشاره کرد. کنترل پزشکی به موقع و ارتودنسی مناسب در شکل‌گیری سخت‌کام و داشتن دندان‌های

مناسب بسیار مؤثر است. اگر معلم آواز احساس کند ناهنجاری‌هایی در سخت‌کام وجود دارد بهتر است که هنرجو را قبل از شروع کار حرفه‌ای آواز برای معالجه نزد پزشک بفرستد.

حلق

حلق راه عبور مشترک هوا و غذا، از بینی و دهان به مری و حنجره است. مری یک لولهٔ بلند است که به شکم می‌رسد. حنجره دریچه‌ای برای ورود هوا بـه شش‌هـاست. حلـق شامل سه ناحیه است: حلقی بینی، حلقی دهانی و انتهای حلقی مری (شکل ۴-۳).

ناحیهٔ حلقی بینی روی نرم‌کام قرار دارد و همان طور که از نامش پیداست، از پشت حفره‌های بینی شروع می‌شود. بینی دارای دو حفره است، و ناحیهٔ حلقی بینی یک حفره دارد. ناحیهٔ حلقی بینی از زیر به ناحیهٔ حلقی دهانی باز مـی‌شود. نـرم‌کام هـماننـد یک «دریچه» برای باز و بسته کردن بینی و ناحیهٔ حلقی بینی از حفرهٔ دهانی و ناحیهٔ حـلقی دهانی عمل می‌کند. نرم‌کام ادامهٔ عضلانی سخت‌کام است. مـی‌تـوان بـه راحتـی انـتهای سخت‌کام و شروع نرم‌کام را با کشیدن زبان یا انگشت به روی سقف دهان تشخیص داد.

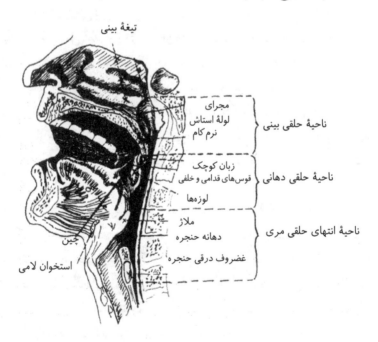

تیغهٔ بینی

مجرای لولهٔ استاش
نرم‌کام

زبان کوچک
قوس‌های قدامی و خلفی
لوزه‌ها

ملاز
دهانه حنجره

غضروف درقی حنجره

ناحیهٔ حلقی بینی

ناحیهٔ حلقی دهانی

ناحیهٔ انتهای حلقی مری

چین

استخوان لامی

شکل ۴-۳
حلق، ناحیه بینی، ناحیه حلقی دهانی، ناحیه انتهای حلقی مری

قسمت عضلانی کام در خوردن، آواز خواندن و صحبت کردن از اهمیت بسیار زیادی برخوردار است. هنگامی که عمل بلع را انجام می‌دهید، ناحیهٔ حلقی بینی را می‌بندد و در نتیجه راه بینی، بسته می‌شود.

پس از یک تصادف خطرناک به اهمیت نرم‌کام پی بردم. برای مدتی نرم‌کام من به طور جزئی از کار افتاده بود. من سعی می‌کردم صحبت کنم ولی صدایم گویی از چاه بیرون می‌آمد. گوش‌هایم نیز گرفته بود. هفته‌های زیادی طول کشید تا با تکرار تمرین‌ها قادر شدم به طور طبیعی صحبت کنم. در ابتدا که شروع به خواندن ng کردم، حتی هیچ صدایی درنمی‌آمد. این موضوع مرا به وحشت انداخت! هنگامی که به متخصص حنجره مراجعه کردم، فهمیدم که یکی از تارهای صوتی‌ام به طور جزئی از کار افتاده است. اما بتدریج حالت اولیهٔ خود را بازیافت. بدین ترتیب هنگامی که نرم‌کام کار نمی‌کند صدا تودماغی می‌شود. و این موضوع باور مرا در اهمیت فراوان لبخند داخلی تقویت کرد. ناحیهٔ حلقی دهانی فضایی بین نرم‌کام و دریچهٔ نای است. دریچهٔ نای دریچه‌ای از نوع آویخته است، که وقتی غذا به مری می‌رود حنجره را می‌بندد. حنجره دریچه‌ای به سمت شش‌هاست و بنابراین باید در طی عبور غذا از آن محافظت شود.

بنابراین ناحیهٔ حلقی دهانی سه دریچه دارد: در بالا دریچه‌ای به ناحیهٔ حلقی بینی، در جلو به حفرهٔ دهانی و در زیر به قسمت انتهای حلقی مری. نای حفرهٔ دهانی را از ناحیهٔ حلقی دهانی جدا می‌کند، و در هر طرف دو انحنا دارد که از اطراف نرم‌کام تا پایین به زبان منتهی می‌شود. بین این دو چین لوزه‌ها قرار دارند. این دو چین قوس‌های قدامی و خلفی است. محورها شامل عضلاتی هستند که زبان و نرم‌کام را به هم متصل می‌کنند. عضلات، با کمک زبان نرم‌کام را به سمت پایین می‌کشند و ناحیهٔ حلقی دهانی را از حفره دهانی جدا می‌کنند.

بنابراین، نرم‌کام ارتباط بسیار نزدیکی با زبان دارد. زبان باید همیشه کاملاً و به آسانی انعطاف‌پذیر باشد. هرگونه انحراف در عملکرد زبان در هنگام آواز خواندن یا صحبت کردن مانع حفظ کیفیت صوتی زیبا و همیشگی می‌شود.

ناحیهٔ انتهای حلقی مری سومین و پایین‌ترین قست حلق است (شکل ۳ـ۴) قسمت بالای آن، لبهٔ بالایی دریچهٔ نای است (شکل ۳ـ۵). ناحیهٔ حلقی دهانی به ناحیهٔ انتهای حلقی مری می‌رسد. نام دیگر این قسمت، حلقی حنجره‌ای است، زیرا مستقیماً در پشت حنجره قرار می‌گیرد. مری (لوله بلع) نیز در پشت آن قرار می‌گیرد. ناحیهٔ انتهایی حلقی مری قسمتی است که راه مشترک عبور غذا و هوا را به مری (راه عبور غذا) و حنجره (راه

ورود به شش‌ها) تقسیم می‌کند. این دو لوله دارای یک دیوارهٔ مشترک‌اند. ناحیهٔ انتهای حلقی مری دقیقاً پشت استخوان لامی قرار دارد و همان طور که قبلاً اشاره شد، حنجره از آن آویزان است و به وسیلهٔ عضلات و رباط‌ها به فک، سخت‌کام و جمجمه متصل شده است. بار دیگر، به خاطر بیاورید که تمام این قسمت «معلق» است. نیازی نیست که در مورد آن فکر کنیم، اما باید بگذاریم که حنجره همانند یک قایق روی آب، شناور باشد.

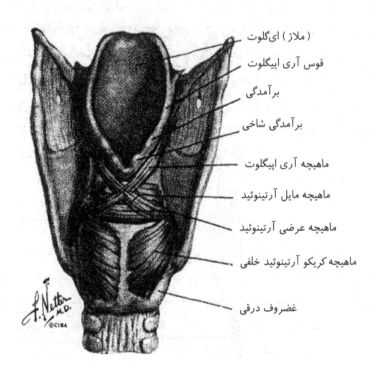

قوس آری اپیگلوت

برآمدگی

برآمدگی شاخی

ماهیچه آری اپیگلوت

ماهیچه مایل آرتینوئید

ماهیچه عرضی آرتینوئید

ماهیچه کریکو آرتینوئید خلفی

غضروف درقی

(ملاژ) ای‌گلوت

شکل ۳ـ۵
دریچهٔ نای

حنجره

حنجره (جعبهٔ صدا) در پشت غضروف تیروئید (سیب آدم) قرار دارد (شکل ۳ـ۶). تارهای صوتی مهم‌ترین ساختار حنجره‌اند، زیرا اینجا نقطهٔ شروع تولید صداست. تارهای صوتی گاهی اوقات، یا به طور دقیق‌تر، چین‌های صوتی نامیده می‌شوند. لبه‌های این چین‌ها نسبت به بقیهٔ چین‌ها دارای بافت متفاوتی‌اند، و به آن لبهٔ تـارهای صوتی

می‌گوییم. تارهای سالم سفید، و بقیهٔ چین‌خوردگی‌ها صورتی کم‌رنگ هستند. تارهای صوتی (شکل ۳ـ۷) دو نوار محکم از بافت‌اند که از جلو به عقب می‌روند. در حالت سکون یک شکل V تشکیل می دهد، که قسمت بالای V در جلو و درست پشت غضروف یا قسمت نرم سیب آدم قرار دارند. انتهای قسمت باز V تارهای صوتی به دو قطعه غضروفِ آرتینوئید می‌چسبند. عملکرد آنها با استفاده از فلش در شکل ۳ـ۸ نشان داده شده است. عضلات بین دو قطعه غضروف، تارها را به هم می‌رسانند که این غضروف‌ها به هرم سه‌بعدی شباهت دارد. قاعدهٔ آنها سطحی را ایجاد می‌کند که این غضروف به سمت عقب و جلو و طرفین حرکت کند. تارهای صوتی به این غضروف‌ها متصل هستند تا تارهای صوتی را بکشند و زیر و بم مختلفی ایجاد کنند که ما با آن آواز می‌خوانیم یا صحبت می‌کنیم.

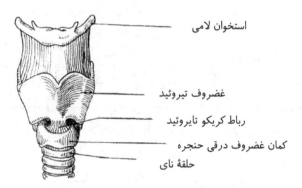

استخوان لامی
غضروف تیروئید
رباط کریکو تایروئید
کمان غضروف درقی حنجره
حلقهٔ نای

شکل ۳ـ۶
حنجره

سیب آدم دارای دو ساختار غضروفی شکل است. غضروفی که در بالا قرار دارد بزرگ‌تر از دیگری، و غضروف تیروئید است. غضروف حلقوی در زیر تیروئید است و به اولین غضروف نای یا لولهٔ تنفسی متصل می‌شود. عضلات، بین تیروئید و غضروف‌های حلقوی قرار دارند که با انقباض، می‌توانند به کشیدگی تارهای صوتی کمک کنند. استفادهٔ بیش از حد از صدا می‌تواند منجر به خستگی شدید یکی یا همهٔ این عضلات شود که نتیجه آن خمیدگی تارها می‌باشد. در بالای تارهای صوتی، تارهای کاذب قرار دارند. در یک صدای طبیعی، این تارها تأثیری در صدا ندارند، اما چون دارای غدد مخاطی هستند، حنجره را نرم و مرطوب می‌کنند.

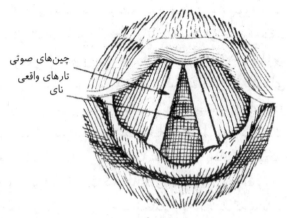

چین‌های صوتی
تارهای واقعی
نای

حنجرهٔ معمولی با نفس‌گیری

شکل ۳ـ۷
چین‌های صوتی (دم)

سیستم عصبی غیرارادی حنجره را کنترل می‌کند، نمونهٔ دیگری از کار سیستم عصبی غیرارادی گشادی مردمک‌های چشم در تاریکی است. ما مجبور نیستیم که این قابلیت را یاد بگیریم. به هر حال، باید تصمیم بگیریم که آیا باید چراغ بیشتری روشن کنیم یا چراغ‌ها را خاموش کنیم. این تصمیم نیاز به چندین عمل ارادی دارد، و بنابراین ما از سیستم عصبی ارادی استفاده می‌کنیم. در ابتدا تصمیم می‌گیریم که از روی صندلی برخیزیم، سپس اینکه از کدام دست و کدام انگشت استفاده کنیم و غیره. (برعکس هنگامی که نور زیادی وارد چشم می‌شود، چشم به سادگی مردمک را تنگ می‌کند بدون اینکه ما راجع به آن فکر کنیم.)

حنجره نیز چنین عمل می‌کند. همهٔ آنچه که خواننده باید انجام دهد این است که به محل صدای مورد نظرش فکر کند. صدا به آنجا می‌رود. اگر به وسیلهٔ فک سفت، زبانی که عقب رفته یا کمبود نفس راه آن مسدود نشده باشد.

با توجه به مطالب بالا هرگونه دستکاری بیرونی در حنجره، خواه با انگشتان یا هرگونه وسیلهٔ دیگر، به عملکرد حنجره و همین طور کیفیت صدا آسیب می‌رساند. در مورد این موضوع بعداً توضیح خواهم داد.

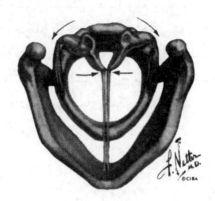

شکل ۳ - ۸
عملکرد عضلات

شش‌ها و سینه

حنجره دریچه‌ای به شش‌ها از طریق نای یا لولهٔ تنفسی می‌باشد. همان طور که به سمت پایین می‌رویم نای به دو لولهٔ تنفسی یا نایژهٔ جداگانه تقسیم می‌شود. عملکرد شش‌ها بسیار پیچیده است، زیرا اکسیژن را از هوا می‌گیرند و آن را با دی اکسید کربنی که از خون خارج می‌شود مبادله می‌کنند.

دیوارهٔ سینه شامل دنده‌ها و ستون مهره‌هاست. بین دنده‌ها عضلات قرار دارند که طوری به مهره‌ها متصل‌اند که سینه می‌تواند به سمت بالا یا پایین حرکت کند.

دیافراگم

دیافراگم یک عضلهٔ قوسی شکل بزرگ و متصل به استخوان سینه در جلو است، که به اطراف و زیر دنده‌های پایینی منشعب می‌شود، و سپس به دندهٔ دوازدهم در عقب متصل می‌گردد (شکل ۳ـ۹). وقتی که فرم بدن صحیح نباشد (شانه‌ها افتاده، قوس و فرورفتگی در ستون فقرات، زانوها روی هم افتاده، دنبالچهٔ بیرون و غیره) دیافراگم در شرایط خوبی برای انجام مراحل تنفسی نیست. بلکه باید در شرایط مناسبی قرار گیرد تا بتواند به بهترین وجه عمل کند. دیافراگم به عنوان عضلهٔ اصلی دم و بازدم با توانایی در تغییر صدای حفرهٔ حلقی، عمل می‌کند.

هنگامی که دیافراگم پایین می‌رود، همان طور که در هنگام دم اتفاق می‌افتد (شکل

۳ـ ۱۰ الف) حجم حفرهٔ حلقی را افزایش و فشار واقع در قفسهٔ سینه را به زیر فشار جوی کاهش می‌دهد، بنابراین، جریانی از هوا وارد شش‌ها می‌شود. هنگامی که دیافراگم بالا می‌رود (شکل ۳ـ ۱۰ ب) فشار واقع در قفسهٔ سینه را به بالای فشار جوی افزایش می‌دهد و هوا را از شش‌ها به سمت دهان، با فشار خارج می‌کند. بـه خـاطر ضـرورت حـرکت دیافراگم به بالا و پایین، دادن تمامی فضای ممکن به دیافراگم برای عـملی کـه تـوضیح داده‌ام از اهمیت بسیار بالایی برخوردار است.

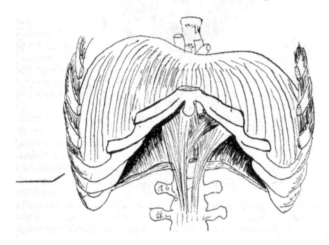

شکل ۳ ـ۹
دیافراگم

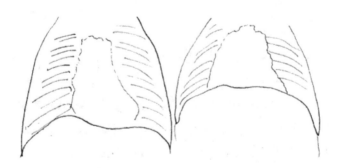

شکل ۳ـ ۱۰ ب
دیافراگم (بازدم)

شکل ۳ ـ ۱۰ الف
دیافراگم (دم)

قسمت‌های دیگری از آناتومی که به دیافراگم و نفس‌گیری صحیح مربوط‌اند شش‌ها و ناحیهٔ شکمی می‌باشند. شش‌ها و قلب بالای دیافراگم قرار دارند. در حالی که، درست در زیر از راست به چپ به ترتیب کبد، شکم و طحال قرار دارند. به خاطر جای شکم، تقریباً غیرممکن است که پس از خوردن غذای فراوان به بهترین شکل آواز خواند. دیافراگم با شکم پُری که آن را به سمت بالا فشار می‌دهد قادر به پایین بردن خود نیست.

جدا از شکم و تأثیر آن بر عملکرد دیافراگم، حقیقت مهمی راکه خواننده باید در مورد استفاده از دیافراگم بداند این است که نباید در عملکرد آن دخالت کند، زیرا بیشتر هماهنگی‌های آن از طریق سیستم عصبی غیرارادی انجام می‌شود و اگر در عملکرد آن دخالت نشود، می‌تواند از خود محافظت کند.

هنگامی که با رها کردن عضلات شکمی هوا وارد شش‌ها می‌شود، عضلات شکمی، همانند خود دیافراگم برای کنترل دقیق بازدم آماده هستند. با استفاده از تمرینات، دیافراگم و تمام عضلات با نفس‌گیری تقویت می‌شوند، به طوری که کنترل هوایی که خارج می‌شود به بیشترین حد می‌رسد. چنین کنترلی باعث ایجاد آوازی پرطنین و زیبا و همچنین یک خط آوازی محکم می‌شود.

تغییر صدا در پسرها

وقفه یا تغییر صدای یک پسر در بلوغ معمولاً در سن دوازده تا پانزده سالگی اتفاق می‌افتد. در دوره‌ای که صدای پسرها در حال تغییر است، باید مراقبت‌های ویژه‌ای به عمل آورند. در این زمان هورمون‌های جدیدی در بدن تولید می‌شود که موجب بزرگ‌تر شدن حنجره می‌گردد ــ علاوه بر اینکه صدا بم می‌شود ــ و این باعث می‌شود صدا تغییر کند، که این تغییر گاهی بسیار چشمگیر است.

طول، پهنا و قطر تارهای صوتی به طرز شگفت‌انگیزی در حدود یک و نیم برابر رشد می‌کنند؛ که این بیان‌کنندهٔ تغییرات در وسعت و رنگ صداست. این تغییرات موجب افزایش جریان خون التهابی فیزیولوژیکی در این ناحیه می‌شود، که مراقبت ویژه از صدا را ضروری می‌کند. و در همان زمان غضروف حنجره نیز رشد می‌کند.

در حالی که رشد حنجره در شش تا دوازده ماه انجام می‌شود، رشد عضلات احتیاج به زمان بیشتری دارد. دکتر فرانک ای. میلر توصیه کرد که بدین سبب، خوانندگی حرفه‌ای نباید کمتر از سه یا چهار سال پس از تکمیل این تغییرات شروع شود. همچنین اظهار داشت که خونریزی‌ها و ضعف بنیه ممکن است باعث خرابی کامل مکانیسم حنجره و صدا شود.

با دانستن حقایق بالا می‌توان به اهمیت مراقبت بسیار زیاد در تغییرات صدا پی برد. اگر هنرجویی تمایل شدیدی برای ادامهٔ آواز در این دوران داشته باشد، باید دقت زیادی در قطعات انتخاب‌شده بکند و چیزی نخواند که گلویش را ناراحت کند. باید به خـاطـر داشت که صدای پسرها بعد از صورت گرفتن تغییرات فیزیکی کاملاً تغییر می‌کند.

رهبرهای کر باید با دقت این صداها را کنترل کنند و به پسرها تنها زمانی که احساس راحتی می‌کنند اجازهٔ خواندن بدهند. پسرهای دانشکده نزد من می‌آمدند و می‌گفتند که رهبران کر اصرار دارند آنها قطعاتی را بخوانند که مناسب صدای آنها نیست و در نتیجه نمی‌توانند آنها را به درستی بخوانند. پسری که صدای سوپرانو داشت با یکی از معلم‌هایی که هنرجوی من بود کار می‌کرد. والدینش بسیار مشتاق بـودند کـه او قطعاتی بسیار سنگین‌تر از آنچه معلمش می‌خواهد بخواند، اما او قادر به انجام این کار نبود.

همان طور که می‌دانیم همهٔ خوانندگان مـرد بـزرگ نـیز ایـن تـغییرات را پشت سـر گذاشته‌اند. آرزوی بزرگ من این است که تمام کسانی که این مطلب را می‌خوانند به آنچه نوشته شده توجه کنند، تا به سلامت این مرحله را پشت سر بگذارند.

فصل ۴

نفس‌گیری و فرم صحیح بدن

برای تمام اجراهای بزرگ مهارت در دو امر ضروری است: فرم صحیح بدن و حمایتِ نفس، که ما با آنها به طور همزمان سر و کار خواهیم داشت. بهترین حمایت بدون فرم صحیح بدن به دست نمی‌آید. بنابراین، وقتی خواننده از فرم صحیح بدن خود مطمئن است، می‌تواند حمایت نفس و کنترل آن راکه برای خط آوازی بسیار مهم است فراگیرد و حفظ کند.

دو عامل مهم و اساسی در افزایش حمایت و کنترل عبارت‌اند از: ۱) تقویت عضلاتی که در خواندن استفاده می‌شود؛ ۲) داشتن احساس هماهنگی در مراحل تنفسی. برای خواننده دانستن اینکه دقیقاً کدام قسمت‌های مختلف بدن در کنترل نفس دخالت دارند (مثلاً دیافراگم، حفرهٔ گلویی، و عضلات شکمی) بسیار مهم است. برای ایجاد صدای خوب و همچنین کمک به حل بسیاری از مشکلات آواز تکنیک نفس‌گیری صحیح را، باید فراگرفت و در آن به مهارت رسید.

تنفس طبیعی

بعضی از معلمان تکنیک آواز، این نظریه را تأیید می‌کنند که برای یک خواننده «تنفس طبیعی» تنها راه برای کسب بالاترین نتایج است. این موضوع تا حدی صحت دارد. خواندن به صدایی نیرومندتر از صدای صحبت کردن معمولی نیاز دارد و دارای سطوح کوک بسیار متنوعی است. با این وسعت گسترده‌تر دینامیک[1]ها و رنگ‌ها، خواندن نسبت به صحبت کردن باید از حمایت بیشتری در زیر خط آوازی برخوردار باشد. خوانندگان

---

۱. قدرت و شدت اصوات را بر اساس حرکت و درجهٔ آنها از یکدیگر جدا و طبقه‌بندی نمودن. ـــم.

باید بسیاری از اشتباهات «تنفس طبیعی» را که به آنها تعلیم داده‌اند یا خود آموخته‌اند از یاد ببرند. این اشتباهات برعکس عملکرد طبیعی همهٔ عضلاتی است که در تنفس دخالت دارند. خواننده همچنین باید بداند که چگونه صدا را در تمام سطوح دینامیک حمایت کند.

این یک حقیقت پزشکی است که کنترل نفس در خواندن نسبت به صحبت کردن نیاز به هماهنگی بیشتر و بالاتری بین دیافراگم و عضلات شکمی دارد. دکتر هنری هالینشید[1] می‌گوید: «کنترل دقیق بازدم همانند خواندن به میزان هماهنگی بخصوصی بین عضلات شکمی و دیافراگم نیاز دارد.» بنابراین آواز خواندن با استفاده از تکنیکی که فقط نیازمند مراحل «تنفس طبیعی» است، نمی‌تواند به بهترین شکل به نتیجه برسد. اما تلاش متمرکز برای هماهنگ ساختن عضلاتی که هنگام آواز خواندن فعال می‌شود، ممکن است به نتیجه برسد.

نفس‌گیری با سینهٔ برآمده

«نفس‌گیری بالا» طوری که شانه‌ها به بالا بروند تکنیک نفس‌گیری نادرستی است. با فرض اینکه سینه پهن و قفسهٔ سینه بالا باشد ــ نه افتاده ــ شانه‌ها باید هم‌سطح باشند و هنگام ورود هوا به شش‌ها نباید بالا بروند. قسمت‌های شکمی به طور واضحی باز می‌شوند. وقتی هوا وارد شش‌ها می‌شود، نباید هیچ صدایی شنیده شود. این عمل با رها کردن و وارد کردن جریان هوا به بدن، در قسمت‌های شکمی انجام می‌گیرد. دیافراگم می‌افتد، و فشار هوای خارج، هوا را به درون شش‌ها وارد می‌کند. با ادامهٔ تمرینات تنفسی، سرانجام، احساس می‌شود سینه و همین طور پایین قفسهٔ سینه و کمر منبسط شده است. نفس‌گیری بالا، از طرف دیگر، تقریباً همیشه به صدا فشار می‌آورد و معمولاً باعث کشیدگی عضلات گردن می‌شود که به روی تمام بدن تأثیر می‌گذارد. تنفس با بهترین تکنیک که در بالا به آن اشاره کردم، و بعداً نیز با جزئیات بیشتر دربارهٔ آن بحث خواهیم کرد، قدرت خواندن جملات طولانی را به خواننده می‌دهد، و همین طور توانایی استفاده از طیف وسیعی از رنگ‌ها و دینامیک‌ها را در اختیار خواننده قرار می‌دهد.

---

1. Dr. Henry Hollinshead

حجم

در اوایل درس آواز نباید روی حجم تأکید کرد. مادامی که کسی عضلات گلو و قسمت‌های شکمی را می‌سازد و کنترل تنفسی بسیار خوب را در روند کار به دست می‌آورد، صدا در حجم نیز گسترش می‌یابد ــ «بگذارید خودش اتفاق بیفتد» نه اینکه «با اجبار بخواهید چنین شود». میزان افزایش حجم صرفاً با زمان و تمرین حاصل می‌شود. اصوات قوی (forte) و آهسته (piano) به تدریج به دست می‌آیند و اصلاً نباید به صدا فشار آورد. مادامی که در تکنیک آوازی مهارت پیدا می‌کنید حجم و کنترل صدا نیز بیشتر می‌شود. با تمرینات آوازی داده‌شده در این کتاب قابلیت خوانندگان افزایش خواهد یافت، و کنترل تنفسی از طریق تمرین بیشتر می‌شود.

تقویت تکنیک صحیح

بعضی از هنرجویانی که شروع به فراگیری آواز می‌کنند، به طور طبیعی، صدای خوبی دارند و صحیح آواز می‌خوانند. بسیار ضروری است که برای چنین خوانندگانی توضیح دهید که چرا صحیح آواز می‌خوانند، و سپس تمرینات مربوط را برای ادامهٔ آواز خواندن صحیح به آنها نشان دهید. تقویت تکنیک صحیح با استفاده از این تمرینات و توضیح اینکه چرا تکنیک طبیعی آنها با تمرینات هماهنگی دارد، به هنرجویان برخوردار از این استعداد طبیعی کمک می‌کند تا صدای آوازی خوبی به دست بیاورند. چنین زیبایی آوازی فقط تا زمانی می‌تواند ادامه پیدا کند که هنرجوی بااستعداد دقیقاً بداند چرا دارد خوب می‌خواند.

سلامت جسمی

سلامت صدا با تمرینات نفس‌گیری روزانه، باعث تقویت عضلات می‌شود، به طوری که حمایت نفس و کنترل آن شروع و حفظ می‌شود. خواننده همچنین باید برخی از تمرینات بدنی را مرتباً انجام دهد. لازم است که بدن بیدار باشد. تند راه رفتن یکی از بهترین تمرینات است. شنا، خصوصاً کرال سینه، نیز مفید می‌باشد، اما مواظب باشید که آب به درون بینی‌تان نرود. تنیس، دوچرخه‌سواری و باله نیز بسیار مفیدند. اگر در سفر هستید و هیچ یک از این امکانات فراهم نیست، یکی از بهترین چیزهایی که توصیه می‌کنم این است که در اتاق هتل طناب‌بازی کنید. (من نمی‌توانم روی تمرینات بدنی تأکید خیلی زیادی کنم.)

آسیاب بادی

« آسیاب بادی» تمرینی برای هوشیاری بدن می‌باشد. پاها را تقریباً به اندازهٔ ۶۰ سانتی‌متر از هم باز کنید. بگذارید بالاتنه به تدریج به سمت جلو بیاید و از قسمت باسن به سمت زمین خم شود. بازوی چپ در کنار بدن آویزان می‌شود و بازوی راست در قسمت جلوی بدن، بالای سر حلقه می‌شود، سپس به همان صورت به پایین و سمت راست حرکت می‌کند و در همان جهت همچون « آسیاب بادی» بسیار سریع و با قدرت ادامه می‌دهد. وقتی بازو در جلوی بدن بالا می‌رود از بینی نفس بگیرید و وقتی پایین می‌آید نفس را از دهان خارج کنید. این عمل را شش تا ده مرتبه انجام دهید، سپس آن را با بازوی مخالف انجام دهید. وقتی این تمرین را به پایان رساندید احساس می‌کنید که تمام بدنتان شروع به سوزش می‌کند؛ مقدار زیادی اکسیژن تازه را به درون رگ‌های خونی‌تان فرستاده‌اید و بدنتان دارد بیدار می‌شود.

نفس‌گیری با گردش بازو

هدف

این تمرین قابلیت نفس‌گیری را افزایش می‌دهد و به کنترل بازدم کمک می‌کند.

شیوهٔ کار

این تمرین با استفاده از فرم صحیح بدن انجام می‌شود: دنبالچه در زیر، زانوها خم شده، سینه فراخ، شانه‌ها صاف و وزن بدن به جلو روی پاشنهٔ پا. همان طور که در شکل‌های ۴ـ۱ الف و ب نشان داده شده است (هم طرز صحیح و هم طرز نادرست)، دست راست باید در پشت کمر بین پهنای شانه‌ها قرار بگیرد و کف‌دست به سمت بیرون باشد (شکل ۴ـ۲). در این موقعیت گشادگی سینه را کمی احساس می‌کنید. هنگامی که نفس می‌گیرید و آن را خارج می‌کنید، حرکت منظم تمام عضلات حفرهٔ سینه، شکمی و ران‌ها و حتی انگشتان پای خود را احساس می‌کنید.

بازوی چپ یک حرکت دایره‌وار را درست در جلوی بدن شروع می‌کند، که این حرکت خیلی آهسته و با بالای مچ به سمت داخل و راست هدایت می‌شود (شکل ۴ـ۳ و ۴ـ۴). در حالی که بازو در جلوی بدن حلقه می‌زند، هوا باید خیلی آهسته از میان دندان‌ها به داخل کشیده شود، تا زمانی که بازوی حلقه شده درست در بالای سر قرار بگیرد، بر زمین عمود باشد (شکل ۴ـ۵). در طی این نیم حلقه، هنگامی که بازو از بدن

 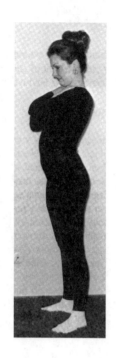

شکل ۴ ـ ۱ ب	شکل ۴ ـ ۱ الف
فرم نادرست بدن (زانوهای قفل‌شده)	فرم صحیح بدن (زانوهای خمیده)

می‌گذرد و به سمت بالا می‌رود، حفرۀ گلویی منبسط می‌شود، و شش‌ها به تدریج پر از هوا می‌شوند. تا آنجایی که ممکن است بازوهایتان را به سمت سقف بکشید. احساس خواهید کرد که هوا تا ته شش‌ها می‌رود. در طی این دم، شما باید حرکت را در ناحیۀ شکمی و کمر احساس کنید.

به محض اینکه بازو در بالای سر قرار گرفت، برای چند ثانیه مکث کنید و به احساس انبساط قفسۀ سینه عادت کنید و سپس دایره را به سمت پایین ادامه دهید. همان طور که بازو پایین می‌آید، هوا باید با کنترل شدید عضلات شکمی ـ که به سمت بالا حرکت می‌کنند ـ و قسمت‌های مربوط به قفسۀ‌سینه، خیلی آهسته و منظم از میان دندان‌ها خارج شود. حدود سه‌چهارم هوا خارج می‌شود. هوای باقیمانده با ادامۀ بالا کشیدن قسمت‌های شکمی، با ایجاد صدای قوی « ش » از میان دندان‌ها خارج می‌شود. و این هنگامی است که شما احساس می‌کنید تمام بدن در خروج هوا دخالت دارد. سینه باید بالا بیاید، هـرگز نگذارید سینه پایین بیفتد.

شکل ۴ـ۲
نفس‌گیری با گردش بازو: حالت صحیح بازوی راست

من باید تأکید کنم هنگامی که هوا خارج می‌شود، قسمت‌های شکمی به سمت بالا حرکت می‌کنند. وقتی شکم رها می‌شود (مانند فنر به بیرون می‌پرد) هوا باید با سرعت ممکن به درون شش‌ها وارد شود؛ بنابراین حفرهٔ سینه، خصوصاً عقب قفسهٔ سینه را منبسط می‌کند. توجه کنید، من گفتم «به بیرون می‌پرد» نه اینکه «بیرون بیفتد» یا «با فشار به بیرون بیاید». همان طور که گفتم، هنگامی که عضلات شکمی را رها می‌کنید، سینه نباید بیفتد و شما هنوز سفتی کمی را در قسمت پایین شکم حس می‌کنید. بگذارید هوا نه‌تنها از میان دندان‌ها، بلکه از میان بینی و دهان نیز وارد شود. در حالی که تمرین را تکمیل می‌کنید، بازو باید به طور مستقیم به سمت پایین قرار گیرد و دوباره بر زمین عمود شود، در حالی که بازوی دیگر در پشت کمر به همان حالت باقی می‌ماند. اگر شما عمل دم را

به آهستگی انجام بدهید، که باید چنین باشد، احتمالاً کمی پف می‌کنید. قبل از تکرار تمرین با بازوی دیگر، درست بودن فرم بدنتان را مرور کـنید (شکـل ۴ـ۱). حـالا یک «کشش باله» انجام دهید. یکی از بازوها را در قسمت جلوی بدن، بالای کـمر و بـازوی دیگر را بالا و روی سر به حالت کمانی قرار دهید (شکل ۴ـ۷). بدن را از کمر به جهتی که دست بالایی قرار دارد خم کنید و بگذارید کششی واقعی در عضلات سینه ایجاد شود. این کشش را با بازوی دیگر در بالای سر انجام دهید.

باید به دومین قسمت نفس‌گیری با گردش بازو برگردید. بازوی چپ را پشت بدنتان قرار دهید و این عمل را با بازوی راست تکرار کنید، همان طور که با بازوی چپ در اولین قسمت تمرین انجام دادید. این تمرین باید به آهستگی برای به دست آوردن حداکثر استفاده انجام گیرد.

شکل ۴ـ۳
نفس‌گیری با گردش بازو: بازوی چپ آمادهٔ حرکت

بحث

در این تمرین کسب مهارت در ایجاد هماهنگی صحیح، در طی مدتی کوتاه مشکل است.
در زمان عمل بازدم دو اتفاق می‌افتد. هنگامی که در بالای حلقه مکث می‌کنید و بازو به
سمت سقف کشیده می‌شود، سعی می‌کنید که فشار هوا را به آهستگی کاهش دهید.
هنگامی که کل فشار به طور کامل رها می‌شود، وارد یک مرحلۀ جدید می‌شوید، طوری
که تلاش برای خارج کردن باقیماندۀ هوا بیش از عقب نگه داشتن فشار بیش از حد
می‌شود، درست مانند مکثی که طی این عمل می‌کنید. بنابراین قسمت پایینی شکم به بالا
کشیده خواهد شد. و «ش» هوا به اوج خود می‌رسد.

همان طور که هوا خارج می‌شود، سینه فراخ باقی می‌ماند و شکم به سمت بالا حرکت
می‌کند. احساس می‌کنید که عضلات بدن پرانرژی می‌شود. پاها و نیم‌تنه در حمایت،
بسیار اساسی هستند و دلایل حسی مهمی برای انرژی عضلانی محسوب می‌شوند. در

شکل ۴ـ۴
نفس‌گیری با گردش بازو: گردش بازو در جلوی بدن

آواز خواندن اگر یکی از سیستم‌های عضلانی، هنگام کنترل تنفس دخالت نکـند خـط آوازی به هم می‌ریزد. هنگامی که نفس، صدای شما را حمایت می‌کند، و گـنبد (لبـخند داخلی) و ناحیهٔ حلقی بینی در آن دخالت دارند، صدا به طور خودکار هدایت می‌شود! لازم نیست که شما برنامه‌ریزی کنید.

شکل ۴ـ۵
نفس‌گیری با گردش بازو: قرار گرفتن بازو درست در بالای سر، مکث‌ها

شکل ۴ـ۶
نفس‌گیری با گردش بازو؛ و بازگرداندن آن به پایین

تنظیم فرم بدن ـ تکنیک الکساندر ـ شیوهٔ نفس‌گیری

هدف

روش‌های زیر به شما کمک می‌کند که تنظیم بدن را به طور کامل‌تری انـجام دهـید تـا نفس‌گیری صحیح صورت گیرد.

شیوهٔ کار

مرحلهٔ ۱. روی پشت دراز بکشید، زانوها را خم کنید (کف پاها روی زمین باشد)، زانوها را موازی با سرشانه‌ها قرار دهید. برای اینکه پشت کاسهٔ سر دقیقاً با ستون فقرات در یک سطح باشد سر را با استفاده از یک کتاب یا مجله با قطر مناسب از زمین بلند کنید. احساس خواهید کرد که گردن راست قرار گرفته است. اگر شکل قرار گرفتن سر درست باشد نیازی به تنظیم آن نیست. با کشیدن عضلات شکمی به داخل و بالا (از استخوان شرمگاهی) در

حالی که هوا را بدون هیچ مقاومتی از دندان‌ها و لب‌ها (از میان لب‌های کمی جمع‌شده) بیرون می‌دهید، شروع کنید. سینه بالا می‌آید. لگن خاصره نیز کمی بالا می‌رود؛ بگذارید تا زمانی که نفستان را کاملاً بیرون می‌دهید، بالا بماند. حالا عضلات شکمی را رها کنید. به طور ارادی سینه را بالا نگه دارید و لگن خاصره را جمع کنید و بگذارید هوا وارد بدن شود. (احساس می‌شود که هوا تا استخوان شرمگاهی وارد می‌شود.) پشت شما پهن‌تر می‌شود. در این مرحله باید ستون فقرات را کاملاً روی زمین قرار دهید. (شکل ۴ـ۸ الف و ب). هنگامی که هوا از بدن خارج می‌شود، ناحیهٔ شکمی به حالت اول باز می‌گردد.

در نفس‌گیری، ناحیهٔ شکمی متورم می‌شود و عضلات آرام و منبسط می‌شوند. این عمل (بازدم و دم) را دو یا سه مرتبه قبل از شروع مرحلهٔ دوم انجام دهید.

مرحلهٔ ۲. پاها را به طور مستقیم روی زمین دراز کنید. این وضعیت را حفظ کنید و با استفاده از عضلات شکمی برای کشیدن شکم به سمت بالا شروع به خارج کردن هوا بکنید. لگن خاصره کمی به بالا می‌آید، قسمت پایین کمر را به زمین فشار دهید، که این

شکل ۴ـ۷
کشش باله

عمل با پاهای صاف مشکل‌تر است. ــ درمی‌یابید که زانـوهایتان کـمی خـم مـی‌شوند. با پاشنۀ پا فشار وارد نکنید. (شکل ۴ـ۹ الف و ب) وقتی هوا از بدن خارج می‌شود شما باید احساس کنید که کمرتان به زمین فشار وارد می‌کند، ناحیۀ شکمی بـه حـالت اولیـه برمی‌گردد و عضلات شکمی به سمت بالا کشیده مـی‌شود. حـالا شکـم را رهـا کـنید و بگذارید هوا وارد بدن شود.در حالی که عضلات شکمی را رها می‌کنید قسمت پایین کمر را به عمد در تماس با زمین نگه دارید. احساس می‌کنید همان طـور کـه هـوا وارد بـدن می‌شود ستون فقرات به زمین فشار وارد می‌کند. این عمل را دو یا سه بار تکرار کنید. به تدریج زمان هر دو عمل یعنی ورود هوا و خروج آن را از بدن بیشتر کنید. در مرحلۀ دوم، شما به لگن خاصره یاد داده‌اید که در یک حالت مستقیم قرار بگیرد. هنگامی که عضلات

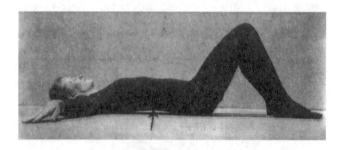

شکل ۴ـ۸ الف
حالت نادرست ستون فقرات

شکل ۴ـ۸ ب
حالت صحیح ستون فقرات

شکمی را رها می‌کنید، لگن خاصره رها و باسن و قسمت پایین کمر بلند می‌شوند. این عمل ناحیهٔ پایین کمر را فشرده و سست می‌کند، ناحیه‌ای که ما می‌خواهیم بیشترین انبساط را داشته باشد. همان طور که این عمل را ادامه می‌دهید، باید احساس کنید که قفسهٔ سینه در هنگام خروج هوا (بازدم) بالا می‌رود. در حالی که عضلات شکمی را برای پر کردن هوا رها می‌کنید سینه باید بالا نگه داشته شود. بدین ترتیب قسمت پایین کمر روی زمین باقی می‌ماند.

مرحلهٔ ۳. بایستید و سعی کنید در همان موقعیتی قرار بگیرید که روی زمین دراز کشیده بودید، با این احساس که گویی سر، بدن را نگه می‌دارد و ستون فقرات با یک حس انبساط از پایین جمجمه تا دنبالچه، که باید به زیر خم شده باشد، کشیده می‌شود. زانوها کمی خم خواهند شد. برای ایجاد موقعیتی که روی زمین داشتید، ابتدا لگن خاصره را با کشیدن دنبالچه به زیر، در مرکز قرار دهید تا لگن خاصره به صورت عمودی قرار گیرد (به فلش‌های شکل ۴ـ ۱۰ ج نگاه کنید). بعد، قفسهٔ سینه را بدون استفاده از شانه‌ها و لگن خاصره به عقب بکشید و آن را در امتداد لگن خاصره قرار دهید. با انجام این عمل، احساس می‌شود عضلات زیر استخوان‌های پهن شانه و کنار ستون مهره‌ها، قفسهٔ سینه را به عقب می‌کشد (شکل ۴ـ ۱۰ الف و ب و ج).

شکل ۴ـ ۹ الف
حالت نادرست قسمت پایین کمر و زانوها

شکل ۴ـ ۹ ب
حالت صحیح قسمت پایین کمر و زانوها

بحث

آقای اف. ماتیاس الکساندر، خطیب و هنرپیشهٔ معروف آثار شکسپیر است، که در اواخر دههٔ ۱۸۰۰ صدایش را از دست داد و برای بازیافتن آن، تکنیک شگفت‌آوری برای حذف عاداتی از قبیل تنش‌های زیادی، فشار، و تلاش افراطی هنگام اجرا ایجاد کرد. آن یک شیوهٔ ساده و عملی برای ایـجاد راحـتی و آزادی حـرکت، تـعادل، حـمایت، انـعطاف و هماهنگی است. من آن را به شما انتقال می‌دهم زیرا دریافته‌ام که افزودن این مطلب به آنچه من در تمام این سال‌ها در مورد کنترل نفس و چگونگی نفس‌گیری به آن اعتقاد داشته‌ام، بی‌نظیر است.

 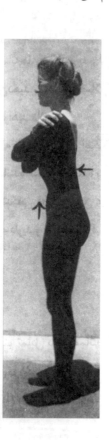

شکل ۴ـ ۱۰ الف
حالت نادرست لگن خاصره و
قفسهٔ سینه

شکل ۴ـ ۱۰ ب
حالت صحیح لگن خاصره (دنبالچه
در زیر)، اما حالت قفسهٔ سینه نادرست

به عنوان مثال وقتی احساس می‌کنید لگن خاصره در حالت عمودی نسبت به زمین قرار دارد، همان احساسی را دارید که دنبالچه در زیر قرار دارد. به نظر می‌رسد که حرکت تنه درست روی لگن خاصره، با عضلات زیر استخوان‌های پهن شانه، از عضلات کمر استفاده می‌کند و به آنها کمک می‌کند که بیش از هر شیوه‌ای که من قبلاً استفاده کرده‌ام، در این عمل دخالت داشته باشند. سپس هنگامی که نفس‌گیری می‌کنید، ساختمان عضلانی تمام بدن را از جلو تا عقب احساس می‌کنید.

روی دو کار که بعداً به طور اتوماتیک انجام می‌شوند باید تمرکز کرد. همان طور که نفس را خارج می‌کنید، لگن خاصره را با کشیدن دنبالچه به زیر، اگر بیرون آمده است، تنظیم کنید، و قفسه سینهٔ پائین را با بکار گرفتن عضلات شکمی ـ و نه شانه‌ها ـ بالا ببرید. اگر این دو قسمت در جای خود قرار بگیرند هر بار که نفس را بیرون می‌دهید حافظهٔ عضلانی تنظیم می‌شود و به علت ایجاد فضای مناسب نفس‌گیری بهتری خواهید داشت.

فرم صحیح لگن خاصره اغلب به هم می‌خورد و باسن به بیرون می‌زند. اینکه باسن در نفس‌گیری تمایل به بیرون آمدن دارد نشان‌دهندهٔ ضعف خواننده است. خواننده باید توانایی درست نگه داشتن لگن خاصره را هنگام رها کردن عضلات شکمی درگیر در این عمل داشته باشد. هنگامی که باسن را تنظیم کنید و قفسهٔ سینه را بالا نگه دارید و آمادهٔ نفس‌گیری باشید، برای آواز خواندن آماده‌اید.

حالت صحیح بدن در هنگام نشستن

در حالت نشسته باید احساس کنید که باسن به سمت جلو تمایل دارد، همانند زمانی که ایستاده‌اید و احساس می‌کنید دنبالچه در زیر قرار دارد. سپس با کشیدن شکم به داخل و رها کردن آن نفس را بیرون دهید. (همان طور که روی زمین انجام می‌دادید). باید هنوز احساس کنید که سر بدن را حمل می‌کند. سینه‌تان بلند خواهد شد (همانند زمانی که روی زمین دراز کشیده بودید). همچنین سینه باید فراخ و مستقیم باشد. این مسئله هنگام نشستن بسیار مهم است و فرقی نمی‌کند که دارید آواز می‌خوانید یا صحبت می‌کنید! خوانندگان کر، به این نکته توجه کنند!

حفظ فرم صحیح بدن در نقش‌ها و اجراهای گوناگون

ممکن است سؤال کنید «اگر به صورت درازکش آواز بخوانیم، چطور فرم بدن را حفظ کنیم؟» در برخی از نقش‌های اپرایی، مانند Mimi در *La Boheme* یا violetta در

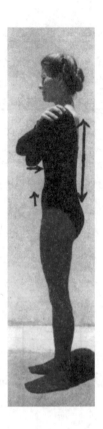

شکل ۴ـ ۱۰ ج
حالت صحیح لگن خاصره و قفسهٔ سینه

La traviata یا Brunnhilde در *Wagnerian cycle*، وقتی که خوانندهٔ این نقش‌ها روی صخره دراز کشیده است، درست قبل از خواندن یک دوئت بزرگ و باشکوه، با زیگفرید، بیدار می‌شود. اگر قرار است به صورت خوابیده آواز بخوانید از تنظیم بدنتان از باسن تا بالای سر اطمینان حاصل کنید. از باسن به بالا، بدن باید بالا برود تا از پشت روی زمین قرار بگیرد. بین صوتی که خوانده می‌شود و عمل عضلات شکمی رابطه وجود دارد، و تعجب خواهید کرد که صدای آوازی‌تان به چه طرز شگفت‌آوری به درون عضلات شکمی کشیده می‌شود، درست مانند زمانی که ایستاده‌اید. هدف شما پی بردن به تعادل ظریف بین صدایتان و استفاده از این عضلات است.

اگر انتظارتان طولانی است، مانند Brünnhilde در اپرای *Siegfried*، از این شیوهٔ

نفس‌گیری برای آماده کردن خود جهت ورود بعدی‌تان استفاده کنید تا خوابتان نبرد، همان طور که یکی از همکاران من که در حال اجرای نقش خود بود، خوابش برد. او روی صخره دراز کشیده بود و قبل از اینکه زیگفرید او را بیدار کند، خوابش برد. فقط شکم را به داخل بکشید و نفس را بیرون کنید. قفسهٔ سینه را بالا نگه دارید و شکم را رها کنید و بگذارید که نفس وارد شش‌ها شود، سپس برای ورود بعدی‌تان آماده خواهید بود.

دقت کنید که این عمل را هنگامی که منتظرید به طور مداوم انجام ندهید. می توانید هر کاری را بیش از حد انجام دهید؛ اما این عمل باید فقط برای آماده کردن نفس، پس از یک وقفهٔ طولانی یا انتظار برای ورود انجام شود.

شانه‌ها، سینه و سر

همان طور که در شکل ۴ـ۱۱ الف نشان داده شده است، سر و شانه‌ها نیز باید همانند ناحیهٔ سینه تنظیم شود تا فرم صحیح بدن به دست بیاید. سر به صورت تراز، شانه‌ها صاف و سینه فراخ باقی می‌مانند. این حالت به طرز فوق‌العاده‌ای در حمایت صدا به خواننده کمک می‌کند، چه نشسته و چه ایستاده باشد.

بیشتر هنرجویان هنگامی که در ابتدا برای تنظیم فرم صحیح بدن شروع به تمرکز می‌کنند، هم در ایستادن و هم در نشستن مشکلات اساسی بسیار زیادی دارند و حالت بدن آنها به توجه فوری نیاز دارد.

شانه‌های افتاده

شانه‌های افتاده (شکل ۴ـ۱۱ ب) که به سمت جلو قرار دارند، تقریباً همیشه منجر به «سینهٔ فرورفته» می‌شوند، حالتی که مانع تکنیک و کنترل خوب نفس‌گیری می‌شود. بعضی از هنرجویان و بزرگسالان شانه‌هایی کاملاً افتاده دارند، و خود را از حمایت بسیار عالی سینه برای اصوات در کوک پایین محروم می‌کنند. به علاوه، مطمئناً به خواننده‌ها شباهتی ندارند.

افراد جوان اغلب کتاب‌های سنگین زیادی حمل می‌کنند. در نتجه سینهٔ آنها به داخل می‌رود و شانه‌هایشان مانند یک فرد مسن می‌افتد. این مسئله همچنین باعث می‌شود سینه به داخل برود. بعضی از مشاغل نیز باعث می‌شوند که افتادگی شانه‌ها بیشتر شود.

در هر تصویری نکته‌های بسیاری وجود دارد. به شکل ۴ـ۱۲ نگاه کنید که شانه‌های افتاده را نشان می‌دهد. بگذارید آنها را رفع کنیم. دست‌هایتان را از پشت قلاب کنید

شکل ۴ـ ۱۱ ب
شانه‌های افتاده، سینهٔ فرورفته و
سر و گردن به سمت جلو کشیده‌شده (نادرست)

شکل ۴ـ ۱۱ الف
حالت صحیح سر و شانه‌ها

(شکل ۴ـ۱۳) و بدن را از قسمت باسن خم کنید. (به وضعیت سر و بازویتان توجه، و آن را با شکل ۴ـ۱۴ مقایسه کنید.) هنگامی که کمر را می‌چرخانید و زانوها را خم می‌کنید، دستتان را رها کنید و بگذارید بازوها به پایین و جلو در نوسان باشند (شکل ۴ـ۱۵). بازوها به سمت بالا کشیده می‌شوند و زانوها صاف می‌شوند (شکل ۴ـ۱۶). بازوها به سمت پایین فشار می‌آورند و شانه‌ها پهن می‌شوند. (شکل ۴ـ۱۷). این تمرین برای از بین بردن شانه‌های افتاده باید روزانه سه تا چهار بار انجام شود.

وضعیت سر

بعضی از مشکلات صدا ممکن است با قرار دادن سر در حالت صحیح از بین برود. آواز خواندن با چانه‌ای که بسیار بالا یا پایین قرار دارد (شکل ۴ـ۱۸ الف و ب)، به صدا فشار وارد می‌آورد و باعث فشار به حنجره می‌شود. برای پیداکردن حالت صحیح سر، احساس کنید که سر دارد بدن را حمل می‌کند. همان‌طور که در شکل ۴ـ۱۱ الف نشان داده شده است، بهترین حالت برای سر آن است که تراز باشد. این بدان معنا نیست که اجرای یک

آواز یا آریا با نگه داشتن سر در یک حالت، به دقت انجام می‌شود. سر می‌تواند و باید در هنگام خواندن، برای ایجاد ارتباط با تماشاچی به اطراف حرکت کند؛ اما حالت تراز باید به عنوان محور حرکت حفظ شود.

بدین علت بر وضعیت سر تأکید می‌شود که عضلاتی در اطراف حنجره وجود دارد، که آن را در مقابل ساختار استخوانی مهره‌ها به عقب می‌کشد. و در نتیجه به رزنانس صدا کمک می‌کند.

مشکل دیگری که به بالا یا پایین نگه داشتن بیش از حد سر مربوط است این است که عضلات زبان سفت و کشیده می‌شود و به آنها فشار وارد می‌آید، که در نتیجه صدایی غیرعادی و تغییریافته تولید می‌شود. حالت‌های متفاوت سر می‌تواند در تولید صدا مشکل ایجاد کند. یک شیوهٔ مؤثر برای درک این موضوع این است که سر را بالا یا پایین نگه دارید و صحبت کنید (شکل ۴ـ۱۸ الف و ب). همان طور که به راحتی می‌شنوید و

شکل ۴ـ۱۲
شانه‌های افتاده (نادرست)

احساس می‌کنید، صحبت کردن با سر در چنین حالت‌هایی بسیار مشکل است. صداهایی که با زور و فشار به بیرون داده می‌شود، غیرقابل شنیدن یا خفه است. بسیار آسان‌تر است که با سر در وضعیت تراز آواز بخوانید یا صحبت کنید، همان طور که در شکل ۴ـ۱۱ الف نشان داده شده است.

اصلاح گودی کمر

گودی کمر مشکل اساسی دیگری است که بر فرم صحیح بدن هنگام آواز خواندن تأثیر بسزایی می‌گذارد (شکل ۴ـ۱۹). گودی کمر باعث می‌شود سینه در وضعیت بسیار بالایی قرار بگیرد، زانوها در هم قفل شوند و لگن خاصره و باسن به سمت بیرون بیایند. گودی کمر می‌تواند تقریباً به روی همه حالت‌های صحیح دیافراگم، شکم، زانوها، لگن خاصره، باسن و غیره تأثیر بگذارد.

تمرین زیر باید هر روز انجام شود تا مشکل گودی کمر خواننده برطرف شود. ایـن

شکل ۴ـ۱۳

تمرینی برای از بین بردن حالت افتادگی شانه‌ها با قفل شدن دست‌ها از پشت به هم

شکل ۴ـ ۱۴
تمرینی برای از بین بردن افتادگی شانه‌ها: خم شدن از مفصل باسن

شکل ۴ـ ۱۵
تمرینی برای از بین بردن افتادگی شانه‌ها: خم شدن به سمت جلو، قوس دادن به کمر با زانوهای خمیده

تمرین باید در گوشهٔ دیواری که به سمت فضای بیرون برآمدگی دارد، انجام شود (شکل ۴ـ۲۰). قسمت پایین کمر را به نرمی به دیوار تکیه دهید، صاف بایستید و فرم صحیح بدن را به دست آورید. بسیار مهم است که قسمت پایین کمر (به فلش‌ها توجه کنید)، قسمت‌وسط ستون مهره‌ها، روی برآمدگی قرار گیرد. اگر انجام آن مشکل است، باید پاها چند سانتی‌متر دورتر از دیوار قرار گیرد. در این نقطه، کمر (تمام ستون مهره‌ها) باید روی برآمدگی به سمت بالا قرار گیرد.

لگن خاصره باید در زیر قرار گیرد و زانوها کمی خمیده باشد، طوری که شکم بتواند به سمت جلو بیاید. این عمل در قسمت شکم، صاف شدن ستون مهره‌ها را در حالی که در مقابل دیوار قرار می‌گیرد آسان می‌کند. اگر این تمرین هر روز انجام شود، فضایی که بین دیوار و ستون مهره‌ها دیده می‌شود، عملاً ناپدید می‌گردد. آن فضا همان چیزی است که «گودی» کمر را به وجود آورده و تنها تلاش‌های متمرکز و مداوم خواننده در انجام تمرینات کمک می‌کند تا بر این مشکل در فرم بدن، غلبه کند.

تمرین ۴ـ۱۶

تمرینی برای از بین بردن افتادگی شانه‌ها؛ کشیدن بازوها به سمت بالا بدون خم کردن زانو

حالت زانوی خمیده

حالت زانوی خمیده یکی از مهم‌ترین عوامل در فرم صحیح بدن است. شکل ۴ـ۱ الف حالت زانوی قفل‌شده و سفت را که با کنترل خوب ایجاد صدای آوازی هماهنگی ندارد نشان می‌دهد. توجه کنید که زانوهای قفل شده لگن خاصره را به سمت عقب و بیرون می‌برد و شکم را با آن می‌کشد. در این وضعیت در قسمت پایینی شکم یا دیافراگم برای انجام عملکرد مناسب فضای کافی ایجاد نمی‌شود. زانوها باید خمیده باقی بمانند به طوری که احساسی در عضلات از انگشتان پا تا سر تاسر بدن جریان پیدا کند.

هر چه خواننده پیشرفته‌تر باشد، بیشتر قادر است بدون دخالت پاها (برای مثال در وضعیت درازکش و نشسته) آواز بخواند. من آوازهای زیبایی را از هنرمندانی که نمی‌توانستند از پاهایشان استفاده کنند، شنیده‌ام. اما طی سال‌ها تجربه، می‌دانم که هنگامی که یک خواننده، پیشرفته یا مبتدی، شروع به دخالت دادن پاها می‌کند، صدا آزادتر و پرتر می‌شود و وسعت صدا بیشتر می‌شود. با پیشرفت بیشتر، قسمت‌های شکمی و قفسهٔ سینه عاقبت به قدری قوی می‌شوند که خواننده می‌تواند عملاً در هر موقعیتی که رهبر از او بخواهد، آواز بخواند.

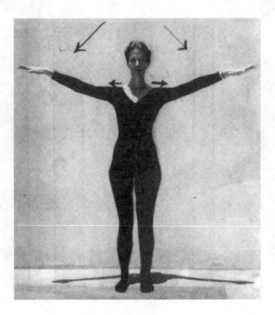

شکل ۴ـ۱۷
تمرینی برای از بین بردن افتادگی شانه‌ها: بازوها به سمت پایین، شانه‌ها پهن

شکل ۴ـ ۱۸ الف
چانهٔ به بالا کشیده‌شده (نادرست)

شکل ۴ـ ۱۸ ب
چانهٔ به پایین فشرده‌شده (نادرست)

شکل ۴ـ ۱۹
گودی کمر (نادرست)

شکل ۴ـ ۲۰
تمرینی برای از بین بردن گودی کمر

Plié

چگونه هنگامی که آواز می‌خوانیم پاها را احساس کنیم؟ یکی از راه‌های خوب، اجرای یک تمرین اصلی باله است که plié نامیده می‌شود. (شکل ۴ـ۲۱). زانوها را رها کنید و بگذارید که دنبالچه مستقیم به سمت پایین، درست در نقطه‌ای بین پاشنه‌ها قرار گیرد. خط مستقیم ستون مهره‌ها را در هیچ نقطه‌ای نشکنید. هنگامی که زانوها را خم می‌کنید، آنها را مستقیماً روی انگشتان پا نگه دارید.

در زمان تمرین، قبل از شروع یک جملهٔ طولانی، یک Plié انجام دهید، زانوها را خم کنید و سپس آنها را صاف کنید. پاها را احساس کنید. حالا همان طور که شروع به خواندن جمله می‌کنید، بگذارید پاها دخالت کنند و حافظهٔ عضلانی، عضلات را به عمل فرا خواند.

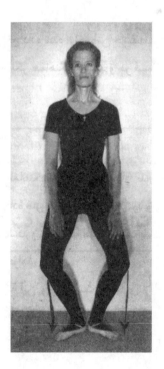

شکل ۴ـ۲۱
plié ـ به کارگیری پا در نفس‌گیری

در اجرای متروپولیتن از کرستن فلگستد[1] پرسیدند: «هنگامی که این نقش‌های واگنری را می‌خوانید آیا هرگز گلویتان خسته می‌شود؟» او جواب داد: «گلو؟ نه، اما اینجا.» و روی ران‌هایش زد و گفت: «بله، اینجا. در نقاط اوج احساس می‌کنم که پاهایم از انگشتان تا ران‌ها کار می‌کنند. همچنین احساس می‌کنم انگشتان پاهایم زمین را گود می‌کنند.» از پاهایتان استفاده کنید. آنها خشک یا سفت نمی‌شوند، اما باید جریان حمایت را از انگشتان پا تا تنه احساس کنید. هنگامی که یک plié را انجام می‌دهید، دستتان را روی «نقطهٔ نفس‌گیری» قرار دهید (در فصل بعد توضیح داده شده)؛ احساس خواهید کرد که وارد عمل می‌شود. تمام بدن ما به بهترین نحو با یکدیگر هماهنگ هستند و هر قسمت به طریق خاص خودش به دیگر قسمت‌ها کمک می‌کند.

هماهنگی کل بدن

کل بدن باید در خواندن هماهنگ باشد، درست همان طور که در هر ورزشی چنین است. در گلف هنگامی که بازیکن آمادهٔ ضربه زدن به توپ می‌شود وضعیت خاصی به خود می‌گیرد. همچنین، بازیکن تنیس، ورزشکاری است که امیدوار است با ایستادن به شیوهٔ صحیح، توپ دقیقاً به جایی برود که او می‌خواهد.

آواز خواندن بسیار شبیه به این ورزش‌هاست. بسیاری از اوقات وقتی که یک گلفباز می‌خواهد توپ مسافت زیادی را برود، ناآگاهانه با شدت به توپ ضربه می‌زند، که متأسفانه توپ را حدوداً نصف فاصلهٔ مورد نظر می‌اندازد. چنین مشکلی در خواندن نیز ایجاد می‌شود. اگر یک خواننده بخواهد با زور به یک صدا برسد، صدایش کیفیت و زیبایی لازم را نخواهد داشت، همچنین وسعت نخواهد یافت، و آن صدا، صدایی «با زور» خواهد بود. با استفاده از هماهنگی کامل عضلاتی که در خواندن دخالت دارند، می‌توان اصوات زیبا و پرطنینی ایجاد کرد و یک خط آوازی ثابت را در طول اجرای آواز به دست آورد.

1. Kirsten Flagstad

فصل ۵

تمرینات اصلی برای پیشرفت صدا

این تکنیکی راکه در حال یادگیری آن هستید در اصل دکتر فرانک. ای. میلر و ماد داگلاس توئیدی تنظیم کرده‌اند. یک هنرجو با تمرینات معین شروع می‌کند تا بتواند در این امر پیشرفت کند. تمریناتی توسط هزاران نفر نوشته شده است، اما فقط به تعداد کمی که اهداف خاصی دارند نیاز دارید. تمرینات زیر به ترتیبی که باید شروع شوند ارائه شده است. هر کدام هدف معینی دارد و باید با تمرکز فراوانی تمرین شود. هنگامی که نت‌ها را می‌خوانید، باید از داشتن لبخند داخلی یا احساس گنبدی شکل در حفرهٔ دهان اطمینان حاصل کنید. به خاطر داشته باشید که همهٔ این تمرینات به فرم صحیح بدن نیاز دارند، که ضروری است.

لبخند داخلی

در این کتاب من دائم از واژهٔ لبخند داخلی استفاده خواهم کرد. این واژه، که در فصل ۴ به آن اشاره شد، از سوپرانوی بزرگ آثار واگنر، کریستن فلگستد، گرفته شده است. او می‌گفت که لبخند داخلی را همیشه احساس می‌کرد. معلم من، ماد داگلاس توئیدی، به آن «گنبد داخلی» می‌گفت که همان معنی را می‌دهد. تصورات نادرست بسیاری در مورد لبخند داخلی وجود دارد. در زیر، منظورم را از لبخند داخلی توضیح داده‌ام. (شکل ۵ـ۱ الف و ب)

دهان را ببندید، اما دندان‌ها راکلید نکنید (یک گشودگی را در حفرهٔ دهانی احساس می‌کنید) و لبخند بزنید گویی به کسی در آن طرف اتاق لبخند می‌زنید، لبخندی که نمی‌خواهید دیگران به آن توجه کنند. بلند شدن اندک بالشتک‌ها را در زیر چشمانتان احساس می‌کنید، همچنین فضایی راکه در بالای نرمکام باز می‌شود. تقریباً احساس

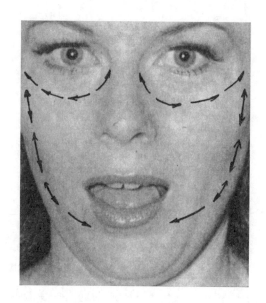

شکل ۵ـ۱ الف
حالت ماسک با استفاده از لبخند داخلی (برای زنان)

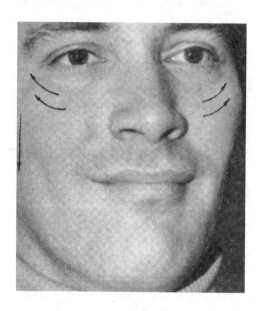

شکل ۵ـ۱ ب
حالت ماسک با استفاده از لبخند داخلی (برای مردان)

می‌کنید که می‌خواهید خمیازه بکشید. نرمکام بالا می‌رود. (شما آن را بالا نکشیده‌اید). بالشتک‌های زیر چشم‌ها و نرمکام هر دو بسیار مهم هستند.

هرگز این عمل را بیش از حد انجام ندهید. تأکید می‌کنم تکانی که باعث می‌شود ماسک بالا برود از نرمکام می‌آید (لبخند داخلی). خواننده لبخند می‌زند، یک لبخند طبیعی. اخم کردن (شکل ۵ـ۲) یا سفت کردن عضلات گونه و کشیدن گوشه‌های دهان به طرفین، نادرست است. این باعث می‌شود صدا سرد و کم‌حجم شود. افراط در عکس این عمل نیز، یعنی هنگامی که ماسک افتاده و نگاه غمگینی دارید، نادرست است (شکل ۵ـ۳). هنگامی که از لبخند داخلی استفاده می‌کنید، در حفرهٔ دهانی احساس «گنبد» وجود دارد. همچنین احساس می‌کنید به سمت بالا خمیازه می‌کشید. (هرگز حالت پایین آمدن دهان در پایان خمیازه یعنی وجود فشار در پشت گلو و حنجره را به خود نگیرید.) هنگامی که تعجب و شگفتی خود را با کمی نفس بیان می‌کنید ، و بالشتک‌های زیر چشم‌ها بالا می‌رود، همین احساس در نرمکام ایجاد می‌شود. وقتی از لبخند داخلی صحبت می‌کنم، منظورم تمامی مطالب بالاست.

لبخند داخلی، نرمکام و دیگر عضلات حلقی دهانی را (فصل ۳) برای انجام کارآمدترین شیوه آزاد می‌کند. این امر، همچنین زبان را در موقعیتی قرار می‌دهد که بتوان تلفظ خوبی داشت.

هنگامی که فک برای خواندن حروف صدادار(در تمام محدوده‌ها) بسیار باز می‌شود، «گنبد» به طور اتوماتیک به سمت پایین کشیده می‌شود و فضاهای عقبی کم می‌شوند. «عضلات ماسکِ شل‌شده» نیز اگر برای همهٔ حروف واکدار خصوصاً حروف واکدار کوتاه استفاده شود، روی آن فضاها تأثیر می‌گذارد. حروف واکدار بیشتر گرایش دارند که با صدای aw خوانده شوند. (درک آن آسان است، زیرا حتی تلفظ ay و ee با عضلات ماسک شل‌شده و لب‌های جمع‌شده و نیم‌بسته بسیار مشکل‌تر است.) حروف واکدار کوتاه و حروف بی‌واک همگی باید عضلات ماسک را که بالا رفته‌اند، به کار گیرند (شکل ۵ـ۱ الف و ب). بالا رفتن عضلات ماسک نتیجهٔ لبخند داخلی است. بالشتک‌ها بالا خواهند رفت و لب بالایی به طور خودکار فعال خواهد شد.

تکنیک «لب‌های فلوتی» شیوه‌ای اساسی است. زیرا لازم است که لب‌ها جمع شوند (بدون هیچ استفاده‌ای از بالشتک‌های بالا آمده یا لبخند داخلی) و روی هر صدا به همان حالت باقی بمانند. هر صدایی را که خواننده با استفاده از این تکنیک ایجاد کند، خواه یک ee، ah، eh یا ay باشد، صدایی خفه خواهد بود. در نتیجه فهم زبانی که او دارد به آن آواز می‌خواند برای شنوندگان غیرممکن است.

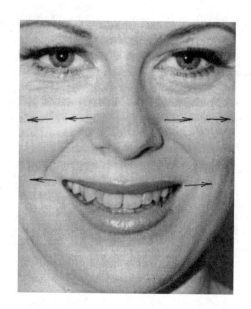

شکل ۵ـ۲
شکلک (نادرست)

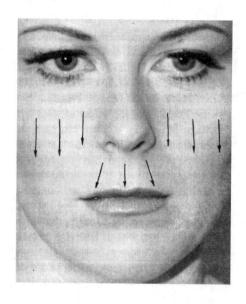

شکل ۵ـ۳
چهرهٔ غمگین (نادرست)

نفس‌گیری

هدف

اهمیت نفس‌گیری، مجزا کردن نقطه‌ای است که درست زیر جناغ سینه قرار دارد و همیشه باید در شروع هر جمله یا عبارت به کار گرفته شود. به کارگیری این نقطه تا پایان جمله یا عبارت ادامه می‌یابد.

شیوهٔ کار

به صورت طبیعی نفس بکشید، گویی در حال بوییدن یک گل رز هستید. دست راست خود را مشت کنید و در مقابل لب‌ها قرار دهید. در حالی که مشتتان را جلوی لب‌ها قرار داده‌اید جریان هوا را با صدای خروج بخار و فشار از میان لب‌ها خارج کنید (شکل ۵ـ۴). ناحیهٔ شکمی باید به طور خودکار به داخل برود. همان طور که گونه‌هایتان باد می‌کند، سینه (قفسهٔ سینه) و پهلوها (یا عضلات کمر) نیز انبساط می‌یابند، و آن را به طور وضوح در عضلات کمی پایین‌تر از جناغ سینه احساس می‌کنید. هنگامی که فشار را

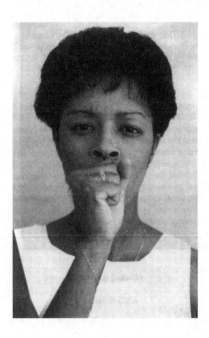

شکل ۵ ـ ۴

حالت لب‌ها و مشت در هنگام انجام نفس‌گیری

افزایش دادید (برای یک یا دو ثانیه) مشت خود را بردارید. این کار عضلات شکمی را رها خواهد کرد. و توجه کنید که هوا چگونه وارد قسمت پایین قفسهٔ سینه می‌شود. (قفسهٔ سینه را حتماً بالا نگه دارید). این عمل غیرارادی پایهٔ تمامی تمرینات نفس‌گیری بـعدی است. مواظب باشید که این عمل را خیلی با شدت انجام ندهید که به گلو فشار بیاورد.

بحث

پایین جناغ سینه نقطهٔ تمرکز برای نفس‌گیری است. هنگامی که این قسمت به کار گرفته می‌شود، که قابل ارتجاع هم هست، در نفس‌گیری، برای کنترل صحیح تنفس و ایجاد صدا از حمایت کل شکم استفاده می‌شود. می‌توان احساس کرد که پهلوها و عضلات زیر پهنای شانه‌ها به کار گرفته می‌شوند. تمامی ساختمان عضلانی بدن، از این نقطه در نفس‌گیری برای حمایت صدا به کار گرفته می‌شود. دکتر میلر در تحقیقات علمی‌اش دریافت که نقطهٔ تنفسی مدت نفس‌گیری را تنظیم می‌کند، همچنین باعث می‌شود که حنجره در مـوقعیت مناسب خود تنظیم شود و به دنبال آن دو غضروف حنجره که تـارهای صـوتی روی آن می‌چسبند، کنترل اصلی تارهای صوتی را به عهده بگیرند. نیازی نیست راجع به حنجره یا تارهای صوتی فکر کنید. همهٔ این اعمال از این مرکز عصبی، یعنی نـقطه نـفس‌گیری تحت مراقبت هستند.

Hook

هدف

این تمرین، در نفس‌گیری و قوی کردن سینه و عضلات پایینی شکم و هماهنگی عضلات شکمی و سینه مؤثر است.

شیوهٔ‌کار

برای احساس کردن حرکت لازم در تمرین hook باید در ابتدا عـضلات پـایینی شکـم را خیلی سریع و بی‌صدا بالا بکشید و بگذارید هوای داخل شش‌ها از میان لب‌ها، که کمی جمع شده‌اند، به بیرون بیایند (اما نه با شدت). عضلات پایینی شکم سفت می‌شوند، سپس به سرعت رها می‌شوند، و هوا وارد شش‌ها می‌شود. این عمل باید دو یا سه بار تکـرار شود.

یک دست باید درست زیر جناغ سینه و دست دیگر درست بالای استخوان شرمگاهی

قرار گیرد. دست‌ها در این نقاط قرار می‌گیرند تا بر دخالت کامل ناحیهٔ شکمی تأکید کند
(شکل ۵ـ۵). سپس با خواندن hoo شکم باید سریع به بالا کشیده شود، و هوا هنوز باید از
میان لب‌ها، که کمی باز است، خارج شود. در پایان استفاده از نفس، باید یک k بی‌صدا و
مشخص ادا شود ـ اما طوری که در گلو احساس نشود ـ و باعث گرفتگی کمی در
عضلات پایینی شکم، درست بالای استخوان شرمگاهی شود. تنه را بالا نگه دارید، شکم
را رها کنید و بگذارید هوا وارد بدن شود، که در نتیجه شکم یکدفعه به بیرون می‌پرد.
دیافراگم پایین می‌افتد و فشار هوای خارج شش‌ها را پر می‌کند. تمرین hook پس از سه
بار تکرار کامل می‌شود، و باید در بین هر سه بار یک استراحت کرد.

کشیدن صدای hoo نیز بسیار سودمند است. و کل تنه، پهلوها و عضلات پایینی شکم را که
به کار گرفته می‌شوند احساس خواهید کرد.

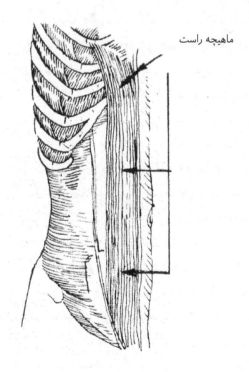

ماهیچه راست

شکل ۵ـ۵
ماهیچهٔ راست (rectus muscle)
عضلات شکمی (از پهلو) (که در تمرینات نفس‌گیری و hook به کار گرفته می‌شوند)

بحث

خواننده باید توجه کند که در قسمت شیوهٔ کار، هنگامی که در مورد عملکرد k بحث می‌کردیم من نگفتم «می‌افتد» گفتم «یکدفعه بیرون می‌زند». وقتی قسمت پایینی شکم «به بیرون می‌افتد»، در این حالت سینه افتاده و شکم شل می‌شود. این حالت نادرست است. وقتی این تمرین درست انجام می‌شود که پایین شکم در حین تلفظ k کمی سفت شود. اگر پهنا را در قسمت دنده‌های پایینی پشت احساس کنید و نگذارید که قفسهٔ سینه بیفتد قسمت پایین شکم تمایل کمتری برای «پایین افتادن» دارد.

بین پایین قفسهٔ سینه و عضلات پایینی شکم که درست روی استخوان شرمگاهی است باید فشاری را احساس کنید.

اگر قفسهٔ سینه به داخل برود مانند هنگامی که هوا را خارج می‌کنید، عضلاتی که در عرض پایین شکم قرار دارند هماهنگی صحیح را احساس نمی‌کنند. (همچنین نباید سعی کنید که قفسهٔ سینه را به سمت بیرون نگه دارید.) هنگامی که عضلات پایینی شکم به بیرون می‌پرد، همان طور که قبلاً اشاره شد، دیافراگم می‌افتد و فشار هوای خارج (از هوای باقیمانده‌ای که همیشه در شش‌ها وجود دارد) بیشتر می‌شود. و به طور خودکار شش‌ها را پر می‌کند. مجبور نیستید «نفس بگیرید»، می‌توانید عضلات شکمی را رها کنید و اجازه ندهید هوا وارد شود. ولی برای حمایت از صدا حتماً بگذارید هوا وارد شود.

عضلات بسیاری در این تمرین به کار گرفته می‌شود. در حالی که عضلات شکمی را برای خروج هوا به داخل می‌کشید، سینه باید بالا بیاید. (شانه‌ها باید ثابت باقی بمانند، هرگز شانه‌ها را بالا نبرید.) اگر سینه در ابتدا بالا نمی‌آید، نگران نباشید. به طور کلی، این یک قسمت بسیار مهم اما ضعیف تنه است. با انجام تمرین روزانهٔ hook سینه قوی‌تر می‌شود و شروع به حرکت می‌کند. این عملِ قابل رؤیت (ترکیب عملکردهای همهٔ عضلات به کار گرفته‌شده در مراحل نفس‌گیری) عملکرد شکم، سینه و دنده‌های پشت است. همهٔ عضلاتی راکه موجب عمل بیرون زدن شکم می‌شود، در یک کلمه جمع می‌کنم و عضلهٔ hook می‌نامم. هنگامی که خواننده از انرژی قسمت پایینی شکم (قسمت hook و قسمت‌های مربوط به نفس‌گیری) استفاده می‌کند یعنی هنگام ادای حروف بی‌واک، تلفظ آنها واضح‌تر می‌شود، و خواننده در حین تلفظ هرگز چیزی را در گلو احساس نخواهد کرد.

در حالی که هوا را وارد شش‌ها می‌کنید باز کردن گلو بسیار مهم است. اگر عضلات پایینی شکم به داخل نگه داشته شود تا بیرون، هنگامی که هوا وارد شش‌ها می‌شود، نفس

فقط وارد قسمت بالای سینه شده، و باعث بالا رفتن سینه و شانه‌ها می‌شود. شانه باید فراخ باشد، اما هرگز به سمت بالا کشیده نشود، زیرا موجب عدم تسلط در هنگام خواندن می‌شود. به خاطر داشته باشید که شکم را رها کنید، و قفسهٔ سینه را پایین نیندازید.

هنگامی که فرم بدن را حفظ می‌کنید به خاطر داشته باشید که شکم را رها کنید تا هوا «وارد بدن شود». هرگز برای گرفتن یک نفس عمیق و بزرگ به خود فشار نیاورید. هوای مورد نیاز به سادگی وارد بدن می‌شود و تمامی عضلات به کار گرفته در نفس‌گیری (عضلات hook) را کنترل می‌کند. نمی‌توانم بر اهمیت رها کردن شکم بیش از این تأکید کنم! پس از «رها کردن» بگذارید «تکان‌های مغزی» برای ادامهٔ آواز فوراً به محل نفس‌گیری برود معمولاً کسب هماهنگی صحیح برای خواننده، زمان زیادی می‌برد. صبور باشید. سعی نکنید که در آن واحد راجع به همه چیز فکر کنید. می‌توان به تدریج به آن رسید. هنگامی که سرانجام هماهنگی تمامی سیستم اسکلتی و عضلانی کسب شود، عمل نفس‌گیری در هنگام آواز خواندن یک عملکرد طبیعی با تسلط و حمایت کامل خواهد بود.

نفس‌گیری باید به یک زنجیر تشبیه شود. اولین حلقهٔ زنجیر پاهاست. دومین حلقه زانوها، سومین شکم و چهارمین محل نفس‌گیری است. اگر حلقهٔ اول، پاها، به کار گرفته نشوند، صدا تمام آن چیزی که می‌تواند باشد، نیست. اگر حلقهٔ دوم، زانوها، قفل باشد. شکم آن طور که باید رها نمی‌شود و باسن معمولاً به سمت بیرون می‌رود، که نادرست است. اگر حلقهٔ سوم، شکم، رها نشود، هوا آن طور که باید وارد شش‌ها نمی‌شود. اگر حلقهٔ چهارم، محل نفس‌گیری، به کار گرفته نشود، بدن برای خواندن آماده نیست.

با انجام این تمرینات در نهایت مراحل نفس‌گیری صحیح به طور خودکار صورت می‌گیرد و خواننده در هنگام اجرا نیازی به فکر کردن در مورد نفس‌گیری نخواهد داشت.

تمرین Hee-ah
هدف

این تمرین برای به حرکت درآوردن هوا و قوی کردن عضلات شکمی و گلو استفاده می‌شود. هنگامی که به طور مرتب انجام شود، کنترل هوا و حفظ خط آوازی به راحتی به دست می‌آید.

تمرین ۵ـ۱
Hee-ah

شیوۀ کار

قبل از این تمرین باید دو یا سه بار نفس‌گیری انجام شود، تا تمرین بسیار سبک خوانده شود. انگشت اشاره را به اولین مفصل فرو کنید تا جای خالی صحیح فک را در ee پیدا کنید، سپس انگشت را بردارید. این تمرین را تا آنجایی که با یک نفس ممکن است، بدون اینکه بگذارید سینه به داخل برود، چندین بار در اکتاو پایین با سرعت متوسط (moderato) بخوانید و آن را با ee ختم کنید. عضلات پایینی شکم باید فوراً بیرون بزنند، و خواننده باید hee-ah بعدی را نیم پرده بالاتر بخواند.

بحث

در ابتدا ممکن است خواندن این تمرین بیش از چهار یا پنج مرتبه با یک نفس مشکل باشد. باید همیشه قبل از اینکه سینه به داخل برود و شانه‌ها به سمت جلو بیایند، از خواندن دست کشید. اگر کسی برای بیرون دادن عضلات پایینی شکم در پایان مشکل دارد، بهترین کار این است که تمرین hook را انجام دهد و سپس تا آنجایی که ممکن است تمرین hee-ah را انجام دهد. هر روز با انجام این تمرین تعداد hee-ah تدریجاً افزایش می‌یابد و سرانجام افزایش قابل توجهی در کنترل تنفس و قابلیت تنفسی به دست می‌آید.

اگر این تمرین را درست بخوانید، باید احساس کنید که شکم به سمت داخل و به سمت مهره‌ها و کمی بالا به سمت حفرۀ قفسۀ سینه حرکت می‌کند. قبل از خواندن پانزده تا بیست بار تمرین hee-ah با یک نفس، باید اندام عضلانی مربوطه را تقویت کنید، زیرا از اهمیت بسیاری برخوردار است. همان طور که قسمت‌های سینه و شکم قوی می‌شوند، کنترل خروج هوا بسیار آسان‌تر می‌شود. اگرچه نفس‌گیری اصلی‌ترین موضوع قابل توجه در این تمرین است، خواننده باید به جایی که ee و ah می‌نشیند، آگاه باشد. به کار گرفتن

ماسک، لبخند داخلی و عملکرد صحیح فک و زبان مستقیماً بـر اجـرای تـمرین تـأثیر می‌گذارد. اگر نت روی ee و ah (خصوصاً ah) به اندازهٔ کافی جلو نباشد از تـمرین preh استفاده کنید (تمرین ۵ـ۶). هنرجو باید ee و ah را در حفرهٔ بینی احساس کند. (اما نباید تودماغی آواز بخواند.)

موضوع مورد توجه دیگر در خواندن تمرین hee-ah فک و زبان است. فک بـاید بـه آسانی از شقیقه‌ها حرکت کند. (بدون اینکه به آن فشار وارد کنید، بگذارید خیلی پایین بیفتد.) فک باید از پهنای زیر چشم با استفاده از ماسک فعال‌شده به پایین بیفتد. پهنای ایجادشده در قسمت ماسک، که با لبخند داخلی ایجاد می‌شود، بالشتک‌های زیر چشم را به بالا می‌برد و احساس می‌کنید که عضلات چهره نیرومند شده‌اند. فک باید به راحتی از پهنا مانند فک یک عروسک از لولاها، که نزدیک شقیقه‌ها و در جلوی گوش‌ها هستند، به سمت پایین به طور مستقیم حرکت کند. حرکت اندک فک روی ah پس از هر ee شروع می‌شود. همان طور که فک حرکت می‌کند. زبان باید شـل و پـهن و نـوک آن در مـقابل دندان‌های پایین باقی بماند. زبان و فک باید به عنوان یک عضو واحد حرکت کنند، بدون اینکه زبان به عقب کشیده شود یا شیاری ایجاد شود، یا در یک قسمت جمع شود.

تمرینات Kee-kah و Kee-kay
هدف

در این دو تمرین k به عنوان یک واحد خوانده می‌شود و برای سفت کردن نرم‌کـام آن را انجام می‌دهیم. هنگام خواندن هر لغتی که با k شروع می‌شود، عضلات نرم در نرم‌کام بـه طور خودکار فعال می‌شود و کام به سمت بالا کمانی می‌شود. این عمل فضای عقب دهان را که به عنوان « عضلات درونی »[1] شناخته شده است، باز می‌کند، کـه مـوجب مـی‌شود فضای بیشتری برای رزنانس و شکل کلمات آوازی ایجاد شود. اگر این تمرینات هر روز انجام شود، نرم‌کام قوی می‌شود. این تمرینات باعث می‌شود، ویبراتو بیشتر، رزنانس بهتر و شرایط برای کولوراتور[2]ی احتمالی آسان‌تر شود.

---

۱. inside pull ups، عضلات نرم‌کام و سخت‌کام. این عضلات را در هنگام خمیازه کشیدن مـی‌توان احسـاس کرد. هرگز احساس نمی‌شود که بالا (نیمهٔ بالایی) خمیازه به سمت پایین در گلو کشیده می‌شود. می‌توان برای نتایج بخصوصی این عضلات را به طور مستقل از « عضلات جلویی » به کار گرفت.

۲. پاساژی سریع و پرتحرک و دارای لرزندگی در اصوات.

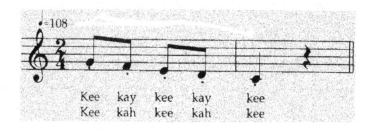

تمرین ۵-۲
Kee-kay و Kee-kah

شیوهٔ کار:
هر پنج نت گام، همیشه جدا و در وسعت متوسط با یک نفس خوانده می‌شود. سکوانس[۱] باید سه یا چهار مرتبه روی kee-kay تمرین شود (هر دفعه نیم پرده بالاتر از دفعه قبل). سپس باید kee-kah سه یا چهار مرتبه به همان ترتیب تکرار شود.

بحث
این تمرین را با صوتی سبک و پرانرژی بخوانید. همیشه فکر کنید که صدا در جلو قرار دارد. آخرین kee استاکاتو (مقطع) خوانده می‌شود و سریع قطع می‌شود. (در ابتدا باید چندین بار به هنرجویان یادآوری کرد که آخرین نت را قطع کنند.) این امر مهمی است زیرا ما سعی می‌کنیم صدا را به سمت بالا هدایت کنیم. آخرین نت تمایل دارد که صدا را به سمت پایین بکشد تا در کوک خود درست خوانده شود.

عملکرد فک و زبان هماهنگ باقی می‌مانند به طوری که زبان نرم و پهن در مقابل دندان‌های جلویی پایین قرار می‌گیرد، و به عنوان یک عضو با فک حرکت می‌کند و به سبکی در خواندن هر k بلند می‌شود. لبخند داخلی تلفظ ee و ah را آسان‌تر می‌کند و آنها را در مناسب‌ترین موقعیت «می‌نشاند».

نگاه کردن به عملکرد ناحیهٔ شکمی در هنگامی که این تمرین اجرا می‌شود و همچنین نظم بدن (فصل ۴)، بسیار مهم است، تا در نهایت عملکرد عضلات شکمی کامل و دینامیک شود. هنگامی که هر یک از این پنج نت خوانده می‌شود، شکم به طور مستمر و

---

۱. تکرار ردیف منظم نت‌ها در فواصل دیگر.

روان باید به سمت داخل و به سمت ستون مهره‌ها حرکت کند و سینه فراخ باقی بماند، و پس از نت آخر به بیرون بزند.

اگر قسمت پایین شکم پس از خواندن پنج نت به داخل برود، تمرین باید متوقف شود و قبل از ادامه دادن، باید تمرین hook انجام شود. تمرین hook باعث می‌شود که شکم و سینه درست عمل کنند به طوری که بتوان تمرینات k را با استفاده از نفس‌گیری مناسب، اجرا کرد. اگر شانه‌ها همیشه بالا بروند، نادرست است. کسب مهارت هماهنگی صحیح عملکرد شکم و سینه با عمل خواندن، احتیاج به زمان دارد. اما با تمرین، سرانجام به صورت یک عادت ثانویه در می‌آید.

تمرین Flah-flah-nee

هدف

از این تمرین برای ایجاد هماهنگی بین زبان و فک استفاده می‌شود، زبان و فک همیشه باید با هم حرکت کنند.

تمرین ۵-۳

Flah-flah-nee

شیوهٔ کار

تمرین Flah-flah-nee در یک وسعت صدایی بم و با یک نفس خوانده می‌شود.

بحث

مهم‌ترین نکته این است که f درست خوانده شود. کلمهٔ flah با f شروع می‌شود. در هنگام گفتن f جریان هوای کمی نیز وجود دارد. این جریان هوا از بین لب پایین و دندان‌های بالایی وارد می‌شود، که باید به نرمی به روی هم قرار گیرند، و حس خوبی از پهنای چانه و ماسک به وجود بیاید. همان طور که f تلفظ می‌شود. لب بالایی باید به پایین کشیده شود. زبان و فک به عنوان یک عضو حرکت می‌کنند و f خیلی سریع خوانده می‌شود.

l و n با حرکت فک به بالا و پایین، و نوک زبان که با پهنا و به نرمی در مقابل دندان‌های پایین قرار می‌گیرد، شکل می‌گیرد. اگر زبان با فک حرکت نکند (شکل ۵ـ۶) زبان در ریشه سفت می‌شود و به صدا فشار می‌آورد. هنگامی که هماهنگی لازم برقرار است، احساس می‌کنید که l و n با پهنای زبان در مقابل سقف دهان شکل می‌گیرد، در صورتی که نوک زبان به نرمی در مقابل دندان‌های جلویی پایین قرار می‌گیرد. اگر فک در هر قسمت از تمرین به بیرون بیاد (روی flah یا nee) تمام فضای حفرهٔ دهانی تغییر می‌یابد، و عضلات به قسمت عقب گلو، که به حنجره متصل است، کشیده می‌شود. و فک از محور خود مستقیماً به سمت پایین می‌رود.

در قسمت flah تمرین، احساس کشیدگی لب بالایی به سمت بالا، باید خیلی قوی باشد، اما نباید دیده شود. به عبارت دیگر لب بالایی هرگز نباید به سمت پایین کشیده شود. این عمل به جلو آمدن صدا کمک می‌کند. اگر کسی این احساس را نداشته باشد، حرف واکدار ah ممکن است به aw تبدیل شود.

برای خواندن صحیح lah، زبان و فک باید با هم حرکت کنند، به طوری که در تمام مدت حرکت زبان نرم و پهن در مقابل دندان‌های پایین باقی بماند. فک باید به راحتی جدا از لبخند داخلی حرکت کند و هنگامی که lah خوانده می‌شود، خیلی پایین نرود. فک باید مانند فک یک عروسک مستقیماً به سمت پایین بیاید. اگر فک خیلی زیاد به پایین بیفتد، ماسک تمایل به افتادن دارد و حروف واکدار به راحتی خوانده نمی‌شوند.

شیوهٔ نادرست خواندن lah به این صورت است که فک را بی‌حرکت نگه دارید و با قرار دادن زبان در پشت دندان‌های بالایی lah را شکل دهید. (شکل ۵ـ۶)

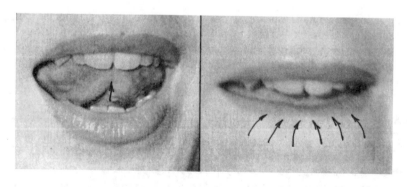

شکل ۵ـ۶
کشیدن نوک زبان روی i و h به بالا (نادرست)

شکل ۵ـ۷
nee، کشیدن لب پایینی به داخل (نادرست)

احتیاط دیگر: هنرجویان گاهی اوقات در هنگام خواندن سیلاب hee لب پایین را به روی دندان‌های پایینی می‌کشند (شکل ۵ـ۷) که نادرست است. لب پایین باید همیشه راحت باقی بماند.

در این تمرین باید لبخند داخلی و ماسک با قدرت به کار گرفته شوند، به طوری که حروف واکدار در بهترین شرایطی که صدا می‌دهند، شکل بگیرند. اگر فک خیلی پایین بیفتد، ماسک تمایل به افتادن دارد و ah و ee به راحتی خوانده نمی‌شوند.

تمرینات ning-ah و Ning-ee

هدف

این تمرینات برای تمرکز بر صدای حروف واکدار و آوردن آن به جلو، به خواننده کمک می‌کند.

تمرین ۵ـ۴

Ning-ah و Ning-ee

شیوهٔ کار

فک باید شل باشد، نباید بی‌حرکت باقی بماند، و زبان را مجبور به انجام همهٔ کارها نکند. (این مشکل همیشه در خواندن ning-ee دیده می‌شود.) این تمرین در وسعت میانی و با یک نفس، به صورت لگاتو خوانده می‌شود. هر دو باید سه یا چهار بار تمرین شوند و هر بار نیم پرده بالاتر بروند. لبخند داخلی را فراموش نکنید.

بحث

فک باید روی ah کمی حرکت کند و سفت نشود. روی صدا فشار نیاورید و سعی نکنید که روی آن تمرکز کنید، زیرا ning-ah و ning-ee به طور خودکار باعث تمرکز روی صدا می‌شوند. هنگامی که در آنجا متمرکز شوید، در پل بینی احساس ویبراسیون ایجاد می‌شود.

تمرین عروسک پارچه‌ای
هدف
این تمرین به خواننده کمک می‌کند که از فشار رها شود. همچنین به خواندن تمرینات ng کمک می‌کند. (تمرین ۵ـ۵ الف).

شیوهٔ کار
بدن از کمر به سمت زمین، به سستی خم می‌شود. بگذارید سر بیفتد. گردن نباید سفت باشد، و زانوها نباید قفل شود. از بینی نفس بکشید، بایستید و نفس را حفظ کرده، فرم بدن را وارسی کنید. با فرو بردن شکم به داخل، نفس را بیرون بدهید. شکم را رها کنید، سینه را بالا نگه دارید، بگذارید هوا وارد شود، و تمرین را بخوانید.

بحث
تمرین « عروسک پارچه‌ای» به طور کامل تنش را در بدن از بین می‌برد. احساس می‌کنید که گویی ستون فقرات از هم باز می‌شوند. تمرین «نفس‌گیری عمیق با بینی» را هنگامی که بدن در حالت عروسک پارچه‌ای قرار دارد، می‌توان انجام داد.

تمرین نفس‌گیری عمیق با بینی
هدف
از این تمرین برای باز کردن حفرهٔ بینی و کل ناحیهٔ حلقی استفاده می‌شود و تنش را در حنجره که با خواندن نت‌های بالا ایجاد می‌شود، از بین می‌برد.

شیوهٔ کار
بالشتک‌های زیر چشم آگاهانه بالا کشیده می‌شوند. فک، به طوری که پوزیسیون بالشتک‌های زیر چشم را به هم نزند، به نرمی از محور خود پایین می‌افتد (اما نه خیلی). نوک زبان در جلو در مقابل دندان‌های پایین قرار دارد پشت زبان در مقابل سقف دهان در بالاست. از بینی به آرامی نفس بگیرید (لبه‌های بینی همیشه گشاد می‌شود). مواظب باشید عضلات گردن را در طی نفس‌گیری دخالت ندهید. این یک نفس‌گیری آرام است. حالا زبان را با پهنا به پایین بیاورید، و از راه دهان به آرامی و بدون صدا نفس‌گیری کنید.

بحث

تمرین «نفس‌گیری عمیق با بینی»، حلق و بینی را در نفس‌گیری و کل گلو را در خـارج کردن هوا، باز می‌کند. نرمکام خیلی آرام در هنگام خارج کردن هوا (بازدم) بالا می‌رود. این تمرین می‌تواند در جلوگیری از هرگونه سفتی در صدا، هنگامی که در مـحدوده‌های زیر‌تر شروع به کار می‌کنید، مفید باشد. نفس‌گیری عمیق با بینی می‌تواند در یک حالت قائم و همین طور در حالت عروسک پارچه‌ای نیز انجام شود. فکر کردن به حس‌هایی که در نفس‌گیری عمیق با بینی وجود دارد، قبل از خواندن هر نت بالا به شما کمک می‌کند که راحت‌تر، نت را بخوانید.

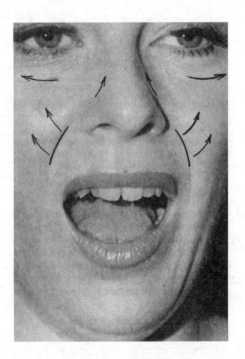

شکل ۵ـ۸
حالت چهره برای تمرین نفس‌گیری عمیق با بینی

اگر از «نفس‌گیری عمیق با بینی»، در اتصال با حرکت عروسک پارچه‌ای اسـتفاده می‌کنید، باید در ابتدا «نفس‌گیری عمیق با بینی» را کامل انـجام داده، سپس نیمهٔ اول تمرین را انجام دهید، و برای خواندن نت به سادگی به حالت قائم بالا برگردید. این عمل

خصوصاً برای زمانی که روی نت‌های زیر در حالت پایین روندهٔ گام ng کار می‌کنید مفید است. این توالی باعث می‌شود که از پهنای جناغ سینه در پشت، فضای موجود در بالای نرم‌کام، و از قدرت زیر چشمان آگاهی یابید. نباید در حالت معمولی خواندن، از حالت اغراق‌شدهٔ پهنای ماسک که در نفس‌گیری عمیق با بینی استفاده می‌شود استفاده کرد. زیرا تماشگر هرگز نباید در چهرهٔ خواننده از حالت «تکنیکی» آگاه شود. البته، خواننده باید از احساسات درونی مربوط به «نفس‌گیری عمیق با بینی» آگاهی داشته باشد. با انجام مداوم این تمرین و تمرین ng بسیاری از خواننده‌ها سه اکتاو یا بیشتر را به راحتی و بدون هیچ شکستگی در خط آوازی می‌توانند فرود بیاورند. پس از رسیدن به محدوده‌های زیر، بلافاصله به تمرین در اکتاو پایین بروید. (بسیار مهم است که از محدوده‌های زیرتر با استفاده از فواصل نیم پرده پائین بیایید. اگر مستقیماً به محدودهٔ بم بروید صدا در تعادل باقی می‌ماند.)

تمریناتی برای افزایش و تثبیت وسعت صدا

تمریناتی که برای افزایش وسعت صدا آورده شده است باید برای وسعت هر گروه صدایی انتقال یابد (این تمرینات در گام‌های زیر برای سوپرانو لیریک و تنور لیریک مناسب هستند). این تمرینات را می‌توانید با هر حرف واکداری که می‌خواهید، تمرین کنید و سرعت آن را تغییر دهید. بیشتر تمرینات محدود به چند گام همسایه می‌باشند که برای هر گروه صدایی مناسب‌اند.

تمرین ۱

تمرین ۲

تمرین ۳

تمرین ۴

تمرین ۵

تمرین ۶

تمرین ۷

تمرین ۸

تمرین ۹

انجام تمرینات ابتدا ممکن است سخت به نظر برسند. این تمرینات برای خوانندگانی که تا این مرحله دارای تکنیک نسبتاً خوبی نیستند مناسب نیست، بلکه بـرای خـوانـندگان حرفه‌ای جوان است و نه برای مبتدیان. این تمرینات نمونه‌های مـناسبی از پـاساژهـایی است که برای افزایش وسعت صدا می‌باشند، و برای تمرینات روزانه خوانندگان پیشرفته استفاده می‌شود.

تمرینات ng

هدف

این تمرینات برای گسترش صدا در محدوده‌های زیرتر و بم‌تر، و جلو آوردن صدا برای متمرکز شدن روی آنها، بسیار عالی است. همچنین برای صدا، از یک محدوده به محدودهٔ دیگر، پل ایجاد می‌کند.

تمرین ۵ـ۵ الف

Ng

تمرین ۵ـ۵ ب
Ng

تمرین ۵ـ۵ ج
Ng

شیوهٔ کار

برای فراگیری این تمرین، با تلفظ واژه hung شروع کنید. ng باید کشیده شود، طوری که گویی دارید هوم می‌کنید. این عمل باعث می‌شود صدا در جای مناسب در ماسک بنشیند، و نشان می‌دهد که تمرین ng کجا احساس می‌شود. شیوهٔ دیگر برای درک محل شروع ng، ایجاد صدای ng روی سکوانس نت‌های ۵ـ۴ـ۳ـ۲ـ۱ به صورت لگاتوست. (تمرین ۵ـ۵ الف). اگر صدا خیلی در جلو بنشیند لگاتو به آسانی انجام می‌شود. اگر خیلی عقب باشد، در پشت گلو پایین می‌افتد. گاهی اوقات زوزه کشیدن از بینی مانند یک توله‌سگ با فک کاملاً آزاد که بالا و پایین می‌رود، کمک می‌کند که جای ng را پیدا کنید.

با احساس ng در جای صحیح خود، شروع کنید به خواندن تمرین ng روی نتی که در تمرین ۵ـ۵ ب نشان داده شده است. تمرین را در اکتاو میانی، بسیار لگاتو و با یک نفس بخوانید. هر نت را با تلفظ دقیق بخوانید اما به صورت کمانی روی نت بعدی بروید. (توجه کنید، گفتم «کمانی» نه به صورت اتصال از یک نت به نت بعدی.) کل تمرین باید سه یا چهار بار، هر بار نیم پرده بالاتر از قبل خوانده شود.

پس از خواندن تمرین ng، همان طور که در بالا توضیح داده شد، آن را روی یک اکتاو گام پایین‌رونده (تمرین ۵ـ۵ ج) انجام دهید. هر اکتاو را نیم پرده بالاتر از قبل بخوانید. بین هر اکتاو نفس بگیرید، و از هر نت به صورت کمانی به روی نت بعدی بروید. فک باید روی نت اول حرکت کند و در طی نت‌های بعدی نیز پایین باقی بماند (اما نباید پایین نگه

داشته شود). هنگامی که سکوانس در محدوده‌های زیر است، جایی که خواندن آن نسبتاً ساده است، می‌توان آن را تا دو و گاهی سه اکتاو گسترش داد. در این تمرین تا جایی که راحت هستید باید بالا بروید، و همیشه احساس کنید که صدایتان نیم پردهٔ زیرتر هـم می‌تواند باشد. زمانی باید به خواندن این تمرین پیشرفته بپردازید کـه بـه تـمرین ng مقدماتی تسلط یافته باشید.

بحث

احساسات در این تمرین به خاطر به کارگیری فراوان حلقی بینی و سخت‌کام، خصوصاً در محدوده‌های میانی و بم بسیار آشکار است. صداهـا در قسـمت جـلوی سخت‌کام «می‌نشیند». اگر هنرجو در خواندن ng در ناحیهٔ حلقی بینی مشکل دارد، بـاید قبل از شروع به تمرینِ صدای ng، هوا را کمی از بینی به سمت جلو خارج کند.

این صدا در حفرهٔ بینی احساس می‌شود، مبادا بترسید که این تمرین باعث ایجاد صدای تودماغی می‌شود. بینی‌تان را ببندید و سعی کنید صدای ng را ادا کنید. هیچ صدایی به جلو نمی‌آید. این نشان می‌دهد که ما از بینی آواز می‌خوانیم و ناحیه حلقی بینی در خوانـدن ناحیه‌ای حیاتی است. صدای ایجادشده شبیه هوم است.

از لبخند داخلی باید در طی تمرین استفاده شود. زبان باید با فک حرکت کند و پهن و نرم در مقابل دندان‌های پایین باقی بماند (شکل ۵ـ۹).

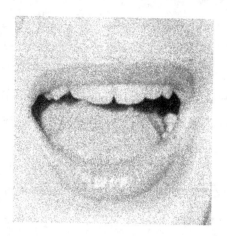

شکل ۵ـ۹
حالت صحیح دهان و زبان در هنگام خواندن تمرین ng

تمرین ng باید بادقت انجام شود، و نباید به صدا فشار آورد. صدا باید به آسانی خارج شود، و نباید اکتاوی را خواند که باعث ناراحتی شود. در تمرین ng اولین نت هرگز نباید از حنجره باشد ــ و با بستن تارهای صوتی به یکدیگر شروع شود ــ اما باید هنگامی که فک به سبکی حرکت می‌کند روی هوایی که از نای خارج می‌شود، خوانده شود.

هنگامی که دارید وسعت صدا را با ng افزایش می‌دهید و نت اول دومین اکتاو گام به راحتی خوانده نمی‌شود، قبل از شروع به خواندن جریان هوا باید از حفرهٔ بینی شروع شود. دقت کنید که فک روی اولین نت گام حرکت کند. همچنین دقت کنید که عضلات ماسک پهن باشد و پایین شکم به کار گرفته شود. بگذارید صدا مستقیماً درست به بالای سر برود. برای آسان خواندن نت‌های زیرتر، هنگام خواندن ng به نرمی زبان را از بیرون روی لب پایینی قرار دهید. بعضی اوقات برای خواننده یا معلم غیرممکن است که از هر گونه فشار یا سفتی در عقب زبان جلوگیری کند، اما هنگامی که هنرجو زبان را به نرمی و خیلی شل روی لب پایینی قرار می‌دهد، نت به راحتی به قسمت بالای سر می‌رود. با انجام این تمرین به این روش، فضای کل ناحیهٔ حلقی افزایش می‌یابد.

تمرین Preh

هدف

این تمرین فضای حفره‌های بینی را باز می‌کند، و به حروف صدادار کوتاه رزنانس می‌دهد.

تمرین ۵ـ۶

Preh

شیوهٔ کار

این تمرین همیشه به یک روش خوانده می‌شود، و تنها تفاوت این است کـه از حـروف صدادار مختلفی استفاده می‌شود. تمرین به راحتی (نه با حجم کامل صـدا) در مـحدودهٔ میانی، با یک نفس انجام می‌شود. و با یکی از واژه‌ها (به عنوان مثال preh) که روی هر پنج نت همان طور که پایین می‌آیند خوانده می‌شود. هر نت باید جدا باشد و روی preh، prih، pruh و pra ادا شود.

لب بالایی در هنگام خواندن p با r، باید بالا رود. (شکل ۵ـ۱۰). این تمرین در اطراف سوراخ‌های بینی و لب بالایی بدون چین خوردن پل دمـاغ احسـاس مـی‌شود (شکـل ۵ـ۱۱). هر تمرین باید نیم‌پرده زیرتر از تمرین قبلی خوانده شود. هر دو یا سه باری که این تمرین خوانده می‌شود، باید یک حرف صدادار دیگر معرفی شود. (نگاه کنید به شکل ۵ـ۱۲ که عضلات به کار گرفته شده را نشان می‌دهد.)

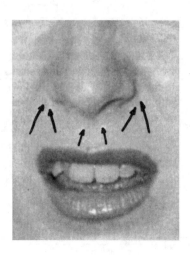

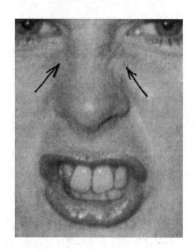

شکل ۵ـ۱۰	شکل ۵ـ۱۱
حالت صحیح لب‌ها در هنگام	بینی چین‌خورده در هنگام
خواندن تمرین preh	خواندن تمرین preh (نادرست)

بحث

اگر این تمرین درست انجام شود، در لب بالایی و اطراف لبه‌های بـینی احسـاس گـرما می‌کنید.

فعال کردن لب در حالی که به بالا کشیده شده، در درست نشستن حروف واکدار کوتاه انگلیسی در حفرهٔ بینی بسیار مهم است. پس از اینکه عضلات لب بالایی قوی شد، هرگز این عمل را از بیرون نخواهید دید، اما همیشه در هنگام خـوانـدن کـمکش را احسـاس می‌کنید. گرچه بسیاری از تمرینات در این تکنیک، با عضلات چهره سر و کار دارد، حالت چهره، طبیعی و خوب خواهد بود. و هرگز برای حروف واکدار و بی‌صدا شکل آن تغییر نخواهد کرد. هرگز نباید طوری آواز بخوانید که گویی ژیمناستیک چهره انجام می‌دهید.

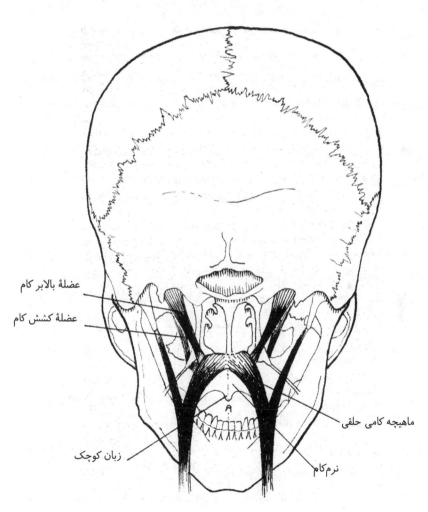

عضلهٔ بالابر کام

عضلهٔ کشش کام

ماهیچه کامی حلقی

زبان کوچک

نرم‌کام

شکل ۵-۱۲
عضلات روی سخت‌کام که در هنگام خواندن تمرین preh استفاده می‌شود.

ایجاد صدای خوب مستلزم فرم صحیح بدن، کنترل صحیح نفس، قسمت‌هایی از بدن که در ایجاد صحیح حروف واکدار و بی‌صدا ضروری‌اند و تمرینات اصلی‌ای است که برای ایجاد همهٔ هماهنگی‌های صحیح استفاده می‌شود.

درس‌های اولیه معمولاً شامل همهٔ اینها می‌شود و خوانندگان باید سعی کنند که آنها را هر روز با تمرکز انجام دهند. با تمرکز یاد می‌گیرید که اصول را با تمرینات جدیدتر و پیشرفته‌تر همراه کنید، بنابراین بگذارید، هنرجو کاملاً با هماهنگی مطلوب تمام سیستم‌های به کار گرفته شده در خواندن صحیح آشنا شود.

اصولی که در هر تمرین فرا گرفته‌اید و توضیح داده‌ایم، باید در هنگام معرفی تمرینات پیشرفته‌تر و جدیدتر، به کار گرفته شوند (فصل ۶). من هرگز تمرینات اصلی را ترک نمی‌کنم، گرچه همان طور که تمرینات پیشرفته‌تر را اضافه می‌کنم زمان آنها را کمتر می‌کنم. اصول تمرینات همیشه باید در خواندن کلمات قطعات آوازی استفاده شود.

در شرایطی که معلم تمرینات اصلاح‌کننده را برای پرداختن به مشکلات آوازی بیان می‌کند و به بهتر کردن اجرای تمرینات کمک می‌کند، بسیاری از این تمرینات اصلاح‌کننده به افزایش نفس‌گیری و تصحیح مشکلات اساسی، مانند حرکت فک، جمع شدن زبان و سینهٔ فرورفته کمک می‌کند. این تمرینات در سطح پیشرفته‌تر توضیح داده می‌شوند و پس از اینکه در اجرای تمرینات اصلی مهارت پیدا کردید، باید از آنها استفاده کنید. اضافه کردن تمرینات بسیار (اصلی، تند و یا اصلاح‌کننده) در یک زمان فقط هنرجو را گیج‌تر می‌کند و در مراحل یادگیری وی زیانبخش خواهد بود.

معلم همان طور که از این تمرینات استفاده می‌کند، دانشی غریزی را گسترش می‌دهد. یک حس تنظیم وقت را، مانند زمانی که تمرینات جدید و یا مشکل‌تر اضافه می‌شود.

خواندن Sostenuto (با صدای کشیده و ممتد)

Sostenuto نقطه اوج تمام جنبه‌های تکنیکی در خواندن است. به همین منظور در اینجا تمریناتی آورده شده است. کوک نت‌ها و سرعت تمرینات با قابلیت تکنیکی هر فرد تنظیم شده است. هر چه توانایی خوانندگان بالاتر می‌رود، وسعت این تمرینات نیز باید افزوده شود، همچنین با سرعت‌های آهسته‌تر نیز باید اجرا گردد.

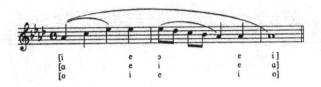

تمرین ۱

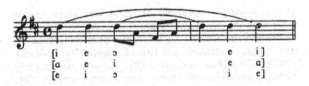

تمرین ۲

تمرین ۳

تمرین ۴

تمرین ۵

[i   e   a   e   i]
[a   e   i   e   a]
[o   i   e   i   o]

تمرین ۶

[i   e   i   e   i]
[ɔ   e   i   e   ɔ]
[u   o   ɔ   o   u]

تمرین ۷

[o   i   o   i   o   i   o]
[i   e   i   e   i   e   i]
[u   o   u   o   u   o   u]

تمرین ۸

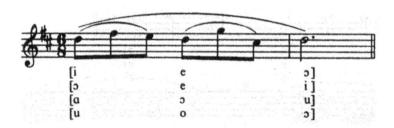

[i   e   ɔ]
[ɔ   e   i]
[a   ɔ   u]
[u   o   ɔ]

تمرین ۹

[ɔ   o]
[o   ɔ]
[i   e]
[e   i]

تمرین ۱۰

[e   ɔ]
[ɔ   e]
[i   o]
[ɛ   ɑ]

تمرین ۱۱

[i   e   ɔ   o   i   e]
[ɔ   e   i   e   o   ɔ]
[ɑ   o   e   o   e   ɑ]

تمرین ۱۲

[o   u   ɔ]
[i   e   ɔ]
[ɑ   o   ɔ]

تمرین ۱۳

تمرین ۱۴

تمرین ۱۵

تمرین ۱۶

تمرین ۱۷

تمرین ۱۸

تمرین ۱۹

تمرین ۲۰

خط آوازی و گسترش آن

تمرینات بالا به اضافهٔ فرم صحیح بدن و کنترل و حمایت صحیح تنفس، تکنیک‌های اصلی برای کسب یک خط آوازی محکم محسوب می‌شود. اگر تمرینات همیشه انجام شود و هر اصل کاملاً درک شود، کیفیت، طنین، اندازه و حجم صدا بیشتر می‌شود.

خط آوازی مفهوم مشکلی دارد و توضیح آن دشوارتر است. خط آوازی بر اساس احساس و در حین «سوار شدن» اصوات آوازی روی نفس کنترل‌شده شکل می‌گیرد. نفس با عضلات شکمی و دیافراگم کنترل می‌شود. خط آوازی با استفاده از این نفس و تکنیک کنترل شده، صدا را یکنواخت می‌کند و تمامی اصوات خارج‌شده را در اندازه و رزنانس مساوی می‌کند.

«خط آوازی» یکنواختی در صدای خواننده است. هنگامی که خط آوازی صاف و روان است، زیبایی خاصی در آواز به وجود می‌آید. شکستن خط آوازی معمولاً با نفس‌گیری نادرست و یا خارج خواندن نت به وجود می‌آید، که موجب می‌شودوسعت‌های مختلف و «شکستگی‌ها» در صدا بیشتر شنیده شود. بهترین حالت خط آوازی، صدایی کامل و مشخص بدون هیچ تفاوتی در وسعت‌های متفاوت می‌باشد که طنین و انرژی کامل را در طی خط آوازی حفظ می‌کند. اگر خط آوازی محکم باقی بماند، پیامی که به شنونده منتقل می‌شود با تکنیک نادرست قطع نمی‌شود. خط آوازی نادرست شنونده را از قصد اصلی آهنگساز و سرایندهٔ اشعار، از نظر موسیقایی و ادبی دور می‌کند.

تارهای صوتی، صدا را از سیستم عصبی غیرارادی وارد می‌کنند، فکر صدا را یک تکانه در مغز کنترل می‌کند. هیچ چیز در حقیقت نباید در قسمت تارهای صوتی احساس شود. تارهای صوتی و تمام ناحیهٔ حنجره باید فاقد هرگونه احساس باشد. سکوانس احساس معمولاً با فکر لبخند داخلی شروع می‌شود (شکل ۵ـ۱ الف و ب). سرانجام کار با لبخند داخلی باعث می‌شود که عضلات به طور غیرارادی، نرم‌کام را بالا ببرند و آن را کمانی کنند. این عمل یک فضای باز در عقب به وجود می‌آورد، و به ایجاد یک صدای گرم، پر و غنی کمک می‌کند. حرکت فک (که به راحتی بالا و پایین می‌رود، با زبان که به صورت پهن و نرم در مقابل دندان‌های پایینی قرار می‌گیرد) با تمرین می‌تواند کنترل شود. لب‌ها باعث شکل‌گیری صحیح حروف واکدار و بی‌صدایی می‌شوند که در طی خط آوازی خوانده می‌شود. خط آوازی احساس یک کمان از عقب گلو به سمت بالا روی نرم‌کام است، و با استفاده از نفس می‌توان صدا را در یک حرکت به جلو هدایت کرد.

سه وسعت آوازی

فکر صدا با احساس، ویبراسیون و یا اعمال فیزیکی دیگر شروع نمی‌شود، اما بیشتر بـا تکانهٔ عصبی از مغز است که صدا، کوک و احساس آن نشان داده می‌شود. در وسعت میانی، فکر صدا به استخوان‌های گونه هدایت می‌شود. هر صدا به فضای باز عقب که با لبخند داخلی ایجاد می‌شود، احتیاج دارد. قدرت محدودهٔ مـیانی خـصوصاً در قسـمت گـونه احساس می‌شود، و همان طور که نت به محدوده‌های زیرتر می‌رود، احساس می‌شود که صدا به بالای سر می‌رود. در محدوده‌های بم‌تر، فکر صدا باید به سمت دندان‌های پایین هدایت شود، لب پایینی شل شود و سینه فراخ و قوی باقی بماند.

عمل فک در هر یک از این وسعت‌ها عامل مهمی در توانایی صدا برای ایجاد طنین و «جا»ی درست می‌باشد. فک در محدودهٔ میانی خیلی کـم حـرکت مـی‌کند. در نـمونهٔ

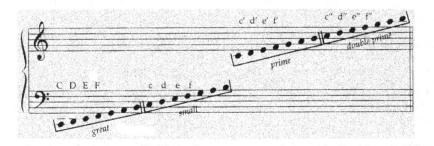

شکل ۵ـ۱۳
Notation

سوپرانو، اطراف d و e (نت‌هایی که در شکل ۵ـ۲۸ نشان داده شده است)، فک بـاید دورتـر حرکت کند. اطراف سی بمل، فک باید حتی بیشتر حرکت کند تا در نت‌هـای بـالاتر در جای درست بنشیند. تنور این عمل را در یک اکتاو پایین‌تر انجام می‌دهد. برای آلتوها و باس‌ها، این نت‌ها می‌تواند نیم یا یک پرده پایین‌تر از صداهای مکمل مربوط به مؤنث یا مذکرشان باشد.

فک همچنین روی حروف واکداری مانند ah و oh و aw در محدوده‌های بم‌تر بـیشتر حرکت می‌کند (اما همیشه «در تعادل» ـ و نه خیلی زیاد)، و همان طور که خط پـایین می‌آید، حرکت افزایش می‌یابد. احساس این نکته بسیار مهم است که نت در خط آوازی کجاست و فک چگونه در ارتباط با هر یک از محدوده‌ها برای نگه داشتن خطی صاف، و ایجاد طنین مساوی اصوات حرکت می‌کند.

ما می‌دانیم در دو جا ساز صدا تنظیم می‌شود، اما این عمل با تکانهٔ مغزی انجام می‌شود. هنگامی که هنرجو به « دانگ‌های صدا » فکر می‌کند، سعی می‌کند که ناحیهٔ حنجره‌ای را با مهارت به کار ببرد. به همین علت احساس می‌کنم بهتر است دانگ‌های صدا را در نظر نگرفت، اما بهتر است که سه محدودهٔ بم ، میانی و زیر را در نظر بگیریم. به این ترتیب، تکنیک استفاده‌شده برای یکنواخت کردن خط آوازی بهتر به کار گرفته می‌شود، زیرا اصول تکنیکی خیلی راحت‌تر در سه محدودهٔ مشخص، مورد بحث قرار خواهند گرفت. اصول مشخصی وجود دارد که باید در هر محدوده به کار گرفته شود؛ در این اصول از احساس و اعمال فیزیکی به یک اندازه استفاده می‌شود. تمامی احساسات توصیف‌شده در بالا سرانجام، با تمرین و « دریافت‌های حسی » فراوان خواننده، به شکل‌گیری یک حس همه‌جانبه در خط آوازی و همچنین به ایجاد یک صدای زیبا و روان کمک می‌کند. خط آوازی سپس ثابت و روان، و عمل خواندن طبیعی خواهد شد.

بهتر است که دربارهٔ این احساسات و اصول نگران نباشید و سعی نکنید به همهٔ آنها به یکباره تسلط پیدا کنید. هرچه یک تمرین و اصول آن بیشتر تکرار شود، تبدیل به یک عمل خودکار می‌شود و خط آوازی خیلی سریع‌تر تبدیل به یک خصلت ثانویه در اجرا می‌شود. به یکباره به تمامی مسائل فکر کردن (فک روی این نت به کجا حرکت می‌کند؟ با زبان و ماسک چه باید کرد؟ چگونه باید از آنها در خواندن ay و oo استفاده کرد؟ لبخند داخلی چطور کار می‌کند و کجاست؟) موجب می‌شود رابطهٔ بین سیستم عصبی و عضلانی و احساسی در هنگام آواز خواندن به تدریج از بین برود. هر مفهوم را با تمرینات داده‌شده در کتاب فرا بگیرید و تمرینات را با پشتکار انجام دهید. خط آوازی به تدریج روان و ثابت خواهد شد.

فصل ۶

تمرینات پیشرفته برای قوی کردن صدا

همان طور که هنرجو در تمرینات اصلی مهارت پیدا می‌کند، تمرینات جدید باید اضافه شود. بیشتر تمرینات این فصل را بعد از مهارت در تمرینات فصل ۵ باید انجام داد، زیرا استفاده از تمرینات پیشرفته‌تر، اصول اولیهٔ تمرینات ساده‌تر را وسعت مـی‌بخشد. در ابتدای دروس و زمان تمرین، باید با تمرینات تنفسی و فرم صحیح بدن شروع کنید، سپس تمرینی برای هماهنگی زبان و فک، تمرینی برای نرم‌کام، و سپس تمرینی بـرای تـمرکز روی صدا انجام دهید. حالا شما برای انجام تمرینات پیشرفته آمادگی دارید.

بعضی از تمرینات این فصل واریـاسیون‌های تـمرینات اصلی‌اند. سـایر تـمرینات دربردارندهٔ مفاهیم کاملاً جدیدی‌اند که تکنیک اصلی را تقویت مـی‌کند. ایـن تـمرینات دارای اصولی است که در خواندن قطعات ادبی آوازی به کار گرفته می‌شود و به هنرجـو تفهیم می‌کند که چگونه و چرا اصول اولیه در هنگام خواندن قطعات آوازی، مؤثر واقع می‌شود. هرگز این اصول را در هنگام انجام تمرینات و خواندن قطعات آوازی فرامـوش نکنید.

من این سلسله تمرینات را با هنرجویان پیشرفته دنبال می‌کنم:

ــ نفس‌گیری با گردش بازو (فصل ۴)

ــ نفس‌گیری (فصل ۵)

ــ تمرین hook (فصل ۵)

ــ تکنیک الکساندر در مورد فرم بدن (فصل ۴)

سپس با توجه به اشکال آوازی به خصوص هنرجو، مستقیماً به سراغ تمرینی می‌روم که آن مشکل را حل کند.

تمرین Hook (واریاسیون)

هدف

این تمرین به خواننده کمک می‌کند تا تمام حفرهٔ سینه را که در نفس‌گیری به کار گرفته می‌شود احساس کند.

شیوهٔ کار

واریاسیونی که روی تمرین hook انجام می‌شود، بسیار ساده است. سه hook با k هـای تیزی، بعد از صدای hoo گفته می‌شود. k از راه عضلات پایینی شکم و نه به وسیلهٔ گلو ادا می‌شود. با تلفظ k شکم به بیرون می‌زند و سینه فراخ باقی می‌ماند. همچنین چهارمین hoo سریع گفته می‌شود، اما نفس تا پنج شماره نگه داشته می‌شود، و k در پایان شمارش بـه تندی اضافه می‌شود، و شکم به بیرون می‌زند.

بحث

نگه داشتن نفس تا پنج شماره حتی به قوی شدن عضلات شکمی بیشتر کـمک مـی‌کند. تمامی نکاتی که به استفاده از عضلات شکمی، سینه و غیره مربوط مـی‌شود و در بـحث فصل ۵ مطرح شد، در مورد این واریاسیون نیز صدق می‌کند.

تمرین Hawk

هدف

این تمرین به خواننده کمک می‌کند که در تلفظ صوتی سیلاب‌ها از ناحیهٔ شکمی کمک بگیرد.

تمرین ۶ـ۱

Hawk

شیوهٔ کار

جای صدای hook و hawk همیشه یکی است. در تلفظ h باید احساس کرد که عضلات پایینی شکم قبل از ایجاد صدا، کشیده می‌شود. هنگامی که h تلفظ می‌شود، شما همان احساس گرفتگی عضلات بالای استخوان شرمگاهی را دارید، همان احساسی که هنگام تلفظ k در تمرین hook وجود دارد. هنگامی که فواصل پنجم را می‌خوانید، باید مطمئن باشید که فک به پایین حرکت می‌کند.

بحث

همان طور که دارید haw را تلفظ می‌کنید، گشادگی قسمت بالای سینه را درست زیر استخوان گردن احساس می‌کنید. می‌توان این قسمت را به طور ذهنی منبسط کرد؛ این عمل به ایجاد حجم در محدوده‌های بم‌تر کمک می‌کند. صدای ایجادشده بیشتر از سینه است تا از سر، اما صدای خامی نیست.

تمرین Kah

هدف

این تمرین به هنرجو کمک می‌کند که لبخند داخلی را با فعال کردن نرم‌کام احساس کند.

شیوهٔ کار

همان طور که می‌گویید Kah، نفس را وارد کنید و احساس کنید که نرم‌کام به طور خودکار بلند می‌شود. سپس Kah را در محدوده‌های میانی بم از فاصلهٔ پنجم به سمت نت‌های بم‌تر بخوانید. پس از اینکه گنبد ایجادشده را احساس کردید، بگذارید که حافظهٔ عضلانی به جای شما گنبد را در هنگام نفس‌گیری ایجاد کند. نفس‌گیری‌های فراوان تارهای صوتی را خشک می‌کند. تمامی تمرینات k در زیر به شما کمک می‌کند که گنبد را احساس کنید، اما هرگز نباید عمداً نرم‌کام را بالا بکشید.

تمرین Kah-kay-kee-koh-koo

هدف

این تمرین وابسته به تمرین ۵ـ۲ است بنابراین تا زمانی که به آنها تسلط پیدا نکرده‌اید، این تمرین را انجام ندهید. تمرینات K، نرم‌کام و عضلات مربوط به آن را قوی می‌کند، و انعطاف و توانایی را در خواندن نت‌های تزئینی افزایش می‌دهد.

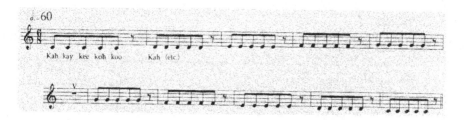

تمرین ۶ـ۲

Kah-kay-kee-koh-koo

شیوهٔ کار

این تمرین همان طور که علامت‌گذاری شده، دفعهٔ اول به طور منفصل و با دو نفس و بـا سرعتی متوسط خوانده می‌شود، اما پس از تکرار آن به سرعت بسیار تنـد مـورد نظر خواهید رسید. هر تمرین هرگز نباید بیش از سه یا چهار بار خوانده شود (همیشه در هر تکرار نیم پرده بالاتر بروید).

بحث

نرم‌کام یکی از مهم‌ترین ساختارهای ناحیهٔ حلقی در خصوص « جای » اصوات، لرزش صدا، و کنترل انعطاف حرکت خط آوازی است.

در این تمرین از تمامی مفاهیم اصلی، یعنی لبخند داخـلی و عـضلات، بـه کـارگیری ماسک، و حرکت فک در شروع حرف k باید استفاده شود. استفاده از این مفاهیم صدا را به سمت جلو و در جای صحیح آن می‌آورد و به این وسیله به تمرکز روی حروف صدادار کمک می‌کند. k قبل از هر حرف واکداری که قرار بگیرد به طور خودکار عمل بلند کردن نرم‌کام را شروع می‌کند. فضای عقب لازم است بسیار باز باشد تا در خـوانـدن حـروف بی‌واک و واکدار و تلفظ صحیح آنها کمک کند.

فک نقش مهم دیگری در این تمرین بازی می‌کند. فک باید شل و بسیار سبک روی هر سیلاب حرکت کند. اما نباید خیلی پایین برود (فقط کمی پایین رفتن کافی است). بیشتر اعمال روی صداها در داخل دهان انجام می‌شود. باید فضای بزرگ و پهنی در عقب دهان وجود داشته باشد تا عقب زبان در حین تلفظ k نرم‌کام و سخت‌کام را لمس کند. در همان حال، خواننده باید به جلو بودن صدا فکر کند.

گاهی در شروع انجام این تمرین kay و kee صدا نمی‌دهند. اگر چنین است بـهتر است چند هفته صبر کنید تا نرم‌کام قوی‌تر شود. با تمرینات روزانه می‌توان نرم‌کام را قوی کرد.

تمرین Kee-kah-kee

هدف

تمرین kee-kah-kee تمرین k دیگری است که برای تقویت نرم‌کام و بهتر کردن کمان داخلی استفاده می‌شود. همچنین به عمل فک و موقعیت زبان در هنگام حرکت فک کمک می‌کند. در این تمرین بر عمل حرکت فک با زبان و همچنین استفاده از لبخند داخلی و ماسک تأکید می‌شود.

تمرین ۶ـ۳

Kee-kah-kee

شیوهٔ کار

کل سکوانس در دو نفس، و در محدودهٔ میانی خوانده می‌شود. نیمهٔ اول به طور جداگانه با حرکت فک روی هر نت خوانده می‌شود. در حالی که قسمت پایین‌رونده به صورت لگاتو روی ee و ah و با صداهای پیوسته اجرا می‌شود. صدا باید در «جلو» باشد. کل تمرین را چندین بار بخوانید (نه بیش از چهار بار). در هر تکرار نیم پرده بالاتر از قبل بروید.

بحث

تمامی تمرینات پیشرفتهٔ k نباید در یک زمان استفاده شوند، بلکه باید یک تمرین انتخاب، و از آن استفاده شود. موقعیت زبان در تمرینات k باید به سمت جلو، پهن، و در پشت دندان‌های پایین باشد. فک و زبان باید با هم حرکت کنند.

تمرینات k در این فصل، اگر با فکر کردن به «زبان نرم و پهن» و با تمرکز تمرین شوند، به برطرف کردن مشکل زبان کمک می‌کند (فصل ۷).

تمرینات Koo

هدف

تمرینات koo برای وسعت بخشیدن به «صداهای زیر» و همچنین برای کمک به بهتر شدن تریل بسیار مفیدند.

تمرین ۶ـ۴

Koo

تمرین ۶ـ۵

Koo

شیوهٔ کار

فک باید در محور خود به نرمی حرکت کند، اما نه خیلی. لب‌ها کمی جمع می‌شوند (شکل ۶ـ۱) اما سفت نمی‌شوند و شما احساس می‌کنید که oo از نرم‌کام و سخت‌کام بالا می‌رود. همان طور که گام پایین‌روندهٔ oo در تمرین ۶ـ۵ خوانده می‌شود زبان در جلو به صورت پهن و شل باقی می‌ماند.

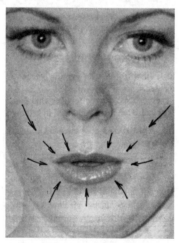

شکل ۶ـ۱

لب‌های جمع‌شده در هنگام خواندن «oo»

بحث

نرمکام باید برای خواندن یک تریل خوب، بسیار نرم و قابل ارتجاع باشد. تمرینات koo در بهتر کردن قسمت نرمکام بسیار مؤثرند. این تمرینات باعث میشوند کـه تریل وارد فضاهایی بشود که اصوات خیلی راحتتر حرکت میکنند. فک در محور خود به نـرمی حرکت میکند، لبخند داخلی وجود دارد، و لبها کمی جمع میشوند. این باعث میشود که خواننده برای خواندن تریل آماده شود. هنگام خواندن تریل باید فضای عقب دهان باز باشد و احساس شود که تریل مستقیماً به بالای سر میرود. اگر یک نت از بینی خوانده شود، تریل غیرممکن است.

تمرینات تریل

هدف

این تمرینات انعطاف صدا را برای ایجاد تریل افزایش میدهند.

تمرین ۶ـ۶
Boo

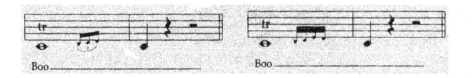

تمرین ۶ـ۷
Boo

تمرین ۶ـ۸
Boo

تمرین ۹_۶
Boo

تمرین ۱۰_۶
Boo

شیوهٔ کار

این تمرینات را هر روز انجام دهید، و به تدریج تا آنجایی که می‌توانید سرعت را بالا ببرید؛ به زودی می‌بینید که با فکر کردن به آن، تریل را انجام می‌دهید. دقت کنید که لب بالایی در هنگام استفاده از صدای b هوا را در زیر آن احساس کند. هرگز به آن فشار نیاورید.

خواندن آغازه‌هایی که باعث تعادل دینامیک می‌شود

تمرینات زیر را درگام‌های مختلف بخوانید. ریتم در این تمرینات بسیار مهم است؛ کشش نت‌های آخر هر تمرین باید به طور کامل اجرا شود. خواننده هر آغازه را باید بدون توجه به کوتاهی کشش هر نت به صورت ویبراتو بخواند و از خواندن آن با صدایی یکنواخت خودداری کند. این امر باید به طور ناگهانی و بسیار واضح اجرا شود.

در تمامی تمرینات جای نفس‌گیری با علامت (،) نشان داده شده است. سکوت بین هر آغازه باید به طور کامل اجرا شود. سکوت نیز مانند صوت از یک میزان ارزش برخوردار است.

هرگونه صدای ناشی از نفس‌گیری بین سیلاب‌ها نشانگر عملکرد نادرست گره‌های صوتی یا دیگر اعضای دستگاه صوتی می‌باشد. به عنوان مثال، خواننده برای نشان دادن

ترس هنگام اجرا روی صحنه با منقبض کردن ناحیه صوتی هنگام دم، در برابر فرو بردن هوا مقاومت ایجاد می کند.

تمرینات گروه ۱

هیچ حرف صدادار به خصوصی برای تمرینات زیر در نظر گرفته نشده است. از تـمامی حروف صدادار استفاده کنید. دقت داشته باشید که در ابتدا از یک حرف واکدار برای کل تمرینات استفاده کنید و به دنبال آن، از حروف واکدار متفاوتی برای هر تمرین بهره ببرید.

در تمرینات ۵ و ۴ پس از هر نت نفس‌گیری می‌شود. خواه نفس‌گیری پس از یک نت یا تعدادی نت انجام شود، ناحیه شکمی منبسط می‌شود. با وجود این، نـفس‌گیری مـمکن است به قدری اندک صورت گیرد که خواننده به سختی متوجه آن شود. در تمرین ۶ که به صورت تریوله می‌باشد، پس از پایان هر تریوله، نفس‌گیری مـی‌شود. در ایـن تـمرین، حرکت آغازه در ناحیه نزدیک به ناف روی نت دوم و سوم اتفاق مـی‌افـتد، امـا بـدون نفس‌گیری. در تمرینات ۶ و ۵ و ۴ گره‌های صوتی به نرمی به کار گرفته می‌شوند، گاهی در پاسخ به نفس‌گیری و گاهی مستقل از آن (مثلاً بین دو نت اول از تریوله).

تمرین ۷ فواید تمامی این سری از تمرینات را در خود دارد. این مرحله باعث هماهنگی بین حرکات (تکان‌های) حنجره و ناحیه شکمی می‌شود، که وسیله اصلی برای انعطاف در حنجره و نفس‌گیری سریع و بدون صداست.

تا این مرحله هیچ ملاحظه‌ای برای تغییرات در کوک صدا وجود نداشته است. تـغییر کوک صدا نباید در تعادل جریان هوا و نزدیکی گره‌های آوازی مشکلی ایجاد کـند. بـا وجود این، عملکردهای اولیه برای هماهنگی تکنیکی بیان شده در این آغازه‌های آوازی باید خوب تثبیت شود و بعد خواننده به سراغ تمریناتی برود که نیازمند مهارت‌های بیشتر در آغازه‌های آوازی می‌باشد.

تمرین ۱

تمرین ۲

تمرین ۳

تمرین ۴

تمرین ۵

تمرین ۶

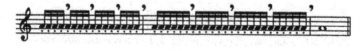

تمرین ۷

تمرین Flah-flah-ning-ah

هدف

این تمرین پیشرفته‌ای از flah-flah-nee (تمرین ۵ـ۳) می‌باشد. و برای مطالعه بیشتر در تمرکز و عمل صحیح فک در زبان استفاده می‌شود.

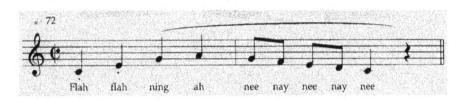

تمرین ۶ـ۱۱
Flah-flah-ning-ah

شیوهٔ کار

بخش flah-flah تمرین همانند flah-flah-nee (تمرین ۵ـ۳) اجرا می‌شود. بخش ning-ah تمرین همان طور که در تمرین ning-ah (تمرین ۵ـ۴) توضیح داده شد خوانده می‌شود، با ning که کاملاً جلوست، و روی پل بینی وزوز می‌کند. در تمرین nee-nay-nee-nay-nee از فک بسیار استفاده می‌شود. حروف واکدار دوباره با استفاده از لبخند داخلی و عضلات داخلی و خارجی شکل می‌گیرند. فک به نرمی حرکت می‌کند، و زبان حرکت آن را دنبال می‌کند، و به صورت پهن و نرم در مقابل دندان‌های پایینی قرار می‌گیرد.

بحث

فاصله‌ای که ning-ah در آن خوانده می‌شود، بیشترین حرکت فک را در بر دارد. روی ning فک به بالا حرکت می‌کند. برای خواندن ah فک به پایین حرکت می‌کند. nee-nay-nee-nay-nee باید با فضای بسیار بازی در عقب که با لبخند داخلی شروع و فعال می‌شود خوانده شود. همیشه باید مواظب باشید که فک خیلی حرکت نکند.

تمرین hah-ah و Hee-ah

هدف

این تمرینات به گسترش صدا در وسعت پایین‌تر کمک می‌کند.

تمرین ۶ـ۱۲
Hee-ah و Hah-ah

شیوهٔ کار
باید سیلاب اول را با یک صدای سر شروع کنید (گویی آه می‌کشید)، و بگذارید که فک تا آخر نت حرکت کند، و کرشندو را انجام دهید. فک به جای اولش روی نت زیر به دِکرشندو برمی‌گردد، و سپس با یک حرکت دیگر (یک کرشندو) روی نت بم می‌رسد.

بحث
حرکت فک و فکر کردن به صدای سر و صدایی که بیشتر از سینه بیرون می‌آید، مانع ایجاد یک صدای خام از سینه می‌شود. همان طور که به نت بم برمی‌گردید، باید به صدا در قسمت سخت‌کام و دندان‌های پایین فکر کنید، همچنین احساس کنید که سینه بالا و فراخ است.

تمرینات Waw-ee
هدف
این تمرینات به گسترش صدا در محدوده‌های بم‌تر کمک می‌کند.

تمرین ۶ـ۱۳
waw-ee

تمرین ۶ـ ۱۴

waw-ee-ah

شیوهٔ کار

قبل از شروع این تمرینات، باید قسمت اول تمرین «نفس‌گیری عمیق با بینی» را انجام دهید و بگویید Waw. در این تمرین عضلات ماسک پایین نمی‌افتد، اما به پهنیِ هنگامی که ah می‌گویید نیست. هنگامی که می‌گویید ee فک بالا می‌رود و ماسک فوراً به کار گرفته می‌شود.

تمرین ۶ـ۱۳ را از دو میانی شروع کنید و تا جایی که راحت هستید پایین بروید. waw باید حس «نفس‌گیری عمیق با بینی را قبل از خواندن ایجاد کند، در غیر این صورت تبدیل به یک صدای خام از سینه می‌شود، و گام به راحتی حرکت بالا رونده پیدا نمی‌کند. باید احساس کنید که aw در عقب روی نرم‌کام به محدوده‌های زیرتر می‌رود. در دِکرشندو صدا باید به صورت کمانی با یک فضای باز در عقب به جلو بیاید.

بحث

تمرین ۶ـ۱۳ کل دامنهٔ حروف واکدار را از aw، حرفی که در ناحیهٔ حلقی دهانی به عقب‌ترین قسمت می‌رود، تا ee که سبک‌ترین و جلوترین صداست در بر می‌گیرد.

تمرین ۶ـ۱۴ با خواندن waw-ee-ah به محدودهٔ میانی کمک می‌کند. فک را کمی از ee روی ah حرکت دهید. همان طوری که سقف دهان به سمت بالا فشار داده می‌شود (نه به شدت اما با یک احساس رو به محدوده‌های زیر و مشخص) قدرت زیادی را در ماسک و روی نرم‌کام و سخت‌کام می‌توان احساس کرد.

اگر حتی در ابتدا ویبراتو در این تمرین نباشد، هنرجو باید «کشش باله» را انجام دهد (شکل ۴ـ۷)، و در تمام طول تمرین روی نفس بخواند. اگر ویبراتو بسیار نامساوی است، تمرین را تا زمانی که بدن و عضلات درونی قوی‌تر نشده‌اند، ادامه ندهید.

تمرین Ng-ee-ay-ah

هدف

این تمرین خواننده را قادر می‌کند که روی ay و ah تمرکز پیدا کند.

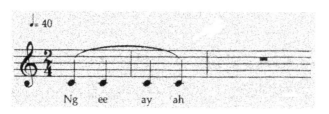

تمرین ۶ـ ۱۵

Ng-ee-ay-ah

شیوهٔ کار

فک باید روی ng در جای صحیح خود پایین بیفتد (تمرین ۵ـ۵)، سپس روی ee بالا بیاید و حالت داخلی حفرهٔ دهانی را حفظ کند، کمی روی ay و کمی بیشتر روی ah بیفتد و حس نقطهٔ ng را روی هر صدا حفظ کند.

تمرینات Zoh-zah

هدف

این تمرینات حفرهٔ بینی را باز می‌کند و باعث می‌شود خواننده حمایت ناحیهٔ پایینی شکم را احساس کند. و حتی باعث مساوی شدن ویبراتو در صدا می‌شود.

شیوهٔ کار و بحث

هنگامی که کسی zee یا یک s را آهسته تلفظ می‌کند، نرم‌کام فوراً کمانی می‌شود. این «نفس‌گیری با بینی» همانند همان «نفس‌گیری عمیق با بینی» نیست، کوتاه است و لب‌ها بسته می‌شوند. باید همیشه این عمل را به نرمی انجام دهید اما با انرژی کافی، طوری که احساس کنید پایین شکم کمی بالا می‌آید. هرگز نباید با شدت از بینی نفس بگیرید طوری که در گردن عمل عضلانی مشاهده شود. سینه باید بالا باقی بماند. اگر قسمت پایینی شکم در هنگام نفس‌گیری با بینی به بیرون نزد، شانه‌ها بالا می‌آیند، و نفس را در اطراف گلونگه می‌دارند و مانع ایجاد یک صدای کامل می‌شوند. باید در شروع هر تمرین نفس‌گیری کنید.

تمرین ۶ـ۱۶
Zoh-zah-hum

Zoh-zah-hum با نفس‌گیری عمیق از بینی: این تمرین حفرهٔ بینی را باز می‌کند و ناحیهٔ پایینی شکم را فعال می‌کند. پایین شکم در هنگام نفس‌گیری با بینی بیرون می‌زند و احساس می‌کنید که دارید نفس را در هر oh، ah یا hum فعال می‌کنید.

تمرین ۶ـ۱۷
Zoh-zah

Zoh-zah با نفس‌گیری عمیق از بینی: این تمرین واریاسیونی از تمرین ۶ـ۱۶ است که از نفس حبس‌شده استفاده می‌کند. با استفاده از این تکنیک خواننده مکث می‌کند اما نفس‌گیری نمی‌کند. گویی نفس برای یک لحظه حبس شده است. این عمل با عضلات پایینی شکم، و نه با گلو، انجام می‌شود. zoh باید با صدای ترکیبی خوانده شود؛ بگذارید که صدا بچرخد و تکرار شود. همچنین صدا باید در «سر» باشد (یعنی احساس کنید که گویی اصوات به عقب و بالا روی نرم‌کام می‌روند).

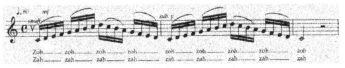

تمرین ۶ـ۱۸
Zoh-zah

Zoh-zah با نفس‌گیری عمیق از بینی: این تمرین یک گام کامل نُه صدایی بدون توقف است، که برای چرخاندن صدا بسیار عالی است، همچنین به کنترل صدای پرانرژی و صداهای زیر کمک می‌کند. نفس‌گیری در هر دو نوع صدا به یک صورت است.

تمرینات Zay-luh-zah-luh

هدف

این تمرین به ایجاد تمرکز روی صدا کمک می‌کند.

تمرین ۶ ـ ۱۹

Zay-luh-zah-luh

تمرین ۶ ـ ۲۰

(کرشندو) Zay-luh-zah-luh

شیوهٔ کار

باید از وجود لبخند داخلی و راحتی حرکت فک اطمینان حاصل کنید. فک در اولین نت، روی نت‌های بالای فواصل سوم باید بیشتر حرکت کند. اگر صدا زیر یا خشن است به این علت است که فضاهای عقب باز نیستند.

تمرین ۶ـ۱۹ باید با یک نفس خوانده شود.

تمرین ۶ـ۲۰ برای احساس حرکت کرشندو به داخل استخوان‌های چهره است که برای پیشرفت اصوات قوی (forte) تمرین بسیار خوبی است.

تمرینات Ng-ng-ng و Sh-sh-sh-sh

هدف

این تمرینات برای پیشرفت استاکاتو بسیار ارزشمند است.

تمرین ۶ـ۲۱
Sh-sh-sh-sh

تمرین ۶ـ۲۲
Ng-ng-ng (استاکاتو)

شیوهٔ کار

حس sh از قسمت عضلات hook (ناحیهٔ پایین شکم) شروع می‌شود. شکم به راحتی با هر sh به داخل می‌رود، تا زمانی که احساس کنید بیشتر از این ممکن نیست. این صدای sh است که شکم را به داخل می‌برد. شکم باید به آهستگی و به طور یکنواخت به داخل برود، نه اینکه یکدفعه تو برود و بیرون بیاید.

بنابراین تمرین ۶ـ۲۲ به آهستگی خوانده می‌شود. بگذارید فک روی هر ng به نرمی حرکت کند. کشش ایجادشده در شکم همانند تمرین ۶ـ۲۱ است؛ باید یک کشش یکنواخت را به قسمت داخل، بالا و عقب در ناحیهٔ شکمی احساس کنید، و این کشش هرگز نباید به صورت تلمبه به سمت داخل و خارج باشد. (ممکن است در انتهای جناغ سینه تپش را احساس کنید.) هنگام خواندن ng باید احساس «نفس‌گیری عمیق با بینی» و لبخند داخلی را داشته باشید. دقت کنید که ماسک را باز نگه دارید.

هرگز سعی نکنید کاری کنید که استاکاتو صورت بگیرد. پس از اینکه در استاکاتو ng
تسلط پیدا کردید، باید همان نت‌ها را به صورت لگاتو بخوانید. نت در همان زمانی شروع
می‌شود که فک به پایین حرکت می‌کند. هنرجو باید لبخند داخلی را حفظ کند. این تمرین
برای افزایش وسعت صدا بسیار ارزشمند است.

بحث

هنگامی که هنرجو به ابتدای محدودهٔ زیر می‌رسد، اگر هرگونه تنشی را در بدن احساس
کند باید به حالت «عروسک پارچه‌ای» دربیاید، یک نفس عمیق بکشد، به صورت قائم
بایستد (به راحتی، نه با یک تکان ناگهانی در بدن) و سپس آرپژ را دوباره بخواند. اگر
عضلات ماسک باز باشد (لبخند داخلی) و فضای زیادی هم در عقب بـاشد و فک بـه
راحتی حرکت کند (بدون هیچ وزنی در آن)، نت‌ها به راحتی بدون هیچ فشاری در گلو،
زیرتر می‌روند. در این تمرین تمامی بدن به کار گرفته می‌شود، همان طور که در تـمام
تمرینات باید چنین باشد.

هنرجویان جوان اغلب، مطالعات خود را در آواز با خواندن تمرینات استاکاتو آغـاز
می‌کنند. آنها شروع می‌کنند به «تلمبه زدن» عضلات شکمی، که برای خواندن استاکاتو
عمل عضلانی غلطی است. و فضاهای داخلی حفرهٔ دهـانی، خـصوصاً نـرم‌کام، بـرای
همراهی کردن با آن صدا آماده نیست. کار استاکاتو تا زمانی که عمل نـفس‌گیری حـفرهٔ
دهانی، و فک و زبان تصحیح نشده باشد، نباید شروع شود. سپس استاکاتو به سادگی با
«فکر کردن به آن» اتفاق می‌افتد.

استاکاتو و آغازه

استاکاتو را تا این مرحله در تمریناتی که روی یک نت اجرا می‌شد تجربه کردید.

خواندن سریع پاساژهای استاکاتو، خطر از بین بردن ویبراتو در صدا و ایجاد طنینی
صاف را به همراه دارد. تمرینات گروه دوم برای به کارگیری اصول تعادل عضله دینامیکی
و کوک صدا مفیدند. همچنین خـوانـدن آغـازه‌هایی را کـه روی کـوک‌های مـتفاوت و
محدودی هستند، سرعت می‌بخشند.

تمرینات گروه ۲

تمرین ۱

تمرین ۲

تمرین ۳

تمرین ۴

تمرین ۵

هنگامی که تمرینات گروه ۲ به طور کامل انجام شد، تمرینات گروه سوم بـایـد مـعـرفـی گردند. تمرینات گروه ۳ نسبتاً مشکل هستند، بنابراین توصیه می‌کنم در ابتدا از تمامی آنها استفاده نکنید. همچنین لزومی ندارد که همه آنها را جزو بخشی از تمرینات روزمره خود قرار دهید. تمریناتی را که شامل سری نت‌های چهار یا شش‌تایی هستند، تا زمانی که در خواندن تریوله‌ها مهارت پیدا نکرده‌اید نباید اجرا کنید.

تمامی سری تمرینات باید طبق راهنمای زیر اجرا شوند:

● هر تمرین باید در گام‌های دیگر نیز اجرا شود، انتقال باید در محدوده صدایی متوسط که اجرای آن برای خواننده راحت است انجام شود و بتدریج بر وسعت آن افزوده شود.

تمرینات گروه ۳

تمرین ۱

تمرین ۲

تمرین ۳

تمرین ۴

تمرین ۵

تمرین ۶

تمرین ۷

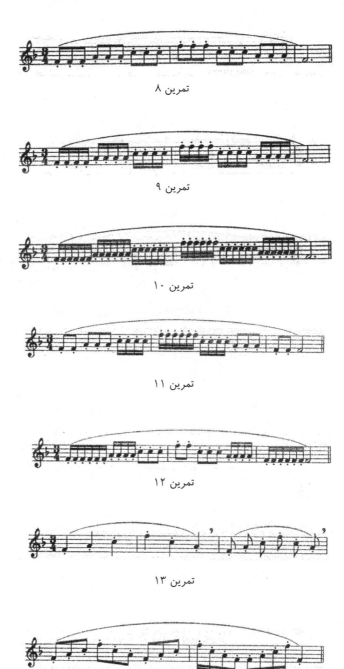

تمرین ۸

تمرین ۹

تمرین ۱۰

تمرین ۱۱

تمرین ۱۲

تمرین ۱۳

تمرین ۱۴

تمرین ۱۵

تمرین ۱۶

تمرین Nee-oh

هدف

از این تمرین برای تمرکز روی oh استفاده می‌شود.

تمرین ۶ـ۲۳

Nee-oh

شیوهٔ کار

n صدا را به جلو می‌آورد، و در دیوارهٔ بینی احساس می‌شود. باید این حس در آنجا باقی بماند. فک به راحتی می‌افتد (البته نه خیلی) و لب‌ها کمی روی oh جمع می‌شوند.

بحث

عدم تمرکز روی oh اغلب باعث می‌شود که نت، نیم پرده پایین بیاید. احساس nee که به oh منتقل می‌شود، تمرکز لازم را برای خواندن نت در جای صحیح به وجود می‌آورد. خواننده باید مطمئن باشد که این احساس را که هنگام خواندن oh در لب بالایی زیر بینی دارد، از دست ندهد. هنگامی که در صدا، به محدوده‌های زیرتر می‌رسید، اصوات باید

مستقیماً به بالای سر بروند، و باید عضلات ماسک را روی oh احساس کنید. (هـمچنین روی oo و aw). اما عضلات ماسک به آن اندازه‌ای که روی همهٔ صداهای دیگر هست، پهن نمی‌باشد.

تمرین Nee-oh(ay)-(ah)-(eye)

هدف

با انجام این تمرین تیزی صدا در ay، ah و eye از بین می‌رود.

تمرین ۶ـ ۲۴
Nee-oh-(ay)-(oh)-(eye)

شیوهٔ کار

این تمرین از سر خوانده می‌شود و در فواصل اکتاو و روی حروف واکدار تغییر می‌کند. هنگامی که ay و ah و eye را می‌خوانید، عضلات ماسک کمی به سـمت بـالا مـی‌روند، و فضایی که در oh حس می‌شود در پشت صدای جدید هم نگه داشته می‌شود.

تمرین پنج‌قسمتی

هدف

این تمرین به افزایش صدا در محدوده‌های زیر صدا کمک می‌کند.

بحث

هر کدام از پنج قسمت این تمرین اصول متفاوتی را که به خوب خواندن مربوط می‌شود، به کار می‌گیرد. تمامی اصول این تمرین بسیار مفید است. زیرا در خواندن یک آرپژ خوب به

شما کمک می‌کند. (تمرین ۶ـ۲۹ الف). هر مرحله از این تمرین درک بهتری از عضلات قوی ماسک، احساس گنبدی شکل داخل دهان، قدرت نرم‌کام، احساس قدرت در پـل بینی، استفادهٔ صحیح از لب بالا و فک و زبان را ایجاد می‌کند.

تمامی این اصول باعث می‌شود که آرپژ بدون وقفه‌ای بین محدوده‌های مختلف خوانده شود. پنج قسمت مجزای این تمرین همیشه با هم و با ترتیب داده شده، خوانده می‌شوند.

قسمت ۱: Ning-ah و Ning-ee

Ning ee ning ee ning

تمرین ۶ـ۲۵
Ning-ee, Ning-ah قسمت اول تمرین پنج قسمتی

شیوهٔ کار

لب بالا باید به سمت بالا بچرخد (شکل ۶ـ۲)، اما عضلات روی پل بینی نباید بـه کـار گرفته شود. ning-ee باید چهار یا پنج مرتبه و هر دفعه نیم پرده بالاتر از دفعهٔ قبل خوانده شود. سپس چهار یا پنج مرتبه ning-ahها را بخوانید.

بحث

این تمرین کمک می‌کند که صدا به ناحیهٔ حلقی بینی بیاید و روی صدا تـمرکز ایـجاد می‌کند. پس از انجام این تمرین گرمایی در لب بالایی احساس می‌کنید. لب بالایی باید در تمرین بعدی نیز دخالت داشته باشد.

قسمت ۲: Nee-ah و Nee از سر

تمرین ۶ـ۲۶
قسمت دوم تمرین پنج قسمتی Nee, Nee-ah

شیوهٔ کار

این بخش از تمرین، بسیار سبک خوانده می‌شود. لب بالایی در حالت طبیعی است، اما احساس قدرتی در لب وجود دارد که از قسمت قبلی تمرین می‌آید. صداهایی که از سر می‌آیند این حس را دارند که گویی روی موجی از هوا در بالای نرم‌کام و سخت‌کام سوار شده‌اند.

nee در محدودهٔ میانی کاملاً از سر خوانده می‌شود و در هر تکرار، نیم پرده بالاتر می‌رود. فک نباید بیفتد اما در هر دو حالت بالارونده و پایین‌رونده باید در محور خود شل باقی بماند. تنها واریاسیون در nee-ah آن است که ah در سکوانس پایین‌رونده خوانده می‌شود. فک شل‌شده را خیلی کم از محور خود به پایین حرکت دهید.

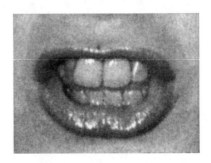

شکل ۶ـ۲
حالت بالارفتهٔ لب بالایی برای قسمت اول تمرین پنج‌قسمتی

بحث

این تمرین پنج قسمتی به باز شدن فضاهای عقبی کمک می‌کند و باعث می‌شود که عضلات درونی در هنگام ایجاد صدای ee و ah وارد عمل شوند. چون ee خیلی سبک است، عضلات ماسک باید در زیر چشم‌ها به صورت پهن و قوی باشند (اما نه به گونه‌ای که به سختی کشیده شوند)، و احساس گنبدی شکل باید داخل دهان به وجود بیاید. این احساس خصوصاً در حالت بالارونده لازم است.

فک در ah به اندازهٔ یک صدای «ترکیبی» حرکت نمی‌کند، بنابراین کمان داخلی می‌تواند به کار گرفته شود، که این موجب قوی شدن آنها و پیشرفت در صداهای زیر می‌شود.

قسمت ۳ و ۴: Thah-thee و Thee-thah

تمرین ۶ـ۲۷

thee-thah ـ قسمت سوم تمرین پنج قسمتی

تمرین ۶ـ۲۸

thah-thee ـ قسمت چهارم تمرین پنج قسمتی

شیوهٔ کار

این تمرینات باعث از بین رفتن فشار به روی زبان می‌شود، و به زبان کمک می‌کند که پهن و شل باقی بماند و همچنین عمل زبان و فک را هماهنگ می‌کند. ماسک باید قوی و پهن باشد، بالشتک‌های زیر چشم باید حس بالا رفتن را داشته باشند (سعی نکنید آنها را بالا

بکشید). حس نیرو در پل بینی، و حس لبخند داخلی باید به یک اندازه وجود داشته باشد. زبان به نرمی روی لب پایینی قرار می‌گیرد اما نه خیلی که ریشهٔ زبان کشیده شود (شکل ۶ـ۳). مثال‌ها به سبکی خوانده می‌شوند، خواننده باید مطمئن باشد که در تریوله در تمرین ۶ـ۲۸ در «بالای» «روی» هر نت می‌خواند و احساس کند که صدا روی نرم‌کام و سخت‌کام بالا می‌رود. عضلات عقب زبان هرگز نباید کشیده شود، th باید همانند th در think تلفظ شود، نه مانند this.

در نتیجهٔ این تمرینات، قدرت زیادی در زیر چشم‌ها ایجاد می‌شود، به طوری که بالشتک‌ها هرگز نمی‌افتند (بدون اینکه بالا نگه داشته شوند) و فضای بیشتری در اطراف قسمت نرم‌کام ایجاد می‌شود. در این حالت فک کاملاً به سمت پایین می‌افتد مانند فک یک عروسک خیمه‌شب‌بازی.

هر دو تمرین نباید بیش از سه یا چهار مرتبه ــ یا کمتر، در ابتدا ــ انجام شود، زیرا عضلات زبان در یک حالت غیرمعمولی است و امکان دارد خسته شود.

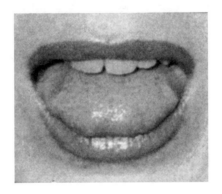

شکل ۶ـ۳
حالت زبان برای قسمت‌های سوم و چهارم تمرین پنج‌قسمتی

بحث

ممکن است مشکلاتی با زبان وجود داشته باشد، که برای اجرای صحیح این تمرینات باید تصحیح شوند. تقریباً خواندن صحیح این تمرینات، با زبان «جمع‌شده» یا «فشرده» غیرممکن است. تمرینات باید همیشه به آرامی خوانده شود. هرگز به زبان فشار نیاورید یا آن را به بیرون نکشید. تمرینات اصلاح‌کننده برای زبان (تمرین ۷ـ۱) باید با این تمرین انجام شود. هنگام خواندن این تمرینات صدا باید جلو باشد.

قسمت ۵: Nee-ah-ee-ah-ee-ah-ee

تمرین ۶ـ۲۹ الف
قسمت پنجم از تمرین پنج قسمتی Nee-ah-ee-ah-ee-ah-ee

شیوهٔ کار

کل تمرین را در محدودهٔ بم با یک نفس بخوانید و هر دفعه نیم‌پرده بالا بروید. تمرین به صورت لگاتو، و با یک صدای طبیعی (نه قوی و نه آهسته) با استفاده از صدای ترکیبی خوانده می‌شود. تمرین را تا آنجایی که می‌توانید با راحتی، در محدودهٔ زیر بخوانید. فک روی هر صدا حرکت می‌کند (روی ee بالا می‌رود و روی ah پایین می‌آید)، و روی n شروع می‌شود. دقت کنید که اولین و آخرین صدای آرپژ به سبکی خوانده شوند.

پس از رسیدن به محدودهٔ صداهای زیر ـــ همیشه احساس کنید که نیم‌پرده بالاتر نیز می‌توانستید بخوانید ـــ حالت پایین رونده را بخوانید و هر دفعه یک فاصلهٔ سوم را نخوانید و رد شوید.

بحث

اصول اولیهٔ تمرینات ۶ـ۲۵ تا ۲۸ برای خواندن تمرین ۶ـ۲۹ الف تنظیم شده است.

۱. لبخند داخلی نرم‌کام را فعال می‌کند. عضلات درونی یک احساس گنبدی‌شکل در داخل دهان ایجاد می‌کند.

۲. به خاطر لبخند داخلی، ماسک قوی وجود دارد. بالشتک‌ها بالا می‌روند. قدرت و گشادگی عضلانی در زیر چشم‌ها احساس می‌شود، که این حسی در چهره ایجاد می‌کند تا فک بتواند به راحتی حرکت کند.

۳. فک و زبان به عنوان یک عضو حرکت می‌کنند. زبان در جلو و به صورت پهن قرار می‌گیرد. می‌توان به زبان به عنوان یک مسافر در فک نگاه کرد.

۴. قدرت در پل بینی در سراسر تمرین حس می‌شود. اولین صدایی که از سر شروع می‌شود در ناحیهٔ حلقی بینی متمرکز می‌شود (اما نه بیش از حد).

۵. لب بالا در حالت معمولی است، اما نیرویی در آن حس می‌شود، که به عمل عضلات داخلی و عضلات روی پل بینی کمک می‌کند. به کارگیری کمان داخلی لب بالایی باعث حفظ تمرکز صداها می‌شود.

باید عمل مهم فک را مورد توجه قرار دهیم. بسیاری از اوقات فک روی دومین ee گیر می‌کند و حرکت نمی‌کند. بسیار مهم است که فک را شل نگه داریم و آن را روی هر صدا کمی حرکت دهیم. (باید پهنای زیر چشم‌ها، گنبد داخلی قوی و فضاهای عقبی را احساس کنیم.)

تمرین ۶ـ ۲۹ ب
Nee-ah قسمت اول تمرین ۵ ب از تمرینات پنج قسمتی

تمرین ۶ـ ۲۹ ب
Nee-ah-ee-ah-ee قسمت دوم تمرین ۵ ب از تمرینات ۵ قسمتی

هنگامی که به شروع محدودهٔ صداهای زیر می‌رسید، لبخند داخلی بسیار به کار گرفته می‌شود. در محدودهٔ زیر، نت‌ها شروع می‌کنند به «پرتاب شدن» مستقیم به سمت بالای سر. پهنای ماسک تا شقیقه‌ها می‌رسد. فک روی نت‌های بالاتر باید کمی بیشتر حرکت کند.

از آنجایی که آرپژ بسیار تند خوانده می‌شود، فک باید حتماً در مسیر خود بـه نـرمی حرکت کند، زبان نباید فشرده یا جمع شود. در هنگام حرکت فک در محدودهٔ زیر، باید نیرویی در بالای پل بینی احساس شود، و لب بالا قوی و پهن باشد، به طوری کـه روی نت‌ها تمرکز ایجاد شود.

اگر صدا در هنگام بالا رفتن به راحتی نمی‌چرخد، تمرین را متوقف کنید و نفس‌گیری عمیق با بینی را به طور کامل بین آرپژها انجام دهید. سپس تمرین را بخوانید، می‌بینید که نت بالا به راحتی و مستقیماً وارد سر مـی‌شود. هـمچنین مـی‌تـوانید حـالت عـروسک پارچه‌ای را انجام دهید، و در همان حالت، نفس‌گیری عمیق با بینی را کامل انجام دهید. سپس نیمی از آن را انجام دهید، می‌بینید که تمرین حتی بهتر اجرا می‌شود.

در محدودهٔ صداهای زیر، جایی که خواندن نت زیرتر در آرپژ راحت نیست، تمرین را متوقف کنید و زبان را به بیرون بچرخانید (نوک زبان پشت دندان‌های جلو است، عـقب زبان کمانی و پهن است)، و nee را در همان محدوده همانند تمرین ۶ـ۲۹ ب۱ بخوانید. (فضای بیشتری را در عقب ناحیهٔ حلقی احساس خواهید کرد.) همچنین بگذارید که زبان روی لب پایینی در روی زیرترین نت بیرون بیاید، و پهنای استخوان چانه را حس کنید. سپس nee-ah-ee-ah-ee را همانند تمرین ۶ـ۲۹ ب۲ روی همان نت‌ها بخوانید. در پایان، یک بار دیگر کل آرپژ را بخوانید، و همان احساس را در ماسک، حفرهٔ دهانی، و نـاحیهٔ حلقی حفظ کنید، می‌بینید که به راحتی نت زیر گام را در یک خط آوازی می‌خوانید.

نفس‌گیری سرد

روش دیگر برای از بین بردن مشکلاتی که مانع از راحت خواندن نت‌های مـحدوده‌های زیر می‌باشد به‌کارگیری یک یا دو «نفس‌گیری سرد» است. شست‌هـای خـود را درون دهان بین لب بالا و گونه‌ها قرار دهید. با شست‌ها گونه‌ها را لمس کنید (شکل ۶ـ۴). همان طور که هوا را به راحتی وارد می‌کنید قسمتی را که انگشتان شست در آنجا قرار دارند کمی بکشید. فضای بسیار بازی را در عقب حفرهٔ دهانی احساس می‌کنید. شست‌ها را بردارید و آواز بخوانید. این عمل در باز کردن عقب حفرهٔ دهانی کمک می‌کند و باعث می‌شود که

نت بالایی درست در جای صحیح خود قرار بگیرد. همچنین برای زمانی که عبارتی را در محدودهای زیر می‌خوانید بسیار مفید است. یک نفس‌گیری سرد انجام دهید، و عبارت را بخوانید. سپس دوباره آن را بدون انجام نفس‌گیری سرد بخوانید، اما بگذارید که حافظه احساس صحیح آن را کنترل کند.

شکل ۶ـ۴
نفس‌گیری سرد

تمرین V-vee-ah-ee-ah-ee

هدف

این تمرین به پیشرفت وسعت بالاتر کمک می‌کند.

تمرین ۶ـ ۳۰
V-vee-ah-ee-ah-ee

شیوهٔ کار

دندان‌های بالا به نرمی لب پایین را لمس می‌کنند. فک بالا می‌آید تا این عمل را ممکن کند. دندان‌ها نباید به لب فشار آورند. اولین قسمت تمرین را با حرف v بخوانید، کشش را در تمام ناحیهٔ پایینی شکم احساس کنید، سپس vee و بعد ah را روی نت زیرتر بدون هیچ وقفه‌ای در صدا بخوانید.

بحث

اگر خواننده چانهٔ برجسته‌ای داشته باشد که درست بسته نشود نمی‌تواند این تمرین را درست انجام دهد. خواننده باید کاملاً روی چانه و استخوان‌های گونه، فضا را احساس کند. اگر هرگونه تنشی در بدن وجود داشته باشد، خواننده باید خواندن را متوقف کند و حالت عروسک پارچه‌ای را انجام دهد، بایستد، فرم صحیح بدن را حفظ کند و سپس با فرو بردن شکم به داخل هوا را به نرمی خارج کند (سینه بالا می‌آید). سینه باید بالا بماند، شکم به سرعت رها می‌شود. تمرین باید دوباره خوانده شود.

تمرینات Mee و Ming

هدف

این تمرینات به تمرکز روی صدا کمک می‌کنند، همچنین برای به کار انداختن لب بالا و ماسک عالی هستند.

شیوهٔ کار

قسمت ming تمرین ۶ـ۳۱ الف به صورت جداگانه خوانده می‌شود و ماسک روی هر m بالا می‌رود. فک به نرمی حرکت می‌کند، و هنگامی که تمرین در محدودهٔ زیرتر خوانده می‌شود تحرک بیشتری دارد.

قسمت‌های mee-may و mee-mah تمرین به همان صورت با حرکت کم فک و بالا رفتن ماسک روی هر m خوانده می‌شود. در طول تمام تمرین، زبان در جلو، پهن و نرم در پشت دندان‌های پایینی باقی می‌ماند.

تمرین ۶ـ۳۱ ب Mee: همان اصولی که در تمرینات ۶ـ۳۱ الف به کار برده شد، در این تمرین نیز به کار گرفته می‌شود.

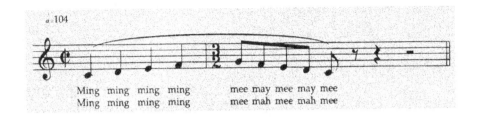

تمرین ۶ـ۳۱ الف

Ming-ming-mee-may-mee

تمرین ۶ ـ ۳۱ ب

Mee-mee-mee

بحث

m(همانند p) حرف خوبی برای استفاده در تمریناتی است که در بالا رفتن لب و هماهنگی لب‌ها مؤثر است و صدا را به حرکت درمی‌آورد. هر دفعه که m خوانده می‌شود، لب بالا و ماسک فوراً به سمت بالا حرکت می‌کنند. مهم‌ترین عامل، که در خواندن ming وارد عمل می‌شود، ماسک است. باید عضلات زیر چشم کاملاً پهن باشد، بالشتک‌ها بالا بروند، و لبخند داخلی وجود داشته باشد.

اگر این عمل صحیح انجام شود در لب بالا احساس قدرت می‌کنید و صدا در جلو قرار می‌گیرد به طوری که احساس می‌شود در حفرهٔ بینی متمرکز شده است، و همچنین لرزشی در پل بینی و استخوان‌های گونه احساس می‌شود، و به نظر می‌آید که صدا به سخت‌کام برخورد می‌کند. هر یک از صداهایی که خوانده می‌شود باید با عضلات شکم حمایت شود. یک هنرجوی مبتدی لازم است در بلند کردن ماسک برای حس عضلات به کار

گرفته‌شده اغراق کند. پس از اینکه تمرینات را چندین بار انـجام دادیـد، از احسـاسات موجود در گونه‌ها، بالشتک‌های زیر چشمها آگاهی می‌یابید. پس از تمرین مستمر، بالا رفتن بسیار ظریف صورت می‌گیرد. هرگز چهره را درهم نکشید، اما گنبد درونی را حفظ کنید. باید مواظب باشید که گوشه‌های دهان را به طرفین نکشید.

تمرین Mee-oh

هدف

این تمرین حس رزنانس را در حفرۀ بیـنی گسـترش مـی‌دهد کـه بـه بیـان احسـاسات ناخوشایند یا صدای belting (فصل ۱۰) همچنین به افزایش فضاهای عقبی کمک می‌کند.

تمرین ۶-۳۲
Mee-oh

شیوۀ کار

این تمرین در محدوده‌های میانی شروع و به صورت لگاتو خوانده می‌شود. در ابتدا بانگه داشتن بینی با انگشت شست و سبابه اجرا می‌شود. باید بینی را محکم بگیرید که هوا نـه داخل و نه خارج شود. لبخند داخلی نباید در اولین اجرای تمرین به کـار گـرفته شـود. تمرین را دوباره بخوانید. هنوز بینی را با دو انگشت خود نگه دارید، لبخند داخلی اضافه می‌شود، صدا تودماغی نیست. سپس برای بار سوم بدون نگه داشتن بینی بخوانید. اما با یک صدای گرم و متعادل آن را بخوانید. این سه مرحله را سه تا پنج مرتبه بخوانید، هـر دفعه نیم‌پرده بالا بروید.

تمرین Nee-ah (گام نه صدایی)

هدف

این تمرین صدای قوی (forte) را در وسعت بالاتر پرورش می‌دهد و باعث می‌شود نت‌های بالایی در سر «بچرخد».

تمرین ۶-۳۳
(گام نه صدایی) Nee-ah

باید مواظب باشید که فک خیلی زود روی این تمرین حرکت نکند، در غیر این صورت فک در نت‌های بالاتر نمی‌تواند بیشتر باز شود. پس از رسیدن به اکتاو، کمی فک را روی نت بعدی بالا بیاورید. سپس آن را روی نت بالایی باز کنید. اینها حرکات بسیار ظریفی‌اند. فک را کنترل کنید تا از شل بودن آن اطمینان حاصل کنید.

نت بم باید در سر خوانده شود و در همان حالت نت زیر باید احساس شود. در محدوده میانی، کرشندو باید طوری احساس شود که گویی ویبراسیون‌ها دارند سخت‌کام را به سمت بالا هدف می‌گیرند. همان طور که به محدودهٔ زیرتر می‌روید، سخت‌کام و استخوانهای بینی هنوز به کار گرفته می‌شود، اما صدا عقب‌تر رفته و زیرتر می‌شود. در کرشندو باید احساس شود که قبل از فرود آمدن، صدا به عقب و بالا روی نرم‌کام می‌رود. باید مطمئن باشید که صدا روی قسمت دکرشندو تمرین، در جلو باقی می‌ماند.

تمرین Nee-ah (گام بزرگ)

هدف

این تمرین برای خواندن در محدوده‌های زیر مؤثر است.

تمرین ۶ـ۳۴

(گام بزرگ) Nee-ah

شیوهٔ کار

nee باید از اولین نت در سر خوانده شود. پاساژ پایین‌رونده نیز باید از سر خوانده شود، و روی هر یک از نت‌های بعدی به صورت کمانی برود. فک نباید روی نت‌های بالارونده خیلی زیاد حرکت کند، و اما باید به راحتی روی نت بالا حرکت کند. نفس‌گیری باید روی اولین نت به کار گرفته شود و در تمام مدت تمرین از آن استفاده شود.

تمرین Sah

هدف

این تمرین موجب گسترش صدا در محدوده‌های زیر می‌شود.

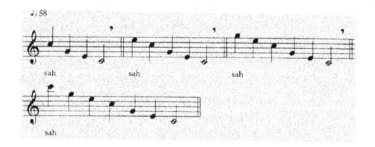

تمرین ۶ـ۳۵

Sah

شیوهٔ کار

فرم بدن باید صحیح باشد، و نفس‌گیری در اولین نت به کار گرفته شود. می‌توان از یک z یا

یک n به جای s استفاده کرد. حرف بی‌صدا باید کمی کشیده شود تا کام را بـه فـعالیت وادارد. قسمت بالای سینه باید برای نت‌های پایینی فراخ شود.

تمرینات Lah-lay
هدف
این تمرینات باعث می‌شود که زبان و فک با هم حرکت کنند.

تمرین ۶ ـ ۳۶ الف

Lah-lay

تمرین ۶ ـ ۳۶ ب

Lah-lay

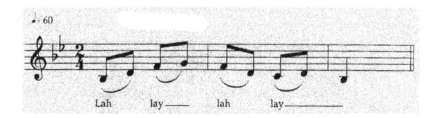

تمرین ۶ ـ ۳۶ ج

Lah-lay

تمرین ۶ـ۳۶ د

Lah-lay

شیوهٔ کار

فک باید روی هر سیلاب، خصوصاً در نت‌های زیرتر حرکت کند.

تمرینات Nee-ay و Nee

هدف

این تمرینات برای آزاد کردن زبان و همچنین برای متمرکز کردن صدا عالی است.

تمرین ۶ـ۳۷ الف

Nee

تمرین ۶ـ۳۷ ب

Nee-ay-ee

شیوهٔ کار

قبل از شروع، پهنای ماسک باید در گونه‌ها احساس شود، و انگشت سبابه ــ تا اولین بند ــ بین دندان‌های جلویی قرار بگیرد. سپس انگشت برداشته می‌شود، اما این حالتِ گونه‌ها و فک در حین خواندن تمرین باقی می‌ماند. نوک زبان در مقابل دندان‌های پایینی قرار می‌گیرد، سپس زبان کمی به سمت جلو می‌چرخد تا طرفین آن بین فک دیده شود. (شکل ۶ـ۵).

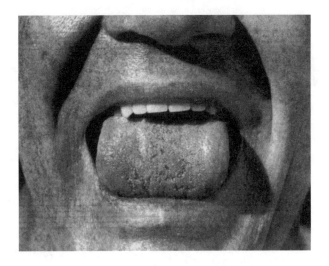

شکل ۶ـ۵
وضعیت صحیح زبان در هنگام خواندن nee-ay-ee-ay-ee و nee

بحث

اگر زبان در ابتدا می‌لرزد، هنگامی که شل شود لرزش آن متوقف می‌شود. این اتفاق ممکن است در هر قسمت تمرین پیش بیاید پس در این حالت هیچ ترسی به خود راه ندهید. اگر زبان درست عمل کند مشکل حل می‌شود.

تمرین Tee-tay

هدف

این تمرینات سرعت واکنش زبان را افزایش می‌دهد و صدا را متمرکز می‌کند.

تمرین ۶ـ۳۸ الف
Tee-tay

تمرین ۶ـ۳۸ ب

Tee-tay

شیوهٔ کار

زبان و فک باید در هر T با یکدیگر حرکت کنند.

Hung-oh و Ming-oh

هدف

این تمرین رزنانس هر دو ناحیهٔ حلقی بینی و حلقی دهانی را یکـی مـی‌کند و هـمچنین تمرکز روی oh بیشتر می‌شود.

تمرین ۶ - ۳۹

Hung-oh و Ming-oh

شیوهٔ کار

از ابتدای این تمرین، باید کامل و صحیح نفس‌گیری کرد و در تمام مدت تمرین باید آن را به کار گرفت. زمانی که تمرین ming خوانده می‌شود بالشتک‌های زیر چشم به کار گرفته می‌شود (شکل ۶ـ۶). زمانی که ing را می‌خوانید لب بالایی از دندان‌های بالا دور شده، خیلی نرم جمع می‌شود و برای خواندن oh آماده می‌گردد (شکل ۶ـ۷). کلمهٔ oh رزنانس بیشتری دارد، و در این حالت ماهیچه‌های کوچک زیر لب و بینی فعال می‌شود.

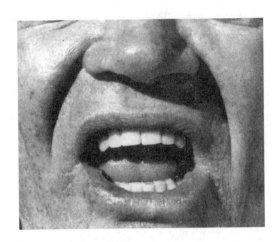

شکل ۶ـ۶
حالت صحیح در خواندن ming

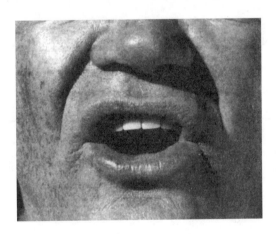

شکل ۶ـ۷
حالت صحیح در خواندن oh

بحث

قبل از شروع این تمرین باید تمرینات اولیه را بسیار خوب انجام داده و فهمیده باشید. به همین دلیل این تمرین قبلاً در این کتاب معرفی نشده است.

این تمرین بُعد دیگری را به آواز اضافه می‌کند و آن وسعت بخشیدن به صداست. تمرین قبلی ming (تمرین ۶ـ۳۱ الف) هنوز هم استفاده می‌شود؛ این، تمرین پیشرفته‌ای از همان

است. در تمرینات قبل، از k برای بالا بردن صداهای oo و oh به قسمت بالای نرم‌کام استفاده می‌شد. این تمرینات هدفی را دنبال می‌کنند. خواننده اکنون «جای» جدیدی را که در جلو قرار دارد برای oh پیدا می‌کند. بعد از خواندن تمرینات برای چند روز، می‌توان از نظر ذهنی ماهیچه‌های به کار گرفته شده را مجزا کرد. به هر حال نباید این تمرین را طوری انجام دهید که دیگران متوجه این حالت شوند. در این حالت فقط باید قسمت بالای لب را ببینید که به نرمی از دندان‌های بالا جدا می‌شود. بسیاری از هنرجویان می‌گویند بعد از انجام این تمرینات صدایشان برای مدتی ثابت می‌شود. آنها این احساس را همانند یک «لنگر» توصیف می‌کنند.

oh نباید فوراً بعد از ming خوانده شود زیرا قبل از اینکه آن را شروع کند لب بالا باید به جلو کشیده شود و وقت کافی برای جمع شدن داشته باشد. خواننده باید دقت کند نیروی زیر بالشتک‌های چشم را در زمان خواندن oh از دست ندهد. ماهیچه‌ها نباید سفت شود اما باید با دقت به کار گرفته شود (بدون اینکه روی بینی چین و چروکی بیفتد). منشأ این نیرو در زیر بینی و لب بالایی است.

پس از اینکه هنرجو از چگونگی این مراحل اطلاع پیدا کرد می‌تواند oh را در یک گام پنج صدایی بخواند.

hung-oh یک فضای عقبی را به oh اضافه می‌کند و oh در همان جای hung قرار می‌گیرد. در اینجا همان احساسی را داشته باشید که در خواندن ming-oh دارید.

Nee-nay-nee-ay-oh-oo

هدف

این تمرین از همهٔ حروف واکدار یک خط آوازی نرم و صاف می‌سازد.

تمرین ۶ـ ۴۰

Nee-nay-nee-ay-oh-oo

شیوهٔ کار

در ابتدا ee را با یک «آه» که بیشتر شبیه نجوا کردن است، و در مقابل لثه‌های بالایی است، و سپس ay را با یک نفس مانند آه تلفظ کنید. (با انجام دادن این تمرینات هنرجو به طور خودآگاه حفرهٔ رزنانس را، که در این تمرین استفاده شده، پیدا می‌کند.) سپس با همان احساس «آه» در ذهن روی یک کوک آسان، استاکاتو، روی همان ضربهٔ ریتمیک، nee و سپس nay را بخوانید. از این احساس به عنوان یک هدف فکری استفاده کنید و سپس nee-ay-oh-oo را ادامه دهید.

فک باید به حد کافی پایین باشد و حدوداً انگشت کوچک بتواند در تمام طول خواندن تمرین بین دندان‌ها قرار بگیرد، و باعث ایجاد مسیر ذهنی صدا و جریان هوا در دهان شود. توجه داشته باشید که فک نباید سفت شود.

بحث

کنترل خودآگاه اینکه اولین نت کجا احساس شود، دقیقاً یک تعادل در تمام رزناتورها ایجاد می‌کند و ویبراسیون‌ها را یکی می‌کند. اگر لب در شروع بلرزد نشان‌دهندهٔ تمرکز صحیح روی صداست. این حالات زمانی که عضلات قوی‌تر شود از بین خواهند رفت.

تمرین Nee

هدف

این تمرین نت‌ها را با حالت متمرکز به سمت جلو می‌آورد.

تمرین ۶-۴۱
Nee

شیوهٔ کار

بینی باید به نرمی با شست و انگشت اشاره بسته شود، سپس nee را در حالی که صدا

مستقیماً به سمت جلو می‌آید، در جایی که سوراخ بینی با انگشتان نگه داشته شده باشد بخوانید. لب بالا به آرامی به سمت جلو می‌آید.

تمرین Ming-oh

هدف

این تمرین کمک بسیار بزرگی برای تمرکز روی نت‌هاست.

تمرین ۶ـ۴۲

Ming-oh

شیوهٔ کار

قبل از اینکه تمرین ming-oh شروع شود، تمرینات اولیه را باید کاملاً خوب بفهمید و انجام دهید. تمرین ming-ming-ming-ming-ming (۵ـ۳ـ۲ـ۱) را با اغراق در بلند کردن بالشتک‌های زیر چشم بخوانید، به طوری که گونه‌ها کاملاً شُل باشد. لب‌ها باید از قسمت دندان‌های جلوی بالایی به نرمی جمع شود (شکل ۶ـ۶). عضله‌ای در وسط لب بالا و درست زیر بینی قرار دارد که وقتی oh را می‌خوانید آن را احساس می‌کنید (شکل ۶ـ۷).[1]

بحث

پس از اینکه نکتهٔ مورد نظر در شیوهٔ کار را فهمیدید می‌توانید به صورت ارادی ماهیچهٔ «لنگری» را مجزا کنید. و این کار باعث تثبیت در خواندن متن می‌شود. کلمهٔ oh به نسبت قبل رزنانس بیشتری دارد، و در هنگام آواز راحت‌تر و مطمئن‌تر خواهید بود.

---

۱. در صورتی همه انقباضات و فشارها از بین می‌رود که نفس‌گیری مرتب انجام شود.

تمرین Moh

هدف

این تمرین برای احساس ترکیب فضاهای رزنانس بینی و دهان استفاده می‌شود. این امر باعث می‌شود که صدا به جلو بیاید و صدا در مقابل لثه‌های دندان‌های بالایی جلو در مرکز قرار گیرد.

تمرین ۶ـ۴۳

Moh

شیوهٔ کار

هنگامی که برای اولین بار شروع به انجام این تمرین می‌کنید انگشت وسطتان را بین دندان‌ها قرار دهید. سپس انگشت را بردارید. زمانی که در این تمرین مهارت پیدا کردید می‌توانید انگشتتان را بردارید. در این حال صدا یک طنین آزاد و روشن دارد و خواننده به سادگی متوجه رزنانس‌های ایجاد شده در جلوی پیشانی می‌شود.

تمرین Mee-ay و Non-oo

هدف

این تمرین رزناتورهای بینی و دهانی را قدرت می‌بخشد. زمانی که صدایتان را گرم می‌کنید بهتر است که رزناتورهای بینی و دهانی را نسبت به صداهای بم‌تر سینه انرژی ببخشید (شکل ۶ـ۴۴ الف).

تمرین ۶ـ ۴۴ الف

Noh-oo-oh و Me-ay-ee

تمرین ۶ ـ ۴۴ ب

Noh-oo-oh و Mee-ay-ee

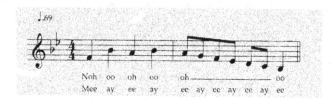

تمرین ۶ ـ ۴۴ ج

Noh-oo-oh و Mee-ay-ee

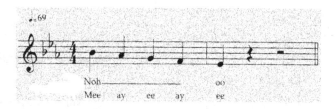

تمرین ۶ ـ ۴۴ د

Noh-oo و Mee-ay-ee

تمرین ۶ ـ ۴۴ هـ

Noh-oo-oh و Mee-ay-ee

شیوهٔ کار

حرف n با قرار گرفتن زبان در مقابل لثهٔ بالایی جلو با یک مکث طولانی شروع می‌شود، به گونه‌ای که یک لرزش کوتاه را در آنجا احساس می‌کنید (فک زبان را دنبال می‌کند). حرف oh سپس به صورت ذهنی به جلو به جایی که لثه احساس می‌شود، هدایت می‌شود، و روی لب‌ها متمرکز می‌گردد. تلفظ n و oh باید همزمان باشد. حرف صدادار oo فقط باید زمانی استفاده شود که احساس راحتی کنید، در غیر این صورت باید حرف واکدار مناسبی بیابید.

تمرین Hawng-ay-ee-oh-oo

هدف

این تمرین، با باز کردن رزنانس‌های پایین‌تر قدرت بیشتر و کیفیت بهتری به صدا می‌دهد.

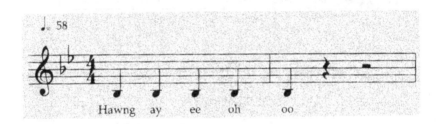

تمرین ۶ـ۴۵

Hawng-ay-ee-oh-oo

شیوهٔ کار

aw مانند یک حرف صدادار بلند است. وقتی با دهان باز یک نفس بگیریم هوا به نقطه‌ای در عقب زبان برخورد می‌کند که آن نقطه برای خواندن aw است. خواننده زمانی که آواز می‌خواند باید به حالت خمیازه کشیدن فکر کند و از فشار آوردن به صدا خودداری کند. راه دیگر، گفتن aw با صدای بلند و توجه به ویبراسیون آن در پایین گلو است. دنده‌های بالا و قسمت زیر استخوان ترقوه باید در هنگام خواندن پهن‌تر شوند.

تمرین ۶ـ۴۶ الف

Haw-oh-aw

تمرین ۶ـ۴۶ ب

Haw-oh-aw

تمرین ۶ـ۴۶ ج

Haw-oo-oh

هدف

با این تمرین دقیقاً مثل تمرین ۶ـ۴۵ می‌توان روی ay و ah تمرکز کرد.

شیوهٔ کار

این تمرین باید کاملاً لگاتو خوانده شود، لب‌ها در هنگام خواندن oh باید کاملاً جمع شوند و برای aw کاملاً به جلو بیایند. در تمرین ۶ـ۴۶ ج، فک باید برای گفتن oo بالا و برای گفتن oh به سمت پایین بیاید. در این تمرینات پس از مدتی تمرین روی haw و oh مـی‌توان از woh و oo استفاده کرد.

تمرین Maw و Noh

از این تمرین‌ها در آینده بیشتر استفاده می‌شود و خواننده را برای مراحل مشکل‌تر آماده می‌کند.

Noh

تمرین ۶ـ۴۷ الف

Noh و Maw

شیوهٔ کار

هنگام خواندن اولین نت دهان را خیلی باز نکنید تا فضای بیشتری در هنگام خـوانـدن برای نت‌های بالا داشته باشید.

Noh

تمرین ۶ـ۴۷ ب

Noh

شیوهٔ کار

در اینجا می‌توانید از سیلاب‌هایی مثل noh، maw و ah برای رزنانس‌های عـمیق‌تر، و از

nay، lay، lee و nee برای رزنانس‌های سبکتر در جلو استفاده کنید. همچنین می‌توانید از همان حروف صداداری استفاده کنید که با یک حرف بی‌صدا مانند m شروع می‌شود و آن را با maw، woh، noh، naw و vaw تغییر دهید.

تمرین ۶ـ۴۷ ج

Ee و eye

شیوهٔ کار

گام‌ها را با ee، eye، ah، oh و ay به طور جداگانه بخوانید. از سی‌بمل بـم شـروع کـنید و گام‌های بالارونده را تا «فای‌میانی» ادامه دهید، سپس دوباره از «فای‌میانی» با استفاده از حرف واکدار ee شروع کنید و با همان ترتیب گام‌های پایین‌رونده تا «سی‌بمل» پایین بروید. برای صداهای بم‌تر می‌توان از لابمل یا پایین‌تر شروع کرد.

تمریناتی جهت چابکی در خواندن

به دلیل لزوم سازمان بخشیدن به عوامل تکنیکی در خواندن به صورت اصولی، در اینجا تمریناتی برای چابکی صدا آورده شده است. این تمرینات به تدریج سخت‌تر می شوند (بعضی از تمرینات برای بعضی از خواننده‌ها مشکل‌تر از دیگری است).

در تمرینات زیر برای کوک صدا، نت‌ها اغلب تغییر می‌کند، ریـتم‌ها مـتفاوت است و فواصل کم و زیاد گاهی در یک تمرین مشاهده می‌شود. تنها پس از مهارت در تمرینات آسان برای چابکی صدا به سراغ تمرینات مشکل‌تر بروید. هر تمرین باید در چندین گام همسایه خوانده شود. معمولاً ابتدا باید در وسعت صدایی متوسط خوانده شود؛ زمانی که وسعت صدا و خواندن، به تدریج برای خواننده آسان‌تر شد افزوده شود. تمرینات ۲۱ تا ۲۵ برای خوانندگان با تکنیک پیشرفته‌تر است.

تمرین ۱

تمرین ۲

تمرین ۳

تمرین ۴

تمرین ۵

تمرین ۶

تمرین ۷

تمرین ۸

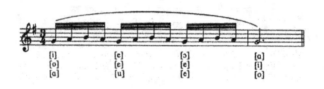

تمرین ۹

تمرین ۱۰

تمرین ۱۱

تمرین ۱۲

تمرین ۱۳

تمرین ۱۴

تمرین ۱۵

تمرین ۱۶

تمرین ۱۷

تمرین ۱۸

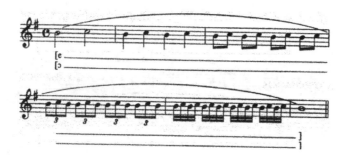

تمرین ۱۹

تمرین ۲۰

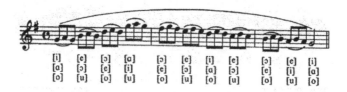

تمرین ۲۱

تمرین ۲۲

تمرین ۲۳

تمرین ۲۴

تمرین ۲۵

تمرین Moh و Woh

هدف

این تمرین برای چابکی و انعطاف در فواصل دور می‌باشد.

تمرین ۶ـ۴۸ الف

Moh و Woh

تمرین ۶ـ۴۸ ب

Moh و Woh

شیوهٔ کار

هر نت و صدایی باید مستقیماً در مقابل لثه بالایی جلو خوانده شود، و فک باید از قسمت مفصل‌ها آزاد و شل باشد.

تمرین Nee-nay و Nee-ah

هدف

با انجام این تمرینات صدای بهتری خواهید داشت.

شیوهٔ کار

برای آماده شدن، انگشت کوچک باید بین دندان و زبان که بـه نـرمی در قسـمت بـالا و قسمت جلو گرد می‌شود، قرار بگیرد.

تمرین ۶ـ ۴۹

Nee-ah-Nee-nay

تمرین Lah-Loh، Lay، Moh و Doh

هدف

این تمرین برای ترکیب رزنانس‌ها، تعادل کیفیت صدا و تعلیم mezza voce[1] مفید است.

شیوهٔ کار

این تمرینات باید در هر کلیدی که راحت‌تر هستید خوانده شود، و برای خواندن از صدای سر استفاده کرد. صدای oh با جمع کردن لب‌ها به نرمی ایجاد می‌شود. فک باید در l زبان را کاملاً دنبال کند و شکم باید در هر نفس‌گیری که در تمرین ۶ـ ۵۰ الف علامت زده شـده است رها شود.

---

۱. نصف صدا، یا نیمهٔ صدا

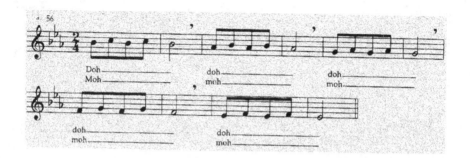

تمرین ۶ ـ ۵۰ الف

Doh a Moh

تمرین ۶ ـ ۵۰ ب

Lay-lah-loh

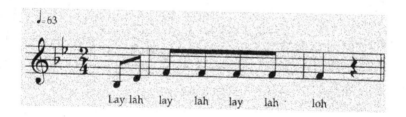

تمرین ۶ ـ ۵۰ ج

Lay-lah-loh

فصل ۷

تکنیک‌ها و تمریناتی برای تصحیح مشکلات آوازی

در مدتی که تمرینات مقدماتی و پیشرفته را مطالعه می‌کنید و قطعات آوازی را می‌خوانید مشکلات آوازی‌ای که خواندن را دشوار می‌کند مشخص می‌شود ــ مشکلاتی مانند فشار، ضربه زدن و بیرون آمدن نوک زبان؛ لرزش، بیرون آمدن و سفت شدن فک؛ تودماغی بودن؛ لرزش‌ها، دیزها و بمل‌ها و غیره. این مشکلات خود باعث ناهماهنگی در سیستم‌های فیزیولوژیکی و آناتومی می‌شود.

این نکته اهمیت بسیاری دارد که هر هنرجویی مانند یک معلم آواز از آسیب‌های فیزیکی ممکن که قطعاً بر تکنیک صدا تأثیر می‌گذارد آگاهی داشته باشد. دست‌کاری زبان و نای یا نگه داشتن فک، شیوهٔ نادرستی برای آواز خواندن است، همچنین هر تکنیکی که زبان را به طور خودآگاه فشرده کند شیوهٔ نادرستی است. از آنجایی که بعضی از ماهیچه‌های زبان چسبیده به استخوان‌های لامی هستند (شکل ۳ـ۱ و ۳ـ۲ و ۳-۳) فشردگی زبان باید به طور واضح حرکت حنجره را تا یک حد مشخص محدود کند. (با توجه به اینکه حنجره در گلو آویزان است نباید هیچ سفتی‌ای را در گلو احساس کنید.) بعضی از ماهیچه‌های زبان به نرم‌کام متصل است، بنابراین هر فشاری روی نرم‌کام، زبان را به سمت پایین می‌کشد و این درست برخلاف آن چیزی است که ما تصور می‌کردیم.

مکانیزم صدا باید از هر آسیب و ناهنجاری دور باشد. اگر معلم معتقد است اشکال فیزیکی در مکانیزم صدای هنرجو وجود دارد مثل خشکی صدا، خس‌خس کردن، و گرفتگی در اطراف صدا باید او را هر چه سریع‌تر به متخصص حنجره بفرستد. هیچ معلمی نباید در تاریکی کار کند زیرا صدا به آن حد که باید عالی و خوب نمی‌شود.

مسائل احساسی تأثیر بسیار زیادی روی صدا دارد. زمانی که در نیویورک درس می‌خواندم گاهی صدایم عملکرد قبلی خود را نداشت، اگرچه در آن زمان با ماد داگلاس

توئیدی کار می‌کردم. به یکی از بهترین متخصصان شهر مراجعه کردم. او حنجرهٔ مرا معاینه کرد و گفت تارهای صوتی‌ام کاملاً خوب و سالم است. سپس از من پرسید که آیا آن روزها اضطراب داشته‌ام؟ پاسخ من مثبت بود. او برایم توضیح داد زمانی که یک خواننده تحت فشارهای احساسی قرار می‌گیرد، تارهای صوتی سفت می‌شود و به آسانی عملکرد طبیعی قبل خود را نخواهد داشت.

در مدت زمانی که اضطراب داشتم، صدای من تقریباً در محدودهٔ میانی بود. در این مدت هرگز کار زیادی از صدایم نکشیدم. به محض اینکه از مسائل احساسی و فشارها کاسته شد، صدا خیلی سریع به عملکرد قبلی خود رسید.

چندین بار بود که هنرجویان خود را برای یک رسیتال آماده کرده بودند، ولی درست قبل از رسیتال به خاطر احساسات شدید، خیلی سریع صدایشان تحت تأثیر قرار می‌گرفت. به هر حال زندگی در حرکت است و ما نباید در برابر مسائل احساسی تسلیم شویم. و از طرف دیگر در آن شرایط نباید انتظار زیادی از صدایمان داشته باشیم.

مسائل روانی صدا را تحت تأثیر قرار می‌دهد. خیلی وقت‌ها یک مشاور حرفه‌ای بیشتر از یک روان‌پزشک یا روان‌شناس حرفه‌ای می‌تواند به خواننده کمک کند. این افراد قادر خواهند بود مشکلات زندگی هنرجویان را که خارج از حیطهٔ کار معلم است آشکار کنند.

معلم نباید در شروع کار توجه هنرجویان را به مشکلات آواز جلب کند. ـ البته اگر یک خوانندهٔ حرفه‌ای بخواهد صدایش ارزیابی شود بحث دیگری است. ـ در نخستین مراحل مطالعهٔ آواز اصلاً نباید تأکید زیادی روی مشکلات صدا شود اما باید به مقدمات تکنیک توجه بیشتری شود. مشکلات زبان نیز (همانند دیگر مسائل و مشکلات صدا) ممکن است در مراحل اولیه پیش بیاید. زمانی که نفس‌گیری و هماهنگی اولیه بدن تا حدودی صورت گرفت، هنرجو می‌تواند مشکلات صدای خود را برطرف کند. هماهنگی صدای ضعیف و تصحیح آن باید به آرامی و به شیوه‌ای مناسب انجام شود؛ ابتدا باید از تمرینات اصلاحی استفاده کرد. اگر تأکید زیاد جایگزین ناتوانی‌های صوتی شود پس از یک مرحله شکست در یادگیری می‌توان به راحتی بر آن غلبه کرد. از آنجایی که تصحیح به آهستگی صورت می‌گیرد تأکید بر مشکلات صوتی نیز باید به آهستگی انجام شود و یک زمان طولانی را به آن اختصاص داد.

تمرینات و تکنیک‌های زیر توصیه‌هایی از دکتر میلر است که در طی چندین سال تجربه در مورد مشکلات حنجره به دست آورده است. این تمرینات برای تصحیح، تغییر و تبدیل صدا، و مشکلات فیزیکی، همچنین کاهش تأثیرات بیمارگونه (آسیب‌شناختی) طراحی

شده‌اند. اگر تمرینات صحیح و با تمرکز بسیار بالایی انجام شود مشکلات صوتی همانند مواردی که در بالا ذکر شد قابل تصحیح است و تکنیک‌های مقدماتی خوب سرانجام گسترش می‌یابد.

صداهای تودماغی یا خیشومی

هدف یک خواننده، بیان متن آوازی به زیباترین شیوه می‌باشد؛ بنابراین لازم است که کیفیت صدایی که می‌شنویم گرم و پرطنین باشد. صدای تودماغی بر متن آوازی، معنا و رنگ آن تأثیر می‌گذارد، و اجازه نمی‌دهد رزنانس‌ها خوب انجام شود. خواننده‌ای که آواز را تودماغی می‌خواند باید تمرینات اصلاحی زیر را انجام دهد، تا صداهای اضافی را از بین ببرد. اگر مشکل صدا شدید باشد در حقیقت مانعی برای پیشرفت است و حتماً باید به متخصص حنجره مراجعه کرد و از او پرسید که راه‌حل اساسی برای رفع صداهای تودماغی یا خیشومی چیست؟ برای یک معلم ضروری است که بداند مشکل صدای هنرجو در کجاست. زیرا او باید بداند که چطور با آن صدا کار کند و بر مشکلات آن صدا غلبه کند.

اصوات تودماغی در آواز درست مثل صحبت کردن است که با رزنانس‌های متفاوت از حفره‌های بینی ایجاد می‌شود و گاه بدون هیچ احساسی نرم‌کام را فعال می‌کند. اگر شروع صداها از بینی باشد صدا گوشخراش و تیز خواهد بود در نتیجه آن صدا، صدای خوب و خوشایندی نخواهد بود. در آواز قطعاً صداهایی وجود دارد که اصوات تودماغی را ضروری می‌کند و برای تأثیر نحوهٔ بیان استفاده می‌شود. این صداها نباید به عنوان قسمت نهایی اصوات در نظر گرفته شود (فصل ۱۰).

بسیاری از عملکردهای بینی در صداهای آوازی به خاطر توانایی حرکت نرم‌کام است. از یک راه ساده فرق بین نرم‌کام غیرفعال و نرم‌کام فعال را ببینید (شکل ۷ـ۱ و ۷ـ۲). وضعیت زبان در افراد متفاوت است، اما زمانی که نرم‌کام بی‌حرکت است نمی‌توان آن را دید.

گاه اتفاق می‌افتد که نرم‌کام پشت زبان قرار می‌گیرد، اما با جمع شدن زبان در قسمت پشت دهان نرم‌کام دیگر دیده نمی‌شود و در آن حالت بی‌حرکت باقی می‌ماند. اگر نرم‌کام در این حالت قرار بگیرد، هر صدایی که از حنجره به حفره‌های حلقی می‌رود به سمت بالا و به سوی ناحیهٔ حلقی بینی هدایت می‌شود و در آنجا بدون وابستگی به حفره‌های دیگر (حفرهٔ بینی و دهان) طنین می‌اندازد و در نتیجه صدا تودماغی می‌شود. اگر صدای

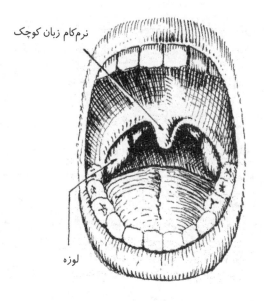

نرم‌کام زبان کوچک
لوزه

شکل ۷ـ۱
نرم‌کام در حالت غیرفعال (آزاد)

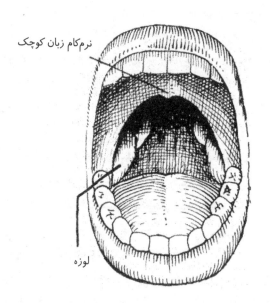

نرم‌کام زبان کوچک
لوزه

شکل ۷ـ۲
نرم‌کام در حالت فعال زبان کوچک در نرم‌کام

تودماغی تا نرم‌کام غیرفعال ادامه پیدا کند، تمرینات زیر می‌تواند برای تقویت عضلاتی که نرم‌کام را به زبان و سخت‌کام ربط می‌دهد، استفاده شود. با توجه به کوچک بودن عضلاتی که در حرکت نرم‌کام به کار می‌روند، باید این تمرینات را فقط چند بار در روز انجام داد. برای کسب مهارت در انجام این قسمت از تمرینات باید مدتی را به آنها اختصاص داد و بسیار آهسته و با دقت روی آنها کار کرد.

تمرین Ah-ah-ah

هدف

این تمرین برای تقویت نرم‌کام است.

شیوهٔ کار

زمانی که با آینه به عقب دهان نگاه می‌کنید یک ah را سه یا چهار بار با صدای بالا و با یک نفس بگویید. با یک صدای بسیار نرم و متعادل در گفتن ah به سمت پایین این تمرین را انجام دهید. این تمرین باید با یک کوک بالاتر از صدای معمولی شروع، و به نرمی انجام شود. در شروع ah باید از قسمت ماسک پهن و قوی و بالشتک‌های بالاآمده استفاده کرد. فک باید مثل شروع ah، همچنان شل و باملایمت به طرف پایین برود و در هنگام خواندن نت‌های پایین‌رونده هرگز نباید به عقب برود.

بحث

همان طوری که به سادگی می‌توان دید، نرم‌کام در هنگام گفتن ah به سمت بالا قوس پیدا می‌کند، این حالت قوسی‌شکل بهترین رزنانس‌ها را برای هر صدا ایجاد می‌کند. انجام این تمرینات سه یا چهار بار در روز، به نرم‌کام انعطافی می‌دهد که برای رزنانس و اجراهای نهایی کولوراتور، نیاز دارد. یک نرم‌کام قوی پایهٔ اصلی ویبراسیون‌ها در صداست. از آنجایی که تمامی تمرینات k در فصل‌های ۵ و ۶، نرم‌کام را فعال می‌کنند، برای حذف صدای تودماغی لازم‌اند.

نرم‌کام ممکن است به دلایل مختلفی غیرفعال شود. یک دلیل می‌تواند آسیب‌دیدگی بافت باشد مثل خراشیدگی بخشی از گلو که به صورت عمودی در پشت زبان و قسمت بالای نرم‌کام دیده می‌شود. جراحی کردن و برداشتن لوزه نیز می‌تواند جای زخمی در بافت‌ها به جا بگذارد و شکل آنها را تغییر دهد. به کارگیری صحیح تمرینات در تمام این

مدت تقویت‌کنندهٔ عضلاتی است که حرکت نرم‌کام را کنترل می‌کنند. خواننده‌ای که تمرینات فعال کردن عضلات نرم‌کام را قبلاً انجام نداده، معمولاً دارای نرم‌کام « تنبلی » است.

تمرین گرد کردن زبان

هدف
این تمرین زبان را پهن و شل و نرم‌کام را تقویت می‌کند.

تمرین ۷-۱
Nee و Nah برای گرد کردن زبان

شیوهٔ کار
این تمرینات باید با یک آینه انجام شود، زیرا حالت زبان بسیار مهم است (شکل ۷-۳). زبان به نرمی به سمت جلو گرد می‌شود، با نوک زبان پشت دندان‌های جلوی پایین را حس کنید. دندان‌های عقبی بالا به نرمی قسمت عقب زبان را ـــ مخصوصاً در هنگام خواندن لمس می‌کند.

زمانی که حالت صحیح را یاد گرفتید و آن را به راحتی هماهنگ کردید، تمرینات را با خواندن nee در یک نفس در محدوده‌های میانی به صورت لگاتو و با ربط دادن نت‌ها به هم به صورت کمانی ادامه دهید. این تمرینات باید با صدای سر و با ملایمت خوانده شود. سپس تمرین را روی nah همانند تمرین nee بخوانید. از آنجایی که این تمرینات باعث فعالیت زیاد عضلات می‌شود، نباید بیش از سه بار روی هر حرف واکدار و هر دفعه نیم پرده بالاتر از گام قبلی تمرین کرد. بعد از اینکه ماسک و بالشتک‌ها در حالتی مناسب قرار گرفتند، فک باید روی نت اول حرکت کند و در تمام گام باید شل و آزاد باقی بماند. فک نباید در گفتن هر پنج حرف واکدار حرکت کند.

بحث

اگر زبان جمع شود (به سمت بالا کشیده شود و سخت‌کام را لمس کند) در این حالت ممکن است صدا تودماغی و محدود شود، زیرا فقط در ناحیهٔ حلقی بینی طنین می‌اندازد. بهترین راه این است که به ملایمت هر از گاهی زبان را به سمت بالا گرد کنید و سپس آن را به عقب برگردانید و به آن استراحت بدهید. این عمل را نباید به زور انجام دهید و به ماهیچه‌ها نباید فشار وارد شود.

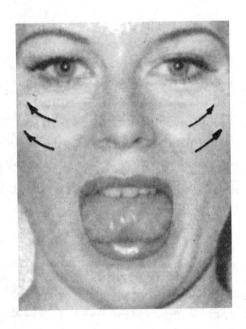

شکل ۷ـ۳

تمرین حالت زبان و صورت برای گرد کردن زبان

اغلب در انجام دادن این تمرین زبان لرزش دارد اما وقتی کشش آزاد می‌شود، لرزش‌ها از بین می‌رود. اگر زبان لرزش دارد این تمرین نباید بیشتر از یک یا دو بار با هر حرف واکدار انجام شود تا زمانی که کاملاً شل شود و آمادگی بیشتری را برای گرد کردن داشته باشد.

حالت و عملکرد ماسک و فک در این تمرین بسیار مهم است. ماسک باید پهن و قوی باقی بماند و بالشتک‌های زیر چشم باید در تمام طول تمرین بالا باشد. به کار بردن

عضلات چهره، به قوس داخل دهان اجازه می‌دهد که به همان حالت باقی بماند تا واضح‌ترین صدای ah و ee را ایجاد کند. قوس داخل دهان حروف واکدار را در نرم‌کام به سمت جلو می‌آورد و از اینکه صدا به عقب گلو بیفتد جلوگیری می‌کند. سخت‌کام در این حالت بی‌حرکت است و هر کسی می‌تواند قسمت ماهیچه‌های بالای آن را مانند کمان یا قوس احساس کند. زمانی که بالشتک زیر چشم به نرمی بالا می‌رود و فک در حالت صحیح قرار دارد شما می‌توانید عضلات بالای آن را همانند یک قوس احساس کنید.

ویبرهای نامنظم

بسیاری از ویبرها در هنگام گوش دادن ناخوشایندند. این ویبرها ممکن است خیلی آهسته، تند و یا نامساوی باشند. ولی می‌توان آنها را به آسانی اصلاح کرد تا در بیان خط و متن آوازی مؤثرتر باشند.

نفس‌گیری و نرم‌کام ضعیف از اصلی‌ترین عوامل صدای بد در ویبرها هستند و تره‌مولوی ناخوشایند ایجاد می‌کنند، که در تنالیته‌های بالا، ویبرهای آهسته، تند یا ناهمگون به وجود می‌آورند. پس برای یک خواننده کنترل کامل روی نفس و اندازهٔ هوایی که بیرون می‌فرستد بسیار لازم است. صدای ایجادشده باید با جریان کنترل‌شدهٔ هوا حمایت شود. عضلات شکمی باید هنگام نفس‌گیری قوی باشند و از هماهنگی کامل برخوردار باشند. تا زمانی که خواننده نفس‌گیری می‌کند، صدای او بسیار گرم و زیبا خواهد بود. زمانی که بدن در حالت صحیح و تعادل است و نفس گرفته می‌شود ویبراسیون‌ها می‌توانند کامل‌تر و بیشتر شوند. عدم فعالیت نرم‌کام یکی دیگر از عوامل ایجاد تره‌مولو است.

تمرین‌های داده شده زیر را می‌توان برای اصلاح ویبراتورهای تند و نامنظم به کار برد. (جدول ۱).

تمرین Hum-mah و Hum-mee

هدف

این تمرین نفس‌گیری و نرم‌کام را تقویت می‌کند.

جدول ۱

تمریناتی برای تصحیح ویبرهای نامنظم

تمرین	فصل
تقویت نرم‌کام	
نفس‌گیری عمیق با بینی (۵ـ۸)	۵
تمرین Zoh با استفاده از نفس‌گیری عمیق با بینی	۶
تمرین Zah با استفاده از نفس‌گیری عمیق با بینی (تمرینات ۶ـ۱۹، ۶ـ۱۷، ۶ـ۱۸)	۶
تمرینات K	
Kee-kay (تمرین ۵ـ۲)	۵
Kah-kay-kee-koh-koo (تمرین ۶ـ۲)	۶
Kee-kah-kee-kah-kee (تمرین ۶ـ۳)	۶
تقویت نفس‌گیری و کنترل	
Hum (تمرین ۷ـ۳ الف و ب)	۷
Hee-ah (تمرین ۵ـ۱)	۵
Waw-ee (تمرین ۶ـ۱۳)	۶
عروسک پارچه‌ای	۵
Hum-mee (تمرین ۷ـ۲)	۷

تمرین ۷ـ۲

Hum-mee و Hum-mah

شیوهٔ کار

در این تمرین فشار زیادی را در مقابل سخت‌کام و استخوان‌های گونه احساس می‌کنید، دنده‌های پشت همانند عضلات شکمی پایین سخت کار می‌کنند.

تمرین Waw-ee-ah

هدف

این تمرین ویبرهای نامساوی را تصحیح می‌کند.

شیوۀ کار

رجوع کنید به تمرین ۶.

تمرین Hum-slur

هدف

این تمرینات کمک می‌کند که یکنواختی و فشار تـنفسی را احسـاس کـنید تـا ویـبرها هماهنگ شوند.

تمرین ۷ـ۳ الف

Hum-slur

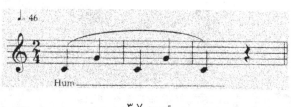

تمرین ۷ـ۳ ب

Hum-slur

شیوۀ کار

همان احساسی که در تمرین Hum-me و Hum-mah داشتید اینجا نیز وجود دارد (تمرین ۷ـ۲).

بحث

در این تمرین نت‌ها را باید در زمان‌های مساوی بخوانیم. همان طور که ملاحظه می‌کنید این تمرین با پورتامنتو[1] که به آهستگی شروع، و به تدریج تند می‌شود متفاوت است.

---

۱. Portamento، آواز یا صداها و نت‌ها را پیوسته و بدون گسستگی اجرا کردن (فرهنگ اصطلاحات موسیقی). ـ م.

مشکلات زبان

زبان مستقیماً روی صدا تأثیر می‌گذارد. بسیار واضح است که چرا فعالیت زبان مکمل عمل آواز است. زبان آن قدر آماده، قابل تنظیم و هماهنگی است که می‌تواند حرکات بی‌نهایت پیچیده‌ای را انجام دهد. بنابراین زبان باید در حالتی باقی بماند که اجازه بدهد فقط صدا، آوا و آرتیکلاسیون صحیح را ایجاد کند.

زبان در حالت صحیح، پهن و نرم در مقابل دندان‌های جلوی پایین قرار می‌گیرد (شکل ۷ـ۴)، هر بار برای ادای حروف واکدار مختلف تغییر شکل می‌دهد و آزادانه با فک حرکت می‌کند.

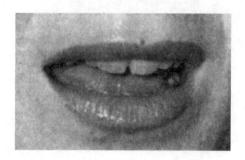

شکل ۷ـ۴
حالت صحیح نوک زبان

زبان برای گفتن ay قوس پیدا می‌کند و کناره‌های آن دندان‌های آسیا را لمس می‌کند. برای ادای eye زبان تا نیمهٔ دوم ادغام (ee) پهن باقی می‌ماند و بعد به نرمی بالا می‌رود. روی حروف ih، a و eh زبان پهن اما دارای قوس است. برای گفتن uh زبان صاف است و روی oh و oo به نرمی روی قسمت مرکزی می‌افتد، اما هرگز در پشت دندان‌های جلوی پایین باقی نمی‌ماند و به آن‌ها فشار وارد نمی‌کند. نوک زبان نباید به پشت دندان‌های بالا کشیده شود، بدون اینکه فک حرکت زبان را دنبال کند. (شکل ۷ـ۵) این حالت صداها را محدود می‌کند و حروف صدادار را تغییر می‌دهد.

واکنش‌های زبان و حالت‌های بی‌قاعدهٔ بسیاری وجود دارد که اگر در طی خواندنْ زبان جمع، گرد یا کشیده شود یا فشار به آن وارد آید تمامی آناتومی مربوط به نرمکام و حنجره و غیره از ترتیب صحیح خود خارج می‌شود.

زبان فشرده شده (شکل ۷ـ۶) از فعالیت عضلانی بیش از حد زبان ایجاد می‌شود و

باعث کشیده شدن آن به سمت فک می‌شود. صدایی که به این ترتیب ایجاد می‌شود همیشه از گلو خواهد بود.

از فعالیت بیش از حد عضلاتی که زبان را به سمت پایین و به داخل فک می‌کشد، اغلب فرو رفتگی روی سطح زبان به وجود می‌آید (شکل ۷ – ۷).

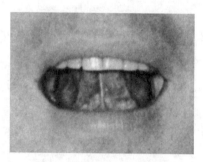

شکل ۷ـ۵
بالا بردن زبان (فرم نادرست)

تمرین‌هایی برای تصحیح ناهماهنگی‌های زبان

فصل	تمرین
۷	Gah
۷	Ng - ah
۶	Thee - Thah (تمرین ۶-۲۷)
۶	Thee - Thee (تمرین ۶-۲۸)
۷	Nah - Nee (تمرین ۷-۱)

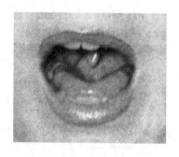

شکل ۷ـ۶
زبان جمع‌شده (فرم نادرست)

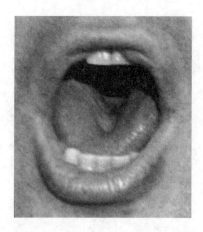

شکل ۷ـ۷
زبان فرورفته یا ناودانی (فرم نادرست)

زبان با فعالیت عضلاتی که آن را به سمت بالا می‌کشاند جمع می‌شود و طـوری خـم می‌شود که قسمت مرکزی زبان نرم‌کام و سخت‌کام را لمس می‌کند یا در مـقابل آن قـرار می‌گیرد. این حالت مانع جریان هوا در دهان می‌شود و شکل حفرهٔ دهانی راکه در ایجاد رزنانس صدا مؤثر است تغییر می‌دهد. زبان جمع شده و تأثیر آن روی صدا مانند گذاشتن یک تکه پارچه در انتهای کلارینت است که موجب می‌شود هیچ صدایی از این ساز بیرون نیاید. کشیده شدن زبان به عقب یکـی دیگـر از حـالات نـادرست است (شکـل ۷ـ۸). هنگامی که نوک زبان به سمت بالا و دندان‌های بالا کشیده می‌شود و آرام برمی‌گردد این حالت نیز صدا را تغییر می‌دهد. زبان نباید هرگز به عقب کشیده شود.

به نظر می‌آید دو تمرین زیر، با آنچه در این کتاب بیان شده متناقض است: فک و زبان باید همیشه با یکدیگر حرکت کنند. این تمرین مختص برطرف کردن مشکـلات مشـخص زبـان است. گاهی برای اهداف خاصی لازم است که فک و زبان جدای از هم حرکت کنند امـا باید توجه شود که فک و زبان به طور حتم در قسمت‌های پایانی تمرین با همدیگر حرکت می‌کنند.

تمرین Ng-ah
هدف
این تمرین زبان جمع شده یا عقب رفته را تصحیح خواهد کرد.

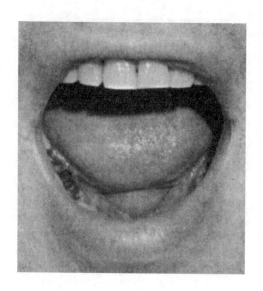

شکل ۷ـ۸

زبان به سمت عقب رفته (نادرست)

شیوهٔ کار

این تمرین برای تأثیر بیشتر باید روزانه انجام شود. عضلات زیر چشم باید پهن شوند و فک به سمت پایین بیفتد و در همان حالت باقی بماند، زبان نیز همان طور که از عقب به سمت جلو گرد می‌شود و بالا می‌رود نوک زبان در مقابل دندان‌هـای جلـو پـایین قـرار می‌گیرد. در حالی که عقب زبان به نرمی به طرف جلو گرد می‌شود صدای ng باید با فک ثابت ادا شود؛ زبان در هنگام ادای سیلاب ah عقب می‌افتد. این تمرین باید چهار بار انجام شود در حین تمرین عضلات عقب زبان را شل کنید. پنجمین باری که ng را ادا می‌کنید فک باید بالا بیاید، اما برای ادا کردن ah باید به سمت پایین حرکت کنـد. بـعد از ایـنکه ایـن تمرینات را با خواندن سیلاب‌ها انجام دادید، شروع کنید به خواندن روی نت.

تمرین Gah

هدف

این تمرین برای تصحیح زبان‌های بسیار فشرده مؤثر است.

شیوهٔ کار

این تمرین مانند تمرین قبلی است اما بدون صدای ng که به دنبال gah می‌آمد. این تمرین را در ابتدا فقط با صدای صحبت ادا کنید سپس gah را پنج بار روی نت خود بخوانید. در این تمرین بیشتر از تمرینات قبلی ng-ah زبان به عقب می‌رود. تمرین ng برای بلند کردن عقب زبان بسیار مؤثر است و باید روی هر نت بسیار نرم و واضح خوانده شود.

برای تلفظ سیلاب gah باید از ماسک استفاده کرد. بالشتک‌ها باید با احساس قدرت در زیر چشم‌ها و پل بینی به کار گرفته شود. نرم‌کام به طور خودکار بالا می‌رود و به زبان و فک اجازه می دهد به طور آزادانه حرکت کنند.

تمامی تمریناتی را که برای تصحیح ناهماهنگی زبان در این کتاب توضیح داده‌ام در جدول نشان داده شده است. قرار دادن زبان در یک جای خاص احتیاج به تمرین زیادی دارد. همان طور که هر تمرینی برای مدتی بارها انجام می‌شود و سیستم عصبی غیرارادی کنترل عضلات زبان را به عهده می‌گیرد، زبان نیز به طور تدریجی روش صحیح را اعمال می‌کند بدون اینکه حتی خواننده از آن حالت آگاهی داشته باشد.

فرم نادرست لب

فرم صحیح عضلانی لبخند داخلی می‌تواند نتایج قابل مشاهده و متفاوتی را در خوانندگان به وجود بیاورد.

اگر کسی پشت لبش کوتاه است، نباید دندان‌های بالایش را با لب‌هایش بپوشاند. زمانی که لب‌ها به این شکل روی دندان‌ها را می‌پوشانند، صدا تودماغی شود و نت‌ها هیچ گاه شمرده بیان نمی‌شوند.

از مشکلات اولیهٔ آواز این است که خواننده به طور غیرطبیعی تمایل دارد لب‌هایش را به سمت پایین بکشد. همان طوری که در شکل ۷ـ۱۰ نشان داده شده است، کسانی که دندان‌های مرتب و زیبایی ندارند این کار را انجام می‌دهند. اگر پشت لب کوتاه باشد دندان‌ها کاملاً نمایان می‌شود. یک خواننده با چنین پشت لبی ممکن است طی سال‌ها عادت کرده باشد که لب‌هایش را روی دندان‌های بالا بکشد تا آنها را پنهان کند. چنین کاری مانع ایجاد یک صدا و تلفظ خوب می‌شود.

اگر خواننده‌ای لب بالایش کوتاه است یا قبلاً به طور دائم لب‌هایش را پایین می‌کشیده تا دندان‌هایش را پنهان کند، برای رفع این مشکل باید تمرینات preh (تمرین ۵ـ۶) را انجام دهد. در این تمرین p باید لب‌های بالا را به سمت بالا بکشد. تمرینات preh باید هر

روز انجام شود به طوری که لب‌های بالا در حالت صحیح قرار بگیرد. تمرین دیگری که باید انجام دهید ning-ah-ning-ee است که اولین قسمت از « تمرین پنج بخشی » است (تمرین ۶ـ۲۵).

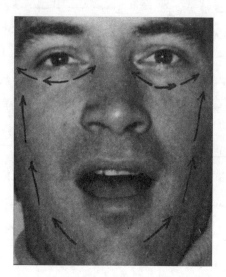

شکل ۷ ـ ۹ الف
حالت صورت هنگام استفاده از لبخند داخلی (در مردها)

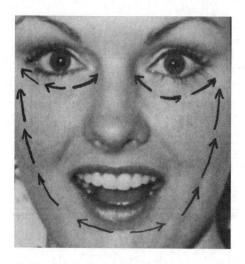

شکل ۷ ـ ۹ ب
حالت صورت هنگام استفاده از لبخند داخلی (در زنان)

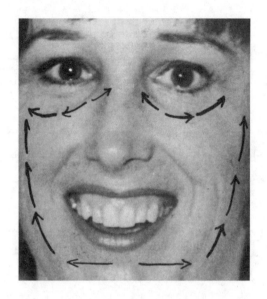

شکل ۷ـ۹ ج
حالت صورت هنگام استفاده از لبخند داخلی (در زنان)

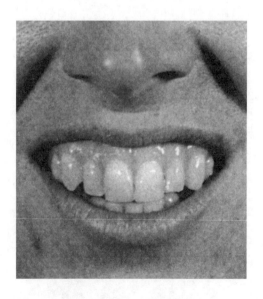

شکل (۷ ـ ۱۰) لب بالای کوتاه

مشکلات آوازی مربوط به فک

حرکت فک تأثیر بسیار مهمی روی رزنانس‌ها، آواها و خط آوازی دارد. عضلات حنجره و زبان به خوبی فک را به جمجمه متصل می‌کنند و به طور مستقیم به فک مربوط می‌شوند. تغییر رزنانس در هر صدا به حرکات و تعادل فک بستگی دارد. فک به آسانی می‌تواند در شکل‌گیری لغات نقش داشته باشد و رزنانس هر صدا را تغییر دهد.

برای رزنانس و ایجاد صدای بهتر و تلفظ لغات، فک باید شل و راحت باقی بماند. به خاطر داشته باشیم که حرکت فک باید یک حرکت نوسانی باشد نه به صورت افتاده یا بسیار سخت و سفت. همان طور که فک حرکت می‌کند، زبان باید حرکت آن را به سمت بالا و پایین دنبال کند، زیرا تمامی آناتومی داخلی (حنجره،گردن، سر و ماهیچه‌های زبان و غیره.) برای آواز خواندن کاملاً با هم در ارتباط‌اند: فک همیشه باید در حالی که ماسک به صورت پهن قرار دارد، مستقیماً از محور خود به سمت پایین حرکت کند.

فک نباید هیچ‌گاه در زمان حرکت یا استراحت سفت باشد یا به سمت جلو بیاید (شکل ۷ـ۱۱الف)، نباید به اطراف حرکت کند (شکل ۷ـ۱۲). و همچنین نباید بلرزد. تمامی اینها حالت‌های نادرست فک‌اند که می‌تواند روی رزنانس، ایجاد صدای خوب، آواها و خط آوازی تأثیر بسیار زیادی بگذارد.

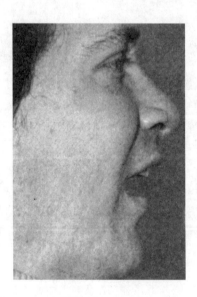

شکل ۷ـ۱۱ الف

فرم صحیح حرکت فک

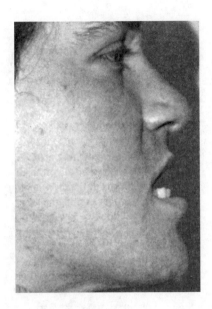

شکل ۷ـ۱۱ ب
جلو رفتن فک (فرم نادرست)

حرکت فک

به دلایل بسیاری فک ممکن است بلرزد. یکی از آنها می‌تواند عدم بالا رفتن بالشتک زیر چشم‌ها و نداشتن احساس قوس روی سخت‌کام باشد. کشش عضلات فک، حالت نادرست فک و عدم جریان هوا در تنفس از دیگر دلایل لرزش فک است. سعی کنید روی تمریناتی کار کنید که به تقویت عضلات اختصاص دارند تا فک آزادانه و بسیار شل و راحت حرکت کند.

عضلات زبان و نرم‌کام ــ عضلات درونی ــ باید به کار گرفته شود، طوری که فک احساس راحتی بکند. هنرجو باید روی تمرین‌های تقویت نرم‌کام و شل بودن زبان و گسترش جریان هوا تأکید کند. برای شروع کار با شخصی که فکش مشکل دارد باید تمرینات زبان گردشده (تمرین ۷ـ۱، شکل ۷ـ۳) داده شود. این تمرینات باید در ارتباط با تمرینات بعدی باشد.

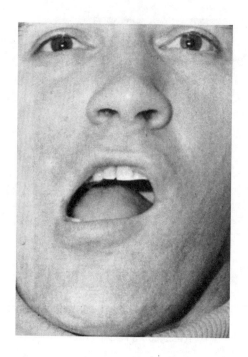

شکل ۷ـ۱۲
حرکت فک به اطراف (نادرست)

تمرین در حالت نشسته
هدف
این تمرین تنفس و صدا را هماهنگ می‌کند.

تمرین ۷ـ۴
Hee-ah

شیوهٔ کار

این تمرین را باید در حالت نشسته انجام داد. صدا در پورتامنتو روی hee به طور تدریجی تغییر می‌کند. اکتاو روی ah خوانده می‌شود. کمر باید کاملاً صاف باشد، دنبالچه در زیر قرار بگیرد و سر کاملاً تراز باشد. بدن در هنگام خواندن فاصله‌های ۵، ۳، ۱ روی ah نیز به همان حالت نشسته باقی می‌ماند.

بحث

اغلب وقتی این تمرین خوانده می‌شود، فرم فک به خودی خود صحیح است، زیرا جلوی جریان هوا گرفته نشده است.

زمانی که این تمرین را انجام می‌دهید تمام تمرین‌های اصلی و مقدماتی برای خواندن حروف واکدار کوتاه (ماسک قوی، بالشتک‌های برآمده و...) باید به کار برده شود. در هنگام شروع ah فک باید حرکت کند و زبان باید آن را دنبال کند و به صورت پهن و نرم در مقابل دندان‌های پایین قرار گیرد. در این تمرین از تمام عضلات مربوط بـه نفس‌گیری استفاده می‌شود.

فک سفت

حرکت فک سفت محدودیت ایجاد می‌کند به صدا اجـازه نـمی‌دهد کـه رزنـانس، آوا و آرتیکلاسیون‌های خوبی داشته باشد. باید توجه داشت که بدون کمک فک نمی‌توان کلمات را به طور صحیح ادا کرد. به طور کلی اگر فک با فشار ماهیچه سفت نگه داشته شود صداها و کلمات از عقب گلو بیرون می‌آید، در نتیجه صدا خفه و حلقی و نسبتاً نـارسا مـی‌شود طوری که گوش دادن به آن بسیار ناخوشایند است.

حالت فک سفت‌شده را می‌توان با دنبال کردن تمرین‌های زیر تصحیح کرد. حرکت فک در هر تمرین قابل انتقال می‌باشد و باید از قسمت بالشتک‌های پهن زیر چشم شروع شود. حرکت فک باید بسیار شل و راحت باشد (مثل حرکت عروسک خیمه‌شب‌بازی که مستقیماً از شقیقه به سمت پایین می‌آید) که نتیجهٔ قدرت و پهنای ایجادشده در ماسک است.

تمرین Fee-ah-ee-ah و Fah-ee-ah-ee

هدف

این تمرینات فک را برای انجام حرکت آزادانه پرورش می‌دهد.

تمرین ۷ـ۵

Fah-ee-ah-ee و Fee-ah-ee-ah

شیوهٔ کار

این تمرین‌ها با یک نفس در محدودهٔ میانی خوانده می‌شود. تمامی تمرین به صورت لگاتو (پیوسته) خوانده می‌شود. هر تمرین باید چهار یا پنج بار انجام شود، و هـر بـار نیم‌پرده بالاتر برود.

بحث

در سیلاب اول فک باید روی fah حرکت کند و برای گفتن ee به عـقب بـرگـردد. فک بـه راحتی و شل، از قسمت پهنای بالشتک زیر چشم حرکت می‌کند. در هنگام خواندن f به آرامی دندان‌های بالا را روی لب‌های پایین بگذارید، لب‌ها باید نرم (نه سفت و نه خیلی پهن) باشد. هنگامی که f در اولین نت تمرین خوانـده مـی‌شـود، هـوا بـه آسـانی از بـین دندان‌های بالا عبور می‌کند و از روی لب پایین می‌گذرد. از این اصـول در نـیمهٔ بـعدی تمرین نیز استفاده می‌شود.

تمرین Hum-may و Hum-mah

هدف

این تمرینات فک را برای حرکت آزادانه پرورش می‌دهد و حرکت آن را با لبخند داخلی هماهنگ می‌کند.

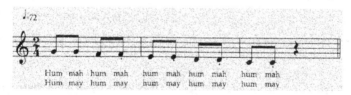

تمرین ۷ـ۶

Hum-mah و Hum-may

شیوهٔ کار

این تمرینات با یک نفس در محدودهٔ میانی خوانده می‌شود. تـمامی جـملات لگـاتو می‌باشند. هر تمرین باید چهار تا پنج بار تکرار شود. هر بار نیم پرده بالاتر بروید.

بحث

h روی هر نت تمرین با رها کردن هوا در میان دهان که نتیجهٔ فشار مداوم عضلات شکمی است تلفظ می‌شود. هر نت به نت بعدی متصل می‌شود بنابراین h باید به نرمی ادا شود.

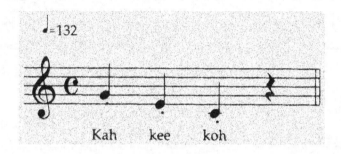

تمرین ۷ - ۷
Kah-kee-koh

شیوهٔ کار

این تمرین‌ها در یک نفس و در محدودهٔ میانی خوانده می‌شود، و هر نت به صورت کمانی روی نت بعدی می‌رود. عملکرد فک دقیقاً باید همان طور باشد که در تمرین قبل توضیح داده شد؛ فک باید روی هر h در hum به نرمی حرکت کند و زبان حرکت آن را دنبال کند و بسیار نرم در مقابل دندان‌های پایین قرار بگیرد.

بحث

k هر دفعه با قدرت نفس ادا می‌شود. هنگام خواندن kah و kee که بخشی از این تـمرین است ماسک پهن و بالشتک‌های زیر چشم فعال باقی می‌ماند. هیچ ماسکی در گفتن koh وجود ندارد، اما صدا به راحتی و بی‌هیچ مانعی از سخت‌کام بالا می‌آید و فک روی هر k حرکت می‌کند.

فک جلوآمده

فک جلوآمده مستقیماً از صورت به بیرون می‌زند و ماسک بیشتر تمایل دارد به سمت جلو بیاید، که این حالت مانع از ایجاد صدا، آرتیکلاسیون و رزنانس‌های هر نت می‌شود (شکل ۷ـ۱۱ ب).

تمرین Flah-flah-nee (تمرین ۵ـ۳) برای تصحیح این مشکل بسیار مفید می‌باشد. این تمرین باید با تمرینات توصیه شده برای فک سفت انجام شود. فک روی کلمهٔ nee میل دارد به جلو بیاید، بنابراین به این سیلاب باید دقت کافی داشت.

این تمرینات را با استفاده از دو آینه انجام دهید. انجام دادن این کار کمک می‌کند که نیمرخ فک و تمام فک و حرکت و حالت‌های آن را به تنهایی در طی آواز خواندن مشاهده کنید. فک حتی اگر کمی از مرکز خود دور شود، ستون هوای حفرهٔ دهانی را تغییر می‌دهد و در نتیجه کیفیت صدا پایین می‌آید.

گره آوازی

گره آوازی چیزی نیست جز جمع شدن بافت‌هایی روی تارهای صوتی، یا چیزی شبیه میخچه روی انگشت پا؛ که در هر دو حالت بافت‌ها در اثر افزایش سایش به سطوح مقابل به این شکل جمع شده است (شکل ۷ـ۱۳).

گاه ممکن است گره در حین آواز خواندن به وجود بیاید، و اغلب خواننده ممکن است برای ادامه دادن یک کوک بخصوص مشکل داشته باشد یا وقفه‌ای در صدایش ایجاد شود که علتش کمبود نفس نیست. باید توجه داشت این نوع مشکلات در خواندن کوک به علت وجود گره‌هاست. گره‌های آوایی ممکن است باعث شود صحبت کردن خشک، و صدا ضعیف شود.

یک شیوهٔ راحت برای پیدا کردن گره آوازی oo است. اگر یک گره آوازی در صدا باشد نمی‌توان oo را تلفظ کرد. اگر کسی به وجود داشتن گره آوازی در صدایش شک دارد، باید با یک متخصص مشورت کند تا درجهٔ اهمیت آن را تعیین کند.

گره‌های آوایی می‌توانند به دلایل زیر به وجود بیایند. ۱. عدم نفس‌گیری خوب؛ ۲. استفاده از صدا، با بی‌احتیاطی (خواندن بیش از حد، استفادهٔ نادرست از تکنیک‌ها برای رنگ صداهای بخصوص، جیغ زدن هنگام خستگی)؛ ۳. صحبت کردن نادرست، ۴. عملکرد نادرست زبان؛ ۵. استفادهٔ بد از صدا، جیغ زدن، سیگار کشیدن، تمیز کردن مفرط گلو و آواز خواندن بعد از استفاده از الکل.

در طول اولین هفته از کار آواز هنرجو ابداً نباید با معلم صحبت کند و فقط می‌تواند از طریق نوشتن ارتباط برقرار کند. البته من معتقد نیستم که این روش به مدت طولانی و بیش از یک هفته روش خوبی باشد. هنرجویان باید سه یا چهار بار در هفته با معلم کار کنند و در هر بار فقط نیم‌ساعت، تا اینکه مطمئن شوند این تمرینات به طور صحیح انجام می‌شود. تکرار درس‌ها، با از بین رفتن گره‌های صدایی کاهش می‌یابد.

شکل ۷ـ۱۳
گره‌های ایجادشده روی تارهای صوتی

برای تغییر رفتار خودآگاه و ناخودآگاه که باعث ایجاد گره‌های صدایی شده است، هنرجو باید همیشه از چگونگی استفاده از صدایش آگاهی کامل داشته باشد.

قبل از انجام تمرینات اصلاحی دیگر، با جدیت تمرینات نفس‌گیری فصل‌های ۵ و ۶ را انجام دهید. تمرین hook باید قبل از تمرینات لازم برای رفع گره آوازی انجام شود. تمرینات این فصل تحت عنوان «ناهماهنگی‌های زبان» باید با تمریناتی که بعداً توضیح می‌دهیم انجام شود.

هنرجو در محدوده‌های میانی و بم باید یک کوک را برای انجام این تمرینات در صدایش پیدا کند. صدایی که صحبت می‌کنیم و صدایی که آواز می‌خوانیم با یکدیگر در ارتباط‌اند. باید ارتفاع صحیح صدا را در صحبت کردن پیدا کنیم و این امر با انجام دادن

تمرین ning به دست می‌آید. محل صدای ng جایی است که صدا در هنگام صحبت کردن به آنجا هدایت می‌شود ، و هنرجو نباید سعی کند بالاتر و یا پایین‌تر از نقطهٔ مشخص شده صحبت کند.

تمرین Hah-hay-hee-hoh-hoo

هدف

هدف از انجام این تمرین فعال کردن عضلات پایین شکم برای نفس‌گیری بیشتر است.

تمرین ۷ـ۸

Hah-hay-hee-hoh-hoo

شیوهٔ کار

کل این تمرین روی یک نت و ترجیحاً روی محدودهٔ میانی و طبق علامت‌ها خوانده می‌شود. بین هر سیلاب یک نفس گرفته می‌شود. h با عملکرد عضلات شکمی خوانده می‌شود: هنگام تلفظ h عضلات شکم را به داخل بکشید، سپس با بالا نگه داشتن سینه و وارد کردن هوا به شش‌ها بین هر نت عضلات شکم را رها کنید. فک باید از قسمت مفصل تکان بخورد و در حین حرکتش احساس لبخند داخلی وجود داشته باشد.

تمرین ۷ـ۹

Flah-flah

هدف

به خواننده کمک می‌کند تا هماهنگی بین زبان و فک را به دست بیاورد.

شیوهٔ کار

کل این تمرین روی یک نت و ترجیحاً در محدودهٔ میانی و هر بار نیم پرده بالاتر خوانده می‌شود. حرف f با هوا از بین دندان‌های بالا و لب پایین تلفظ می‌شود. زبان و فک باید روی هر صدای fl به عنوان یک عضو حرکت کنند، و زبان باید خیلی نرم و پهن در مقابل دندان‌های پایین قرار بگیرد.

بحث

حالت نرم‌کام در انجام این تمرین بسیار مهم است. نیروی زیادی روی پل بینی و زیر چشم‌ها همراه با لبخند داخلی باید احساس شود. در داخل دهان باید فضای زیادی را احساس کنید طوری که با بالا رفتن نرم‌کام کمان یا قوسی ایجاد شود.

تمرین Kee-kay-kee-kah

این تمرین نرم‌کام را قوی می‌کند.

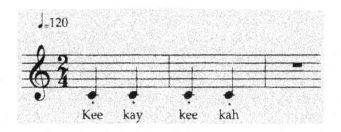

تمرین ۷ ـ ۱۰
Kee-kay-kee-kah

شیوهٔ کار

این تمرین باید کاملاً با یک صدا روی محدودهٔ میانی و روی یک نت، سبک و با یک نفس خوانده شود. روی هر سیلاب، عضلات شکمی را ناگهان بالا و پایین نیاورید، بلکه به طور یکنواخت آن را بکشید. همیشه لبخند داخلی را احساس کنید. این حالت به باز نگه

داشتن پشت حفره‌های دهانی کمک می‌کند. ماسک باید حالت خوبی داشته باشد و بـه صورت پهن باشد نه آنکه به سمت بالا کشیده شود، همچنین به سمت پایین هم نیفتد. فک و زبان نیز باید روی هر k حرکت کنند.

تمرین Mah-mah

هدف

هنرجویان اغلب در خواندن یک متن آوازی، ماسک را هنگام گفتن حرف بی‌صدای m به سمت پایین می‌کشند و لبخند داخلی را از دست می‌دهند. تـمرین ۷ـ۱۱ ایـن اشـتباه را تصحیح می‌کند.

تمرین ۷ـ۱۱
Mah-mah

شیوهٔ کار

تمام تمرین روی یک نت و در محدودهٔ میانی به صورت استاکاتو، چهار یا پنج بار با یک نفس و هر بار نیم پرده بالاتر خوانده می‌شود. برای خواندن m در هر نت لب‌ها به نرمی روی هم قرار می‌گیرند و نیرویی قوی روی پل بینی احساس می‌شود.

در این تمرین احساس تمرکز قوی در لبخند داخلی بسیار مهم است. اگر ماسک قوی باشد و بالشتک‌ها به نرمی به کار گرفته شوند، نرم‌کام بـه راحـتی در ایـن تمرین فـعال می‌شود.

تمرین Hum-ah و Hum-ee

هدف

این تمرین کمک می‌کند که لبخند داخلی را بهتر احساس کنیم.

تمرین ۷ ـ ۱۲

Hum-ee و Hum-ah

شیوهٔ کار

hum-ee را روی یک نت در محدودهٔ میانی و هر بار نیم پرده بالاتر بخوانید. این تمرینات را باید خیلی راحت بخوانید. فک باید شل باشد و در شروع روی h حرکت کند، برای گفتن m باید دوباره بالا بیاید و کمی روی صدای ee حرکت کند. به خاطر لبخند داخلی ماسک باید کاملاً پهن و قوی باشد و بالشتک‌های زیر چشم باید به بالا بروند (نه اینکه کشیده شوند). تمام این اصول در hum-ah نیز به کار می‌رود.

گره‌های آوازی یک شبه از بین نمی‌روند و تا زمانی که گره‌ها از بین نرفته‌اند باید تحت نظر یک متخصص حنجره باشید. تنها با استفادهٔ مکرر از یک تکنیک آوازی خوب واستفاده از تمرین‌های درمانی می‌توانید گره‌ها را از بین ببرید و صدایی آزاد و سالم داشته باشید. تمرینات بالا باعث می‌شود هوا از تارهای صوتی با نفس‌گیری صحیح عبور کند. حالت بدن مخصوصاً از باسن تا نوک سر در زمان صحبت و یا آواز از اهمیت بسیاری برخوردار است.

مشکلات عمومی آواز

تمرینات این فصل همهٔ هماهنگی‌های مورد نیاز برای خواندن را به کار می‌گیرند بنابراین از تمرینات اصلاحی محسوب می‌شود. قبل از اینکه از هر نوع تمرینی برای مشکلات آوازی استفاده کنید تمرینات اولیه (فصل ۵) را که طبیعتاً تمرینات اصلاحی است انجام دهید.

بسیار مهم است که کدام یک از مشکلات هنرجو در اولویت قرار دارد. تأکید زیاد روی ناتوانایی‌های صدا و مشکلات آوازی می‌تواند هنرجو را دلسرد کند، و احساس منفی را دربارهٔ تکنیک‌های صدا در او به وجود آورد. برای هر مشکل خاصی باید تمرینات مربوط به همان در طی یک دوره به هنرجو داده شود. دکتر فرانک میلر می‌گوید:

... از آنجا که بیرون کشیدن نکات ظریف هر متن آوازی غیرممکن است، تشخیص دقیق و مراقبت دقیق از پیشرفت صدای هنرجویان و تغییرات اندک در هر شرایط جـدیدی ضروری است. هنرجو باید آگاه باشد که معلم آواز ممکن است بخواهد برای صدای او تصمیم جدیدی بگیرد و لازم باشد که برای رفتن به مرحله‌ای جدید از یک تـمرین بـه تمرین دیگر و حتی از یک نوع به نوعی دیگر بپردازد.

اگر یک هنرجو به علت سرماخوردگی قادر به خواندن نباشد یا به مدت یک مـاه بـه صدایش استراحت بدهد ــ تمامی خوانندگان باید یک ماه در سال استراحت کنند ــ بـرای شروع دوباره باید از تمرینات زیر استفاده کند. باید توجه شود این تمرینات به آن ترتیبی نیست که قبلاً معرفی کردیم.

Fee-ah-ee-ah و Fah-ee-ah-ee (تمرین ۷ـ۵)

Hum-may و Hum-mah (تمرین ۷ـ۶)

Kee-kay-kee-kah (تمرین ۷ـ۱۰)

Hum-ah و Hum-ee (تمرین ۷ـ۱۲)

Mah-mah (تمرین ۷ـ۱۱)

Kah-kee-koh (تمرین ۷ـ۷)

Ning-ah و Ning-ee (تمرین ۵ـ۴)

Ng (تمرین ۵ـ۵ الف)

Ng (تمرین ۵ـ۵ ب)

فصل ۸

خواندن واکه‌ها ـ همخوانها: تکنیکی جامع برای بیان صحیح

برای ارتباط برقرار کردن به وسیلهٔ زبان باید بیانی عالی داشت. شنوندگان باید معانی و عمق متن‌های آوازی را درک کنند. برای نمونه بسیاری از کارگردانان امریکایی سعی می‌کنند اپراهایشان را به زبان انگلیسی اجرا کنند. من در حدود پنج سال در فستیوال واگنر شرکت کردم و از آن بسیار لذت بردم. فهمیدن آنچه آنها می‌خواندند بسیار هیجان‌انگیز بود. در حقیقت کاملاً مشخص بود که حروف بی‌واک چقدر خوب تلفظ می‌شود. همان طور که می‌دانید زبان آلمانی پر از حروف بی‌صداست. بیان کلمات هرگز نباید قربانی صدا شود، همین طور صدا هم نباید قربانی بیان شود، بلکه هر کدام از آنها باید به دیگری کمک کند. یادگیری صحیح بیان در آواز برای حفظ خط آوازی بسیار مهم است، و فقط یک تکنیک کامل برای هر حرف واک‌دار و بی‌صدا می‌تواند در ایجاد و حفظ آن مؤثر باشد.

تمام حروف صدادار و صدادار مرکب شکل مخصوص به خود را دارند

دکتر فرانک میلر معتقد است که فرم صحیح حرف واکدار نباید پیچیده باشد. مکانیزم صدا یکباره صدا و شکل را ایجاد می‌کند؛ تارهای صوتی و لب‌ها، آواز را شروع می‌کنند و لب‌ها و زبان، آواز خواندن را کامل می‌کنند. فقط هنگامی که شکل حروف واکدار با استفاده از قسمت‌های مخصوص، لب‌ها، حفرهٔ دهانی، ناحیهٔ حلقی بینی، حلقی دهانی و نفس‌گیری تصحیح می‌شود، می‌توان به بهترین وجه صدا را کنترل کرد.

بیان خوب بستگی به شکل صحیح هر کدام از حروف واکدار دارد. هر حرف واکدار جای خود را دارد.

دو حرف ee و oh را انتخاب می‌کنیم. ما نمی‌خواهیم ee صدای oh را بدهد، بلکه فقط هر

دوی آنها را روی یک خط آوازی می‌خواهیم. روی ee باید تمرکز بیشتری کرد، و جای آن جلوتر از بقیهٔ حروف واکدار دیگر است. شکل oh کاملاً متفاوت است و جای آن کـمی عقب‌تر است.

شکل ay به ee خیلی نزدیک‌تر است. برای تلفظ ah قوسی را احساس خواهید کرد که از دندان‌های آسیا از یک طرف به سمت بالای دهان و به سوی دندان‌های آسیا طرف دیگر کشیده می‌شود.

eye باید همانند حروف واکدار تلفظ شود، اگر چه از نظر تکنیکی یک حرف واکدار مرکب است و احساس می‌شود به سقف دهان می‌خورد و جای آن از ah خیلی جلوتر است.

در هنگام تلفظ oh لب‌ها کمی گرد شده، احساس می‌شود و oh مستقیماً به سخت‌کام و نرم‌کام می‌رود. جمع کردن و سفت کردن لب‌ها روی oh یا oo صداها را از جای اصلی آنها بیرون می‌کشد.

جای صحیح aw قسمت عقب دهان است (عقب‌تر از همهٔ حروف واکدار) و با باز کردن کامل گلو و نرم‌کام مانند خمیازه کشیدن شکل می‌گیرد. برای گفتن aw صدا به عقب و بالا روی نرم‌کام می‌رود.

بسیار مهم است که توجه کنید oh، oo و aw نسبت به حـروف واکـدار بـازتر کـمتر از عضلات ماسک استفاده می‌کنند.

یک صوت مرکب، صدایی است که از ترکیب دو صدای پی در پی در همان سیلاب و با حرکات زبان و فک یا لب‌ها ایجاد می‌شود. برای صدای ay زبان در نیمهٔ اول صدا یعنی eh به صورت پهن است و فک در نیمهٔ دوم بالا می‌آید و صدای ee را ایجاد می‌کند. زمانی که یک صوت مرکب را می‌خوانید فشار همیشه روی حروف واکدار اول است. حرف واکدار دوم خیلی سریع تلفظ می‌شود (باید به خاطر داشته باشید که نوک زبان همیشه جلو است و زبان روی ay و ee قوس پیدا می‌کند، اما همان طور پهن باقی می‌ماند). نیمهٔ دوم صوت مرکب ee با بالا آمدن فک انجام می‌شود و فک و زبان با یکدیگر حرکت می‌کنند.

حرف oh در نهایت روی oo می‌لغزد. بنابراین در اینجا از همان اصولی که در حـروف واکدار دیگر به کار گرفته می‌شود استفاده می‌شود. لب‌ها در آخر صدا بـه نـرمی جـمع می‌شوند.

انواع مشکلات حروف صدادار

بسیاری از کلمات دو صدا در یک سیلاب دارند مثل out، کـه بـاید آنـها را بـه صـورت

صوت‌های مرکب در نظر گرفت. لب‌ها برای کامل ادا کردن oh-oot گرد می‌شوند، درست همان طور که فک برای کامل کردن ee در night به طرف بالا حرکت می‌کند. oy در پایان کلمهٔ boy باعث می‌شود لب‌ها به حالت ee قرار بگیرد.

درک دقیق بیان صداها برای خواننده بسیار مهم است و دقیقاً مثل صحبت کردن بسیار طبیعی است، اگر چه در زمان آواز خواندن، حروف واکدار طولانی‌تر از زمان صحبت کردن نگه داشته می‌شوند. بنابراین دانستن شکل و نوع حروف واکدار ضروری است.

حروف واکدار کوتاه مثل eh، ih، a و uh همه در حفرهٔ بینی و سخت‌کام می‌نشینند و هنرجویان باید محل دقیق آنها را با استفاده از عضلات به کار گرفته شده در تمرین preh پیدا کنند (تمرین ۵ـ۶). زمانی که این تمرین را انجام می‌دهید عضلاتِ لب را کاملاً به بالا بکشید. وقتی متون ادبی می‌خوانید، فضاهای ایجادشده در داخل دهان را باید کاملاً احساس کنید (شکل ۵ـ۱۱)، بدون اینکه در ظاهرتان تغییری صورت بگیرد. با این تمرکز حروف واکدار کوتاه می‌توانند با نگه داشتن پهنای ماسک ــ هرگز سعی نکنید که گوشهٔ لب را پهن کنید ــ و باز کردن بیشتر فک در بالاترین وسعت خوانده شوند.

حروف صدادار خنثی مثل il در evil، زمانی که کشیده می‌شوند، باید صدا داشته باشند. il باید مثل ih خوانده شود و حرف واکدارش تا لحظهٔ آخر نگه داشته شود. سپس به فک اجازه بدهید برای صدای کوتاه l بالا بیاید.

هر گاه یک عبارت با حرف واکدار شروع شود باید احساس باز شدن بینی را داشته باشید ــ با یک نفس بسیار آرام حفرهٔ بینی باز می‌شود ــ و به فک اجازه دهید خیلی نرم و سبک از محور خود با یک لبخند داخلی پایین بیاید.

برای تلفظ درست دو کلمه‌ای که اولی با حرف واکدار تمام و دیگری با حرف واکدار شروع می‌شود (مانند the evening)، فک باید روی کلمهٔ دوم به نرمی پایین بیاید؛ هرگز نباید حرف واکدار دوم را از حلق شروع کرد. چه این دو حرف واکدار یکی باشند چه متفاوت، از این اصل استفاده می‌شود.

وقتی که آخر یک کلمه حرف بی‌صدا باشد و کلمهٔ بعد با حرف واکدار شروع شود باید آخرین حرف بی‌صدای کلمهٔ اول را با کمی هوا تلفظ کنیم؛ مثل bright eyes که در هنگام تلفظ t کمی هوا خارج می‌شود و فک به نرمی روی واژهٔ eyes حرکت می‌کند تا به صورت brigh teyes درنیاید. مثال دیگر big eyes است. حرف g نباید به صدای eye وصل شود وگرنه این طور خواهد شد: bigguys. می‌توان با کمی جریان هوا و حرکت فک روی واژهٔ دوم از این مشکل جلوگیری کرد.

وقتی دو حرف بی‌صدای مختلف مثل us not وجود دارد، باید بین s و n مکثی همراه با هوا بکنیم وگرنه به جای آن snot خواهیم گفت. good aim مثال دیگری از همین نمونه است. مکث همراه با هوا از تغییر آن به good dame جلوگیری می‌کند. بسیار مهم است که به خاطر داشته باشید برای جلوگیری از یک شروع حلقی روی ay فک را به نرمی روی حروف واکدار aim پایین بیندازید. let us pray اغلب شنیده می‌شود let us spray که یکی از معمول‌ترین اشتباهات تلفظی است. البته می‌توان آن را با مکث همراه با هوا بین s و p حل کرد. مکث همراه با هوا را می‌توان با استفاده از تمرین zoh با نفس‌گیری کوتاه از بینی ایجاد کرد (تمرین ۶ـ۱۶).

یکی دیگر از اشتباهات رایج که لازم است به طور خاص به آن اشاره شود چگونگی تلفظ I am است. اگر هنگام گفتن I عقب زبان دندان‌های آسیا را لمس کند کلمهٔ دوم yam خواهد بود. برای جلوگیری از این اتفاق باید اولین قسمت صوت مرکب I را خواند و بگذارید که فک سریعاً روی a از am پایین بیفتد. دوباره تمرین ۶ـ۱۶ را انجام دهید. نفس‌گیری به شما در اینجا بسیار کمک خواهد کرد. عضلات پایین شکم روی کلمهٔ am واقعاً درگیر می‌شود. جای کلمهٔ دومی که با حرف واکدار شروع می‌شود باید دقیقاً روی سخت‌کام باشد.

حروف بی‌صدا از حروف صدادار پیروی می‌کنند

وقتی حرف بی‌صدا را صحیح می‌خوانید حرف واکداری هم که به دنبال آن می‌آید، درست خوانده می‌شود. اما اگر آن را نادرست بخوانید، این امر مانع از تلفظ حروف واکدار می‌شود. خواننده باید حرکت‌های ماسک را روی حروف بی‌واک احساس کند. به خاطر داشته باشید برای خواندن حروف بی‌واک همیشه از عضلات hook استفاده کنید؛ زیرا حروف بی‌واک سریع‌تر تلفظ می‌شود و برای خواندن یک عبارت طولانی نفس بیشتری خواهید داشت. نباید هرگز روی حروف بی‌واک فشار وارد کرد. همهٔ حروف بی‌واک با ملایمت اما با استفاده از عضلات hook که به آنها انرژی و شفافیت خاصی می‌دهد، خوانده می‌شوند.

برای مثال اگر m را صحیح نخوانید، لب بالا به سمت پایین کشیده می‌شود و حرف واکدار خارج از فضای رزنانس در بالای سخت‌کام و ناحیهٔ حلقی بینی خوانده می‌شود. لب‌ها روی حروف بی‌واک نباید هرگز فشرده شوند، بلکه باید بسیار شل باشند. برای مثال در کلمهٔ mother لب‌ها باید خیلی نرم روی حرف m به یکدیگر برسند. در تمرینات preh

(تمرین ۵ـ۶) با استفاده از pruh که صدایی شبیه muh ایجاد می‌کند باید فضایی را که در تمرینات preh داشتیم احساس کنید. اگر لب بالا هنگام خواندن m فشرده شود، صدا از ناحیهٔ حلقی بینی بیرون می‌آید. روی حرف m بالشتک‌های زیر چشم به صورت قوی نگه داشته می‌شود و فک از قسمت پهنای ماسک حرکت می‌کند و لب هرگز به سمت پایین کشیده نمی‌شود.

برای تلفظ حرف دوبل m مثلاً در کلمهٔ آلمانی Himmel، لب‌ها باید طوری روی هم قرار بگیرند که گویی صدایی را زمزمه می‌کنند. لب‌ها باید به حد کافی آزاد باشند نه فشرده، حرف دوبل m باید طولانی‌تر از یک حرف n خوانده شود.

حرف k همیشه باید با نفس‌گیری همراه باشد در غیر این صورت در دو قطعهٔ غضروف حنجره که تارهای صوتی روی آن می‌چسبند مشکل به وجود می‌آورد. در تمرین Haw-k (۶ـ۱) برای گفتن k هوا را احساس می‌کنید، همچنین باید در نرم‌کام قوس وجود داشته باشد.

وقتی حرف b را می‌گوییم، خیلی عادی لب بالا را پایین می‌کشیم، وقتی b را می‌خوانیم باید هوایی در زیر لب بالا که شل است احساس شود و لب کمی به سمت بالا کشیده شود؛ شل بودن لب این احساس را به وجود می‌آورد که گویی صدا به طرف ناحیهٔ حلقی بینی یا سخت‌کام و نرم‌کام بالا می‌رود. وقتی b با لب بالا به سمت پایین کشیده می‌شود کیفیت صدای خود را از دست می‌دهید.

همهٔ آنچه گفته شد در مورد p و m نیز صدق می‌کند. وقتی که حرف بی‌صدا لب بالا را به سمت پایین می‌کشد یا فشار می‌دهد و حرف واکدار (مثل ah در part) به دنبال آن می‌آید، صدای ah مانند aw خوانده می‌شود. اگر حرف بی‌صدا نادرست خوانده شود لب بالا شکل حرف واکداری را که پس از آن می‌آید تغییر می‌دهد؛ بنابراین حرف واکدار صدای اصلی خود را نخواهد داشت. وقتی گوشهٔ لب‌ها پهن می‌شود صدای ah شفاف می‌گردد. برای اینکه مطمئن شوید b یا p یا m را صحیح تلفظ می‌کنید، کمی لب بالا را به سمت بالا ببرید و هوا را در زیر دندان‌هایتان حس کنید.

حرف l می‌تواند مشکل‌ساز باشد. روی حرف l زبان و فک همیشه باید با همدیگر حرکت کنند و نوک زبان باید پهن و به نرمی در پشت دندان‌های جلوی پایین قرار بگیرد. حرف l تقریباً نیم سانتی‌متر عقب‌تر از نوک زبان پشت دندان‌های جلوی بالا را لمس می‌کند. و مفصل فک بسیار شل است و با زبان حرکت می‌کند.

اگر فک پایین قرار بگیرد و زبان بالا برود، یک کشش در ریشهٔ عضلات زبان به وجود

می‌آید که می‌توان آن را با دست درست در زیر استخوان فک، کمی جلوتر از مفصل فک احساس کرد. در حالی که فک پایین افتاده و با خواندن lah, lah, lah می‌توانید این کشیدگی عضلات زبان را احساس کنید. وقتی فک و زبان با همدیگر حرکت می‌کنند، هیچ کششی در گلو ایجاد نمی‌شود و کیفیت صدا بسیار بهتر از وقتی است که زبان بالا و فک پایین است.

در یک واژهٔ آلمانی مثل Liebe (عشق) حرف l خوانده می‌شود برای اینکه بدون سفت کردن گلو آن را بخوانید باید نوک زبان پهن باشد، و در حین خواندن l بلرزد. هرگز نباید در هنگام خواندن l زبان جمع یا فشرده شود.

اگر کلمه‌ای با l تمام شود، همان طوری که گفتن آن را تمام می‌کنید فک نیز باید بالا بیاید وگرنه آزاد کردن صدا بسیار مشکل می‌شود. در l دوبل، واژهٔ ایتالیایی مثل bella (زیبا) زبان و فک باید با همدیگر بالا بیاند. نوک زبان باید پهن و نرم باقی بماند و فک و زبان با هم حرکت کنند. حرف d نیز دقیقاً مثل l خوانده می‌شود.

وقتی واژه‌ای با فاصلهٔ بالا رونده به طور مثال در I Love، خوانده می‌شود، اولین حرف بی‌واک کلمهٔ دوم (l) روی نت بم‌تر می‌باشد و بقیهٔ واژه (ove) روی نت زیرتر قرار می‌گیرد. در هنگام اجرا فک را سریع حرکت دهید و سعی نکنید l را روی نت زیرتر بخوانید. اگر فاصله‌ها را دقیق بخوانید و فک به، سرعت حرکت کند صدا نمی‌لغزد. روی حرف t نوک زبان باید پهن و نرم باشد و همیشه باید با کمی هوا آن را تلفظ کرد. علاوه بر این، همان اصولی که در خواندن l و d به کار می‌رود در اینجا نیز استفاده می‌شود. باز هم به اهمیت وجود هوا برای درست تلفظ شدن t تأکید می‌کنم.

حرف g در بسیاری از مواقع با عقب زبان ادا می‌شود. حرف g هرگز نباید خیلی عقب‌تر از اولین دندان آسیا بالا باشد. زبان پهن است. نوک زبان باید به نرمی در مقابل دندان‌های پایین جلو قرار بگیرد. پشت زبان قوس پیدا می‌کند و سقف دهان را لمس می‌کند.

حرف zکمی عقب‌تر از مرکز، اما روی سخت‌کام و در جلوی اولین دندان آسیا بالا تلفظ می‌شود.

دو حرف f و v اگر صحیح تلفظ شوند حروف بی‌واکی بسیار خوبی برای همراهی حروف واک‌دارند. برای تلفظ این دو حرف بی‌صدا دندان‌ها بسیار نرم روی لب پایین قرار می‌گیرد.

دو حرف f و v به تثبیت لبخند داخلی بسیار کمک می‌کنند. که ما دربارهٔ آن در این کتاب بسیار صحبت کرده‌ایم. در هر دو حرف بی‌صدا لب پایین به حالت طبیعی است. هرگز لب

پایین را برای فرم دادن به آنها گاز نگیرید و فشار ندهید، و آنها را همیشه با ملایمت بیان کنید. هنگام تلفظ f در واژهٔ fine هوا جریان دارد. در حرف v ویبراسیون کمی را روی لب‌ها در مقابل دندان‌ها احساس می‌کنید.

اگر کلمه‌ای با r تمام شود، مثل کلمهٔ her، باید همیشه به huh فکر کنید و فقط نوک زبان کمی به عقب برگردد. در تلفظ r همیشه نوک زبان به عقب برمی‌گردد، حتی اگر مانع آن شویم. در کلمه‌ای مثل world که r قبل از حرف بی‌صداست هنرجو باید به تمرین pruh فکر کند و r را کاملاً حذف کند، و به wuh فکر کند. در earth نیز فکر کنید که می‌خواهید بگویید uhth مثل تمرین pruh.

نوک زبان برای ادای th در this و think پهن است و زبان بین دندان‌ها قرار می‌گیرد، در صورتی که اگر حروف بی‌واک را حذف کنیم و نخوانیم تلفظ کلمه واضح نخواهد بود. حروف بی‌صدا باید به اندازهٔ کافی کشیده شوند تا شنونده آنها را بفهمد. خصوصاً این در مورد حروف بی‌صدای آغاز کلمات بسیار مهم است. بنابراین حروف بی‌صدا در نشاندن حروف صدادار در جای صحیح یا ادای درست حروف واکداری که آنها را دنبال می‌کنند مؤثرند. در کلماتی که باید با احساس خوانده شود نیز حروف واکدار بسیار مهم است و کشش یک حرف بی‌صدا نیز می‌تواند احساسات لازم را به رنگ صدا بدهد. (باید به خاطر داشته باشید که اگر کلمه‌ای با حرف بی‌صدا شروع شود معمولاً باید قبل از ضرب آن را خواند تا حرف واکدار روی ضرب بیفتد در غیر این صورت خواندن به نظر بی‌انرژی و کسالت‌آور می‌آید.)

بعضی از حروف بی‌واک اگر درست خوانده نشوند انگار با تأکید بیشتری بیان می‌شوند. بنابراین باید آنها را در مدت زمان کمتری خواند.

تمریناتی برای تمایز حروف واکدار

الف [a.o.i.o.e]

[a   o   i   o   e]

تمرین ۱

تمرین ۲

تمرین ۳

تمرین ۴

۱. دو تمرین بالا را با سرعت معمول صحبت کردن به صورت لگاتو تلفظ کنید. بگذارید لب‌ها و فک به طور طبیعی و بدون هیچ اغراقی حرکت کنند.

۲. برای نگه داشتن فرم لب‌ها، فک، زبان یا دهان نباید هیچ تلاشی شود.

۳. برای متمایز ساختن حروف واکدار نباید به حرکت یا شکل دادن بیش از حـد دهـان متوسل شد.

۴. همان‌گونه که حروف صدادار بیان می‌شوند به حرکت دهان توجه کنید.

۵. سرعت خود را افزایش دهید به طوری که حروف صدادار به سرعت تلفظ شوند، اما از جویده شدن و تغییر حروف خودداری کنید. حروف باید با هر سرعتی به طور کامل اداشوند.

۶. تمرینات زیر را با سرعت‌های آهسته و تند و با توجه کامل به نکات بالا اجرا کنید.

ب [i.o.a.o.e]

تمرین ۵

تمرین ۶

تمرین ۷

تمرین ۸

تمرین ۹

تمرین ۱۰

حروف بی‌صدای باکشش ـ واک‌دار

L ـ نوک زبان باید پهن و نرم و در مقابل دندان‌های جلو پایین باشد.

M ـ لب‌ها نرم و کمی لرزش دارند، عضلات ماسک باید قوی باشد و به طرف پایین کشیده نشود.

N ـ نوک زبان بسیار نرم در مقابل دندان‌های جلو بالا قرار می‌گیرد، زبان را فشار ندهید.

NG ـ زبان به صورت قوس در مقابل سخت‌کام احساس می‌شود.

R ـ امریکایی‌ها برای r زبان را از قسمت جلوی اولین دندان آسیا قوس می‌دهند و نوک زبان به طرف جلو می‌آید. اما انگلیسی‌ها r را طوری تلفظ می‌کنند که نوک زبان در مقابل برآمدگی لثهٔ بالا حرکت می‌کند.

Th (that) ـ نوک نرم زبان بین دندان قرار می‌گیرد.

V ـ دندان‌ها روی لب پایین فشار نمی‌آورند اما کمی لرزش ایجاد می‌شود.

W ـ لب‌ها در حالت oo قرار می‌گیرد نه سفت و نه بسته.

Z ـ جریان هوا از میان دندان‌های جلویی صورت می‌گیرد.

حروف بی‌صدای باکشش ـ بی‌واک

F ـ دندان‌ها به آرامی پهنای لب پایین را حس می‌کنند و لب به صورت طبیعی پهن می‌شود.

H ـ نباید اجازه داد که هوای زیادی خارج شود.

S (C=S) ـ هوا از میان دندان‌های جلویی جریان می‌یابد.

SS ـ هوا از میان دندان‌های جلویی جریان می‌یابد.

th (through) ـ نوک زبان بین دندان‌های جلو قرار می‌گیرد اما نه پشت لب‌ها.

اگر درست فهمیده باشید باید هوا را در حروف بی‌صدای بالا با استفاده از کششی که در عضلات hook و نفس‌گیری ایجاد می‌کنید بشنوید.

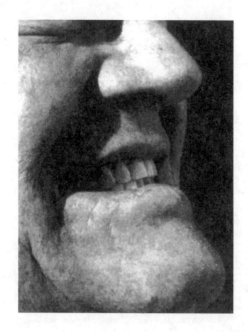

شکل ۸ـ۱
برای تلفظ واضح حرف s یا z دندان‌های جلو روی هم قرار می‌گیرند.

حروف بی‌صدا با کشش کمتر - واک‌دار

B ـــ هـوا بـایـد زیـر لـب بـالا احسـاس شـود. لـب نـبـایـد بـه پـایـین کشـیـده شـود امـا باید به نرمی آن را احساس کرد.

D ـــ نوک نرم زبان در پشت دندان‌های جلوی بالا قرار می‌گیرد.

G ـــ نباید عقب‌تر از اولین دندان آسیا آن را احساس کرد.

J ـــ به توضیحات g و d نگاه کنید.

K ـــ از نرم‌کام استفاده می‌شود.

حروف بی‌صدا با کشش کمتر ـ بی واک

C ـــ (K=C)

CH ـــ جریان هوا از بین دندان‌ها صورت می‌گیرد.

P ـــ جریان هوا باید زیر لب بالا احساس شود اما لب نباید فشرده شود.

(KW=Qu) ــ Q

T ــ بعد از آن باید جریانی از هوا احساس شود.

(KS=X)X

تمرین Lah-bay-dah-may-nee-poh-too

هدف

این تمرین را که از سیلاب‌هایی با ترکیب حروف واکدار و بی‌صدا استفاده می‌کند، اولین بار معلمان ایتالیایی استفاده کردند، این تمرین پلی بین متون آوازی و اصوات محسوب می‌شود.

تمرین ۸ ـ۱

Lah-bay-dah-may-nee-poh-too

شیوهٔ کار

هر بار نیم پرده بالاتر از قبل بخوانید، فک و زبان باید به عنوان یک عضو حرکت کنند.

فصل ۹

فراگیری خواندن متون آوازی

اگر یک خواننده بتواند اصول و تکنیکی را که یاد گرفته در آواز خواندن به طور صحیح استفاده کند به موفقیت بزرگی دست یافته است. با استفاده از تمرینات این کتاب می‌توانید متون آوازی را به بهترین شکل روی یک خط آوازی بخوانید.

خواننده باید خیلی زود، خواندن یک متن ادبی را در درس‌هایش شروع کند. باید توجه داشت که متن ادبی را از محدودهٔ میانی صدا شروع کنید یعنی قبل از اینکه آن را به محدوده‌های زیر یا بم‌تر برسانید، زیرا محدودهٔ میانی از نظر تکنیکی مطمئن‌تر است. موزیک باید بسیار روان باشد زیرا خواننده هنوز در خواندن و بالا کشیدن عضلات و برگرداندن آنها به پایین و لبخند داخلی ضعیف است.

به نظر من برای تعلیم یک مبتدی بهتر است از قطعات ادبی کلاسیک ایتالیا استفاده کنید. هر هنرجوی آواز کلاسیک لازم است غیر از زبان خودش حداقل با دو زبان دیگر نیز آشنا باشد که احساس لازم را موقع خواندن داشته باشد. دانستن یک زبان خارجی ــ در حد صحبت کردن یا نوشتن ــ در آواز خواندن بسیار ارزشمند است، و برای کنسرت یا اپرا ضروری است.

بعد از اینکه متن را ترجمه کردید و ترجمهٔ هر قطعه را در بالای آن نوشتید باید بتوانید هر کلمه را درست تلفظ کنید و آن را با ریتم بخوانید.

بعد از اینکه متن را کاملاً یاد گرفتید و قادر بودید آن را خیلی راحت به زبان اصلی بخوانید (با ترجمه‌اش در ذهن)، باید تنها روی موزیک و خط ملودیک آن کار کنید. پس از اینکه ملودی را نیز یاد گرفتید، می‌توانید متن را به همراه موسیقی آن بخوانید. در این هنگام است که معلم آواز می‌تواند اصول تکنیکی را به هنرجو یاد بدهد، تا به کمک آنها بتواند متن را با موسیقی ترکیب کند و در نتیجه آواز را به بهترین شکل اجرا کند. اگر

هنرجو در ابتدا تکنیک نادرست را در آواز خواندن یاد بگیرد به سختی مـی توانـد آن را برطرف کند. همچنین هنرجو باید تکنیک‌های صحیح آریا را در شروع کاملاً یاد بگیرد.

نقش معلمان آواز و نمایش

معلم آواز از ابتدای آموزش باید به هنرجو در تلفظ زبان کمک کند، مخصوصاً اگر هنرجو هیچ آشنایی‌ای با آن زبان نداشته باشد. زمانی که او به حد کافی با تکنیک‌ها آشنا شـد، باید با یک مربی آواز (همراه معلم آواز) شروع به کار کند، مربی‌ای که بتواند در زبان‌ها و انتخاب قطعات آوازی مناسب بر اساس جنس، وسعت و توانایی‌های صدایش به او کمک کند.

تعیین توانایی‌های خواننده به عهدهٔ معلم و مربی آواز است، اهداف و آرزوهـای یک خواننده ممکن است در آن زمان از حد توانایی‌هایش بیشتر باشد. اگر هنرجو می‌خواهد در آواز پیشرفت کند نباید سعی کند از محدودیتش فراتر رود. صدا با سرعت خودش و به مرور زمان جا می‌افتد؛ هنرجو باید بگذارد که صدا هر جا که دوست دارد بـرود و سـعی نکند با فشار آن را به جایی که خود او می‌خواهد ببرد. خواننده نباید در مقابل مقدار پولی که به او پیشنهاد می‌شود وسوسه و تسلیم شود و نقش‌های آوازی‌ای را بپذیرد که برای او مناسب نیست.

زمانی که خواننده تخصص خود را در قطعات ادبی آوازی تغییر می‌دهد ــ برای مثال از اسپینتو لیریک (توسکا، آیدا و غیره) به سوپرانو دراماتیک (واگنر و غیره) ــ باید حتماً آن را زیر نظر معلمی انجام بدهد که صدا را می‌شناسد و مـی‌توانـد هـنرجـویان را بـا دقت راهنمایی کند، و حداقل دو یا سه بار در هفته با همدیگر کار کنند تا اینکه مطالب جدید را یاد بگیرد.

معلم همچنین به خواننده یاد می‌دهد که چطور قطعات را اجرا کند و چطور احساساتش را متناسب با یک قطعه بازگو کند، اگرچه این امر کاملاً قابل تعلیم نـیست. فـرانک مـیلر می‌گوید: «هیچ تعلیمی هر چند بسیار عالی و قابل تـحسین، نـمی‌توانـد بـهتر از تـقلید نتیجه‌بخش باشد.»

اجرا زمانی خلاق و هنری است که فقط با خود صدا انجام شود. بسیار مهم است که خواننده فقط یک تکنیک داشته باشد. تا مربی بتواند توانایی خواننده را برای بیان آهـنگ و اجـرای آواز، گسترش دهد. تکنیک خوانندگی بد، در نهایت باعث می‌شود خواننده بیشتر از نقایص کار خود آگاهی یابد تا اینکه بتواند آن قطعه را به شیوه‌ای بخواند که مؤثر باشد.

به عنوان آخرین قدم برای دستیابی به هنر صدا، بهتر است که با یک معلم تئاتر کار کنید. من زمانی که اولین نقشم (Santuzza در *Cavalleria Rusticana*) را یاد گرفتم، هنوز نمی‌توانستم همهٔ آنچه را احساس می‌کنم به خوبی انجام دهم. سپس در مدرسهٔ تئاتر استانیسلاوسکی[1] ثبت نام کردم و روی نقشم با یک معلم تئاتر کار کردم. تازه در آن زمان بود که آن نقش زنده شد. وقتی که نقش ایزولده را در تریستان و ایزولده[2] یاد گرفتم تحت تعلیم دینو یانوپولوس[3] از شرکت اپرای متروپولیتن بودم. به محض اینکه نقشم را تمام کردم، بُعد جدیدی به صدای من افزوده شد. وقتی در کالیفرنیا یک گروه اپرا در دانشکدهٔ ردلندز[4] داشتم، همین مسائل برای تک تک هنرجویان اتفاق می‌افتاد؛ بعد از تمرین نمایش صدای همهٔ آنها به نظر عمیق‌تر و بامعناتر می‌شد.

تا زمانی که یک قطعه را کاملاً حفظ نکرده‌اید یا از نظر موسیقایی و آواز به خوبی آن را آماده نکرده‌اید به تمرینات خود ادامه دهید. اگر خواننده آماده نباشد نمی‌تواند خط آوازی را به طور صحیح اجرا کند.

اول تکنیک، سپس بیان

پس از اینکه تکنیک صحیح به صورت بخشی از آواز درآمد، اصلاح نهایی آواز یا آریا صورت می‌گیرد.

قسمت نهایی اصلاح آواز یا آریا فقط زمانی پایان می‌گیرد که تکنیک صحیح بخشی از آن شود. اصلاح کردن همراه با جمله‌بندی و رنگ صدا انجام می‌شود (فصل ۱۰). اما جمله‌بندی و رنگ‌آمیزی و یادگیری اجرای با مهارت آنها مستلزم مطالعات پیشرفته‌تر در تکنیک صداست و نباید در اولین مراحل یادگیری تعلیمات تکنیکی انجام شود.

پیشرفت طبیعی در تکنیک صدای خواننده سرانجام به معلم اجازه می‌دهد که بفهمد چه موقع هنرجو برای آموزش جملات و رنگ صدا آماده است. مهم‌ترین امر، در هنگام اضافه کردن ابعاد جدید به خواندن، دانستن متن و ترجمهٔ آن به طور کامل می‌باشد، که باید با تمرین و خواندن متن و با استفاده از تکنیک‌هایی که به شکل دادن هر واژه در خط موسیقایی کمک می‌کند همراه شود.

---

1. stanislavsky
2. *Tristan und Isolde*
3. Dino yanopoulous
4. Redlands

خواندن لگاتو (legato)

وقتی هماهنگی خط موسیقایی در کلمات خط آوازی ایجاد شد، هنرجـو مـی‌توانـد بـه راحتی خط آوازی را کنترل کند و جمله‌بندی و رنگ را جهت انتقال پیام به آن اضافه کند. لگاتوی زیبا خواندن در افزایش مهارت آوازی بسیار مؤثر است ـ این یکی از مهم‌ترین ویژگی‌های یک آواز خوب است. لگاتو یک واژهٔ ایتالیایی، و به معنای «به هم پیوسته» است. ما باید بتوانیم حروف واکدار متوالی را به هم وصل کنیم تا صـدا را از یک حـرف واکدار به حرف دیگر وصل کنیم. تلفظ نادرست هر حرف بی‌صدا بر لگاتو تأثیر می‌گذارد و حروف واکدار خوب بیان نمی‌شود و متن به سختی فهمیده می‌شود. لگاتوی خوب در آواز نفس را حفظ می‌کند و در اجرا برای خوانـنده و شـنونده لذت و هـیجان بـه هـمراه می‌آورد.

فصل ۱۰

تکنیک‌های اجرایی آزموده‌شده

برای یک اجرای خوب خواننده باید توجه کند که چگونه تا حد ممکن فرم بدنش را قبل از هر نوع اجرایی، حفظ کند. خواننده قبل از اجرا باید استراحت کند ولی مواظب باشد که به خواب نرود، ساکت باشد و از هر مکالمهٔ غیرضروری خودداری کند، بدین منظور بهتر است نامه یا کتاب بخواند، تا ذهنش را از اجرای موسیقی دور کند.

وقتی یک خواننده به مرحله‌ای می‌رسد که برنامه اجرا کند، باید به نخستین تأثیری که هنگام رفتن به روی صحنه بر جای می‌گذارد، توجه داشته باشد.

اول از همه بدن باید کاملاً صاف باشد، بازوها باید خیلی شل در دو طرف آویزان باشد و هرگز نباید بیش از اندازه حرکت کند یا در طرفین بدن بسیار سفت نگه داشته شود. خواننده باید احساس کند که سر دارد بدن را حمل می‌کند و با اعتماد به نفس قدم بردارد. و قدم‌هایش را قدرت ببخشد و با اطمینان کامل روی صحنه بیاید.

وقتی کف زدن شروع شد، باید سرش را به نرمی به طرف تماشاچیان برگرداند و به آنها لبخند بزند. هرگز نباید سر را به طرف آنها بچرخاند، و تا به گوشهٔ پیانو نرسیده نباید تعظیم کند. تعظیم کردن بستگی به مدت کف زدن دارد، استقبال زیاد تعظیم‌های بیشتری را به همراه دارد. صرف نظر از مدت کف‌زدن‌ها، هنرجو باید همیشه پس از اینکه به پیانو رسید تعظیم کند.

خواننده باید در زمان تعظیم احساس فروتنی کند، اول چشم‌ها را به پایین بیندازد، بعد پیشانی را پایین بیاورد، سپس سر را خم کند. گردن باید کمی به صورت قوس خم شود و شانه‌ها نیز به دنبال آن، سپس کمر خم می‌شود. این کار را با شتاب انجام ندهید، زمانی که به عقب برمی‌گردید، ابتدا قسمت عقب کمر، گردن و سپس سر بالا می‌آید. چشم‌ها و سر نباید در ابتدا بالا بیایند، زیرا این حالت فرم بدی را به بدن می‌دهد.

بعد از تمام شدن آواز گروهی یا آریا، ابتدا خواننده تعظیم می‌کند و سپس برمی‌گردد و از اکومپانیست با لبخند قدردانی می‌کند. سپس اکمپانیست می‌ایستد و دستش را روی پیانو می‌گذارد و تعظیم می‌کند، دقیقاً به همان شیوه‌ای که خواننده انجام داد. سپس خواننده به طرف تماشاچیان برمی‌گردد و دوباره خم می‌شود. اگر خواننده مرد است و اکمپانیست خانم، خواننده اکمپانیست را برای خروج از صحنه همراهی می‌کند، و قبل از خروج خوانندهٔ مرد قدمی به عقب برمی‌دارد و اکمپانیست از جلوی او عبور می‌کند، بعد با هم صحنه را ترک می‌کنند.

خواننده در بدو ورود باید یک حرکت غیررسمی انجام دهد؛ مثلاً قطعات آوازی‌اش را اعلام کند. هنگام صحبت کردن، مثل وقتی که آواز می‌خواند، صدایش باید با نفس حمایت شود.

یک اکمپانیست هیچ وقت بدون اینکه بداند خواننده آماده هست یا خیر کار را شروع نمی‌کند. راه‌های مختلفی برای علامت دادن وجود دارد. من ترجیح می‌دهم که خواننده به پایین نگاه کند و سپس چشم‌ها و سرش را بالا ببرد و برای شروع علامت بدهد تا اینکه اکمپانیست سرش را تکان بدهد.

بعد از اینکه هر قطعه خوانده شد خواننده و اکمپانیست باید حالت آواز یا آریا را نگه دارند تا زمانی که اکمپانیست پایش را از روی پدال بردارد و دیگر هیچ صدایی از پیانو بیرون نیاید.

هنگامی که در مقابل تماشاچیان ایستاده‌اید به تماشاچیان ردیف آخر نگاه کنید و سرتان را تراز نگه دارید. به سمت بالکن نگاه نکنید زیرا تماشاچیانی که در طبقهٔ اول هستند فقط سفیدی چشم شما را می‌بینند. اگر تماشاچیان در یک محیط دایره‌مانندی هستند، سر خواننده باید به طرف مرکز نگه داشته شود و کمی به سمت چپ و راست برگردد، اگر سرش را زیاد به اطراف بچرخاند تماشاچیانی که در کنار او هستند نمی‌توانند او را کامل ببینند.

خواننده نباید روی صحنه عینک بزند، برای اینکه روی شیشه‌های عینک نور منعکس می‌شود و این ارتباط تماشاچیان را با چشمان خواننده قطع می‌کند؛ چشم‌ها باید پرمعنی باشد و به حالت آواز کمک کند. از پشت عینک درخشندگی چشم‌ها دیده نمی‌شود. برقرار کردن ارتباط با تماشاچیان مهم‌ترین مساله است.

ترس ناگهانی روی صحنه

همان طور که قبلاً هم گفته شده آواز خواندن یک کار ورزشی است. می‌توان بر ترس از صحنه غلبه کرد، اما اشتیاق و هیجان امری ضروری است زیرا بدون آن اجرایی کسل‌کننده خواهید داشت. برای اجرا هنرمندان باید اشتیاق کافی داشته باشند تا آدرنالین بیشتری در بدنشان جریان یابد. این امر باعث گشایش «مویرگ‌های مغز» می‌شود و در نتیجه خون بیشتری در آنها جریان می‌یابد و به کار آنها کمک می‌کند. اشتیاق در خواننده باید به حدی باشد که به کارش کمک کند نه اینکه او را از صحنه بترساند. توجه داشته باشید که آن را با ترس از روی صحنه اشتباه نگیرید.

سه امر موجب ترس از صحنه می‌شود: آماده نبودن از نظر موسیقایی، مطمئن نبودن از صدا و آواز، و خودبینی. اگر در یک رسیتال از نظر موسیقایی حتی به یک قطعه اعتماد ندارید، آن عدم اطمینان باعث عصبی شدن در کل برنامه می‌شود، بنابراین بهتر است آن قطعه از برنامه حذف شود. برنامهٔ رسیتال باید از حفظ انجام شود و به مدت نیم‌سال یا ترجیحاً یک سال باید روی آن کار کرده باشید.

اگر در یک اجرای موسیقی از نظر صدا به قطعه‌ای اطمینان ندارید، بهتر است آن قطعه حذف شود. خواننده باید قبل از اجرا در کل از صدای خود مطمئن باشد. البته این بدان معنی نیست که تا زمان عالی شدن صدا منتظر بماند. یک خواننده باید همیشه بعد از کنسرت احساس خوبی داشته باشد نه اینکه احساس کند بد اجرا کرده است. به همین دلیل است که اجراهای کوتاه یک رسیتال که فقط شامل چند آهنگ است بخش مهمی از پیشرفت یک خواننده محسوب می‌شود.

خودبینی چیست؟ خواننده به آنچه تماشاچیان در بیرون از محیط نمایش دربارهٔ او فکر می‌کنند می‌اندیشد و در نتیجه عصبی می‌شود. ذهن باید روی پیام آواز، حالت، موسیقی و ارتباط آنها با هم تمرکز کند. قبل از هر اجرایی، خواننده باید خود را از نظر موسیقایی و صدا آماده کند.

خوانندگان هرگز نباید قطعاتی را انتخاب کنند که خارج از توانایی آنهاست. اغلب خوانندگان جوان، آوازی را برای آریا انتخاب می‌کنند که خارج از توانایی صدای آنان است و این برای صدای آنها اصلاً مناسب نیست. زیرا قطعه خوب اجرا نخواهد شد و این باعث عصبی شدن خوانندهٔ جوان می‌گردد.

کلمات دارای قدرت فراوانی‌اند، به همین دلیل نباید از جملاتی مانند «من می‌ترسم اشتباه کنم و غیره» استفاده کرد. زیرا اگر هم بتوانید کار خوبی را ارائه دهید باز آن ترس و

ذهنیت در شما و اطرافیانتان وجود خواهد داشت. ترس مسری است؛ اگر نزدیک یکی از اعضای گروه هستید که دست‌هایش را به هم می‌فشارد و قبل از اجرا مدام راه می‌رود از او دور شوید. صادقانه می‌گویم که من هرگز قبل از اجرا احساس ترس نمی‌کنم. این بدان معنا نیست که قلب من تندتر از زمان عادی نمی‌زند، بلکه همین طور است، اما با انجام تمرین نفس‌گیری با گردش بازو در پشت صحنه سعی می‌کنم طپش قلبم را آرام کنم و انرژی‌ام را متمرکز کنم.

زمانی که در دبیرستان بودم به پدرم گفتم: «می‌ترسم در برنامهٔ فرداشب چیزی را فراموش کنم». و او از من پرسید: «آیا موسیقی را خوب بلدی؟» گفتم: «بله، مطمئنم.» بعد پرسید: «چه کسی به تو صدا داده؟» و من پاسخ دادم: «خدا.» سپس گفت: «پس قبل از اینکه روی صحنه بروی با خدا نیایش کن، و از او به خاطر استعدادی که به تو داده تشکر کن. به سادگی از او تقاضا کن که تو کانال ارتباطی بین او و شنوندگان باشی و با خواندنت بتوانی آنها را سرشار از لذت کنی و به آنها آرامش بدهی. سپس برای خشنودی او بخوان نه برای خودت.» و این کاری است که من در تمام مدت خوانندگی‌ام انجام دادم، حتی زمانی که در سالن رویال آلبرت لندن برای خواندن با ارکستر فیلارمونیک روی سن قدم گذاشتم.

بدون یک تکنیک خوب، اجرای خوب وجود نخواهد داشت

زمانی که یک خواننده، تکنیک‌های توضیح‌داده شده در این کتاب را کاملاً فراگرفت قادر به تحقق بخشیدن به اصول اولیه خواهد بود و می‌تواند به آسانی در زمان آواز خواندن آن اصول را به کار ببرد. سپس هنر رنگ‌آمیزی و جمله‌بندی متن آوازی را نیز می‌تواند به آسانی یاد بگیرد. به منظور آماده کردن متن با تأثیر بیشتر و بیان حالت پرمعنی‌تر خواننده باید با ذکاوت فراوان قطعهٔ موسیقی را رنگ‌آمیزی و جمله‌بندی کند تا بتواند موضوع و حالت قطعه را به شنونده منتقل کند. خواننده‌ای که قسمت عمدهٔ تکنیک‌های این کتاب را به خوبی فراگرفته باشد قادر به اجرای تمامی رنگ‌های آوازی خواهد بود.

رنگ‌های آوازی صداهایی هستند که با باز شدن و ترکیب فضاهای رزنانسی مختلف و برای ایجاد یک احساس یا تأثیر مثل عشق، تنفر، طعنه، یا داستان‌سرایی به وجود می‌آیند. وقتی آهنگسازی متنی را با دقت تنظیم می‌کند، از رنگ‌های آوازی مختلفی که می‌خواهد در هنگام اجرا به کار گرفته شود و همچنین از قدرت و محدودیت صدایی انسان آگاه است.

برای مثال واژهٔ bella در ایتالیایی به معنای زیباست. و واژهٔ schrecklich در آلمانی به معنای زشت است این دو واژه در معنا متضادند و اگر طوری خوانده شوند که معنی دیگری را در بر داشته باشند یا اصلاً معنایی نداشته باشند کاملاً مشخص است که خواننده معنای متن را نمی‌داند. دانستن معنای واقعی واژه و استفاده از رنگ‌آمیزی مناسب از عوامل مؤثر در اجرای درست آوازند.

چگونه رنگ صدا را به دست بیاوریم

یک مثال ادبی خوب که احتیاج به رنگ‌آمیزی دارد شاه‌دیو[1] اثر شوبرت است. در این آواز چهار شخصیت وجود دارد: راوی، بچه، پدر و مرگ. و خواننده باید هر بخش را با رنگ مناسب آن بخواند.

صدای گوینده باید کاملاً متعادل باشد. صدا باید درهمهٔ حفرهٔ دهان احساس شود و در قسمت جلویی متمرکز باشد، فضای عقبی نیز باید کاملاً باز باشد.

برای تقلید صدای بچه باید از تمام صدا و فضای دهان و نیز سخت‌کام و نرم‌کام استفاده کرد. به عنوان مثال بچه در آهنگ شاه‌دیو لبریز از ترس است. در آغاز صدا باید با هوا همراه باشد که با قطع کردن رزنانسی که در صدا و هنگام تمرکز احساس می‌شود می‌توان آن را انجام داد.

خواننده هنگام اجرای نقش پدر باید بتواند نگرانی را در صدایش نشان دهد و این امر با افزایش شدت در صدا که رنگ صدا را تغییر می‌دهد به وجود می‌آید. پاسخ پدر به سؤالات بچهٔ هراسان باید اطمینان‌بخش، و صدایش گرم و تیره باشد. این امر با باز کردن کامل فضاهای عقبی و حفرهٔ دهانی به دست می‌آید که باعث ایجاد رزنانس در سینه می‌شود، و متن آوازی درست در قسمت جلوی دهان خوانده می‌شود. شوبرت این قطعه را در محدوده‌های بم صدا نوشته تا بتواند این رنگ‌ها را به دست بیاورد. یک آهنگساز خوب می‌داند که در چه محدوده‌هایی باید قطعه را بنویسد تا این رنگ‌ها در بیان متن آوازی ایجاد شود.

صدای بعدی، یک صدای اغواکننده است که به مرگ تعلق دارد. او روی محدودهٔ زیرتر می‌رود و آواز را با صدایی که از سر می‌آید و در قسمت جلوی دهان است، با فضای باز زیر ماسک، نه در پشت آن ، می‌خواند.

---

1. *Der Erlkoning*

صدای بعدی صدای بچه است. صدایی که با ترس و گریه هـمراه است. و بـا رزنـانس صدای بچگانه در ناحیهٔ حلقی بینی ایجاد می‌شود (بدون اینکه فضاهای عقبی باز شود). در این صدا هوا وجود ندارد و بیش از اولین بار روی آن تمرکز می‌شود.

پدر با صدای ملتمسانه پاسخ می‌دهد و در این حالت از فضاهای عقبی و جلوی دهان استفاده می‌کند. صدا باید در محدودهٔ زیرتری از دفعهٔ اول خوانده شود.

سپس مرگ صحبت می‌کند و با استفاده از صدای سر سعی می‌کند بچه را با یک لالایی بسیار زیبا بفریبد. او آن را در محدودهٔ بالاتری می‌خواند تا سوز بیشتری در صدا ایجاد شود. فضاهای عقب دهان هنوز باز است تا گرمی خاصی را به صدا بدهد. زمانی که بچه دوباره صحبت می‌کند، او هنوز روی کوک بالاتر است. کوک بالا اجازه می‌دهد رنگ صدا تغییر کند و لحن آن کمی شدید شود. سپس پدر جواب می‌دهد اما با صدایی گرم و روی کوک پایین‌تر.

به دنبال آن، مرگ با صدایی بسیار تهدیدآمیز، که درست از ناحیهٔ حـلقی بـینی است، صحبت می‌کند. این باعث می‌شود فضاهای عقب کاملاً بسته شود، و صدا تودماغی گردد. بعد بچه دوباره در یک کوک بالاتر صحبت می‌کند و بر سر پدرش جیغ می‌کشد. همهٔ این صداها از قسمت جلو خوانده می‌شود اما برای ایجاد تأثیر دراماتیک از فـضای عـقب استفاده می‌شود. صدای پدر بعد از این می‌لرزد و روی کلمهٔ آلمانی grausets (لرزیـدن) تأکید می‌شود.

کاملاً واضح است که چطور محدوده‌های مختلف بـه کـار گـرفته‌شده مـی‌تواننـد بـه خوانندگان در ایجاد رنگ‌های مورد نظر آهنگساز کمک کند.

تغییر سرعت در موسیقی همچنین می‌تواند در ایجاد رنگ‌ها مؤثر باشد. زمانی که پدر مضطرب است سرعت تند می‌شود و همهٔ صداها از قسمت جلو خوانده می‌شود و در نتیجه رنگ صدای متفاوتی ایجاد می‌شود. در پایان آواز اندوه پدر، با صدایی کـاملاً بـاز و در محدودهٔ بم بیان می‌شود.

برای بیان احساسات، صدا نباید در قسمت سر قرار بگیرد. احسـاسات زیـاد اجـرا را خراب می‌کند ــ چقدر زود من این درس را یاد گرفتم. مـن آواز شـاه‌دیو را در رسیتال کوچکی در دانشکده اجرا کردم. در آن زمان خیلی احساساتی بودم. خط آخر، یعنی این جملهٔ das Kind war tot (بچه مرد) را که می‌خواندم، اشک‌هایم روی گونه‌هایم جاری شده بود و عملاً هیچ صدایی از گلوی من بیرون نمی‌آمد.

خواندن قطعات هنری از بسیاری جهات مشکل‌تر از تکنیک و رنگ‌آمیزی مورد نیاز

در خواندن اپراست. اغلب آنچه سه ساعت در اپرا اتفاق می‌افتد باید در سه دقیقه در قطعات هنری انجام شود. معمولاً تشخیص قهرمان داستان و نقش منفی داستان در آواز بسیار مشکل است، بنابراین از جمله‌بندی، رنگ‌آمیزی صدا و دینامیک استفاده می‌کنیم تا شخصیت‌ها و ویژگی‌های آنها هر چه قوی‌تر و واقعی به نظر برسد. معمولاً رنگ‌های صدا ویژگی افراد را مشخص می‌کند. و باید بدانید که حرفه‌ای شدن در هنر رنگ‌آمیزی، تزئین و جمله‌بندی، بدون مطالعه و تکمیل کردن اصول اولیهٔ توضیح داده شده در بخش‌های قبلی بسیار مشکل است.

رنگ صدای گرم یا عاشقانه

در آریای «آوه ماریا»[1] در اپرای اتلو اثر وردی[2] دزدمونا زانو زده است و نیایش می‌کند. آریا در محدودهٔ بم با یک رسیتاتیف شروع می‌شود. رسیتاتیف نوعی صحبت کردن روی یک کوک است که با بیانی صریح و واضح از قسمت جلو دهان خوانده می‌شود. اما فضاهای عقبی دهان باز می‌باشد و با یک احساس قوی در قفسهٔ سینه حمایت می‌شود. این رسیتاتیفِ بخصوص محبت را بیان می‌کند. به همین دلیل فضاهای عقبی باید باز باشد.

همان طور که رسیتاتیف در این آریا پیش می‌رود، و از ´E بمل به ``C در محدودهٔ زیر می‌رود، احساس تمرکز از روی دندان‌های پایین (وسعت پایین) به سر (وسعت میانی) حرکت می‌کند. فضاهای عقبی باز باقی می‌ماند، سپس نرم‌کام به حالت کمانی در می‌آید، لبخند داخلی نیز وجود دارد. همان طور که به واژهٔ Prega نزدیک می‌شوید ماسک روی نت بم وارد عمل می‌شود تا برای خواندن نت C آماده باشد، آریا در محدودهٔ زیر و بسیار سبک خوانده می‌شود، که در نقطهٔ مقابل صدایی است که با احساس خوانده می‌شود. صدای زیر با رفتن به عقب و بالا روی نرم‌کام و با این احساس که در سر درست در بالای نرم‌کام و سخت‌کام ایجاد طنین می‌کند، خوانده می‌شود. گویی صدا به سمت بالاتر و به طرف جمجمه می‌رود و بدون استفاده از دهان و سینه در اطراف آن می‌چرخد. می‌توان گفت این صدا صدایی خالص و فرشته‌وار است. نفس‌گیری باید بسیار قوی باشد مثل نفسی که برای فورتیسیمو (ff) گرفته می‌شود.

در پایان آریا کلمهٔ Ave نیز با صدای زیر خوانده می‌شود و از لابمل به لابمل اکتاو بعدی بالا می‌رود. A روی نت پایینی خوانده می‌شود و V نیز روی همان نت خوانده می‌شود. ولی eh

1. Ave Maria
2. Verdi

روی نت زیر خوانده می‌شود. اگر حرف بی‌صدای v را روی فاصلهٔ پایین و e را روی نت زیرتر یا روی فاصلهٔ بالا با فکی که حرکت می‌کند بخوانیم این فاصله راحت خوانده می‌شود.

The Pants Role

pants role را سال‌های پیش آهنگسازانی مانند روسینی[1] و بلینی[2] و دونیزتی[3] استفاده می‌کردند. و بیشتر توسط زن‌هایی که نقش مردان را در اپرا ایفا می‌کردند خوانده می‌شد.

از صدای متزو (mezzo) معمولاً برای این نقش استفاده می‌شد و از رنگ‌های صدای دینامیک‌تر برای مردان استفاده می‌شد. پارتیتور آوازی برای این خوانندگان با نت‌های تزئینی همراه بود، بنابراین بسیار مهم است که این تکنیک آوازی بسیار خوب فرا گرفته شود تا بتوان آن تزئینات را به راحتی اجرا کرد.

جهش سریع نت‌ها، تریل‌ها، گزش‌ها، گروپتوها (قلاب فوقانی یا تحتانی)، پرتومنتوها، عبارات مستقل، همچنین نقش‌های اپرایی این دورهٔ تاریخی باید به راحتی، سبکی و باشور و هیجان و جدیت اجرا شود، خصوصاً در مورد نقش pants role. وقتی نرم‌کام قوی است ماسک و فک در حالت تعادل هستند. از لب بالایی که استفاده می‌شود نفس‌گیری صحیح صورت می‌گیرد. و این تزئینات به راحتی اجرا می‌شود. رنگ صدا در pants role تیره است و هنوز تمرکز در صدا موج می‌زند (تمرکزی بیشتر از آنکه یک صدای زنانه باید عادی داشته باشد). و این رنگ با خواندن از بین دندان‌ها و حفره‌های بینی و احساس قوی از جناغ سینه به دست می‌آید.

«لالایی» از آوازها و رقص‌های مردگان **اثر موسورگسکی**[4]

در این آواز سه شخصیت وجود دارد که توسط یک خواننده خوانده می‌شود. مانند شخصیتهای شاه‌دیو اثر شوبرت، هر کدام از این سه شخصیت باید یک فرق مشخص در کیفیت صدا داشته باشند یعنی تفاوت در رنگ صدا. خواننده باید دقیقاً تفاوت رنگ صداها را تشخیص بدهد تا بتواند این نقش‌ها را به دنبال هم اجرا کند. با استفاده از تکنیک و جمله‌بندی خط آوازی تفاوت‌های ظریف و مشخص در شخصیت‌های این سه نقش به راحتی خوانده می‌شود.

---

1. Rossini
2. Bellini
3. Donizetti
4. Mussorgsky

راوی داستان، مرگ و مادر سه شخصیت آن هستند. راوی حکایت مبارزه بین مادر و بچهٔ مرده را بازگو می‌کند. راوی داستان باید حالت صداهای مختلف را بیان کند و بدین منظور باید قسمت جلو و فضاهای عقب دهان را به کار بگیرد، البته گفتگوها را با صدای آواز طبیعی بیان کند. باید توجه داشت رنگ صدا باید گرم و جاری و آزاد و بی‌طرفانه باشد.

نقش مرگ باید با صدایی بم خوانده شود و رنگ صدا باید تیره‌تر از رنگ صدای راوی داستان باشد. این صداها نباید از سینه خوانده شود اما رنگ صدا باید با استفاده از گلوی باز و پهن ایجاد شود. آهنگ را نباید در محدودهٔ زیر خواند اما باید سایهٔ تاریکی در تمام صدا باشد و آواز با قدرت و عمق خوانده شود، که این مستلزم یک حمایت قوی از جناغ سینه، حفره‌های دهانی کاملاً باز و عضلات جلویی و عقبیِ در حالت تعادل است.

حالت مادر تقریباً عصبی و همراه با تنفر است. صدای او باید به طرف جلو و در حفره‌های بینی بنشیند. صدا باید تیز و مرتعش، عصبی و با فعالیت زیاد و تشویش همراه باشد. و این کار صرفاً با استفاده از حفره‌های بینی انجام می‌شود. صدای مادر همیشه باید آمادهٔ حمله باشد و متن آواز با شتاب و اضطراب هر چه بیشتر خوانده شود، بر خلاف شخصیت با ثبات و حاکی از اطمینان مرگ.

اجرای چنین آوازی با این تغییر و رنگ صدا و شدت درجهٔ خواندن بسیار مشکل است. خواننده‌ای که بخواهد سه شخصیت مختلف را بخواند باید در تکنیک‌های بسیار پیشرفته مهارت داشته باشد و صدایش بسیار انعطاف‌پذیر باشد.

زنان ـ عشق و زندگی **اثر شومان**

رنگ صدای دیگری که باید به آن اشاره شود این است که یک زن بالغ مثل دختر شانزده ساله بخواند، همانند زنان ـ عشق و زندگی[1] اثر شومان.

این سیکل آوازی با صدای یک زن جوانِ بسیار ساده شروع می‌شود. صدا باید همراه با نفس باشد که این به معنای قطع رزنانس است. در آواز دوم، رزنانس کمی بیشتر می‌شود و همان طور که سیکل آوازی ادامه پیدا می‌کند و بچه به دنیا می‌آید پختگی در رنگ صدای زن به وجود می‌آید که با استفاده از فضاهای رزنانس‌های پرتر شروع می‌شود. در پایان سیکل آوازی ، جایی که شوهرش را از دست داده، صدای زن جاافتاده‌تر می‌شود، و در

---

1. Frauen - Liebe und Leben

آخرین آوازکه در اکتاو بم‌تر صدا نوشته شده است خواننده باید صدا را به ناحیهٔ حلقی بینی و دهانی هدایت کند و از رزنانس‌های سینه استفاده کند. این سیکل آوازی به وضوح مثالی از تغییر رنگ صداست.

چیزی که شما را به یک خوانندهٔ خوب تبدیل می‌کند این است که چگونه در حالت‌های مختلف رنگ‌های بخصوص را به صدایتان بدهید.

ویژگی نقش‌ها

امپراتور در میکادو اثر گیلبرت[1] و سالیوان[2]

امپراتور یک شخصیت متکبر و شیطانی دارد و چیزهای بسیار پست و رذیلانه‌ای را می‌خواند. خواننده به منظور توصیف کردن صحیح شخصیت باید از تکنیک بخصوصی که به خط آواز تم شیطانی و ظالمانه‌ای می‌دهد استفاده کند. برای انجام این کار باید صدا را به قسمت جلوی صورت بالای سخت‌کام و نرم‌کام هدایت کرد. با انجام تمرین mee-oh (تمرین ۶ـ۳۲) و تمرین preh (تمرین ۵ـ۶) عضلات داخلی و عضلات بالابرندهٔ لب بالایی و حفرهٔ بینی فعال می‌شود. سپس صدا در این فضاها می‌نشیند و یک حالت شیطانی ایجاد می‌کند. همان طور که یک متن آوازی خوانده می‌شود، مجموعه‌ای از صداهای سینه، تودماغی، و صداهای ترکیبی استفاده می‌شود تا شخصیت واقعی جلوه کند و تأثیرگذار باشد.

هر چقدر بخواهیم یک شخصیت را زشت‌تر نشان دهیم صدا باید جلوتر بنشیند تا جایی که کاملاً تودماغی باشد. هر قدر صدا جلوتر باشد از فضاهای عقب دهان برای ارتعاشات و رزنانس‌ها کمتر استفاده می‌شود، و به جای آن از حفره‌های بینی استفاده می‌شود. هیچ چیز در گلو نباید احساس شود. وقتی تمامی اصول اولیه انجام شد استفاده از صدای بینی می‌تواند بسیار مؤثر باشد، بدون اینکه از نظر فیزیکی برای مکانیزم صدا مضر باشد.

زن جادوگر در نمایش هانسل و گرتل اثر هامپردینک

جادوگر یکی دیگر از شخصیت‌های شیطانی است و باید همان طور مجسم شود. صداهای گزنده و سرد و شیطانی که توسط این شخصیت خوانده می‌شود، باید کاملاً در قسمت

---

1. Gilbert   2. Sullivan

جلوی سر و در حفره‌های بینی قرار بگیرد. در تمام مدت اجرای این نقش لب‌های بالا باید به سمت بالا کشیده شود.

ماسک باید قوی باشد اما لبخند داخلی و نرم‌کام به هیچ وجه نباید در تمام مدت اجرای این نقش فعال شوند و قطعاً هیچ فضای عقبی نیز وجود نخواهد داشت، صدا زیر است و به استخوان‌های سخت‌کام و در قسمت بالا به دیوارهٔ بینی برخورد می‌کند.

Belting

belting عبارت است از رنگ صدای موسیقایی که در بسیاری از شیوه‌های آواز غیرکلاسیک استفاده می‌شود. در حین یادگیری باید با تمرکز صدا را به ناحیهٔ حلقی بینی هدایت کنیم. اگر نرم‌کام به کار گرفته شود صدای واقعی belting ایجاد نمی‌شود و از آنجایی که نرم‌کام به کار گرفته نمی‌شود صدا تودماغی است.

بعضی از تکنیک‌هایی که سابق برای تعلیم belting آموزش داده می‌شد نادرست بود، اما بقیه دقیقاً با آنچه من می‌گویم یکی است. بسیار مهم است که هر خواننده امروز یاد بگیرد چگونه belting صحیح را انجام دهد، زیرا اگر به طور صحیح انجام شود کل صدا تقویت و پرقدرت می‌شود. به همان اندازه که به تکنیک خوانندگان کلاسیک اهمیت می‌دهیم این تکنیک را هم باید مورد توجه قرار دهیم.

در تمام این سال‌ها من تکنیک belting را در کلاس‌هایم به خوانندگان کلاسیک آموزش داده‌ام، اما چندین سال پیش این شانس را داشتم که با یک خواننده که تعلیم آواز کلاسیک ندیده بود و تمامی صدایش از قسمت سینه بود، کار کنم. او خوانندهٔ اصلی یک کوارتت ملی بود که به طور زنده اجرا و ضبط می‌شد. در آن کنسرت او نمی‌توانست چهار نت را در محدودهٔ میانی صدایش بخواند. پس از آن شروع به تمرین کرد و خیلی زود سلامتی صدایش را به دست آورد.

سه سال بعد، او می‌خواست به دانشکده برگردد و مدرکش را در موسیقی بگیرد. بدین منظور باید دوباره تعلیم آواز می‌دید. این دفعهٔ اول بود که می‌خواستم به یک belter (خواننده‌ای که belting می‌خواند) یاد بدهم چگونه قطعات ادبی آواز کلاسیک را بخواند، و این واقعاً کار سختی بود! او در یکی از رسیتال‌هایش ابتدا یک آواز به سبک belting و سپس یک آریا از هندل خواند. شنیدن صدایش در هر دو سبک بسیار دلنشین بود، و این دلیلی دیگر برای ارزش این تکنیک است.

هر خواننده‌ای با هر سبکی (کلاسیک، کمدی، پاپ و راک و...) اگر belting را درست یاد

گرفته باشد می‌تواند آن را به خوبی اجرا کند. اما بدون در نظر گرفتن اینکه به چه سبکی می‌خواند تکنیک آواز کلاسیک باید به خوبی تثبیت شود. وقتی این تکنیک تثبیت شد می‌توانید شاخه‌های مختلف را انتخاب کنید. اگر شخصی قبل از یادگیری مقدمات آواز کلاسیک belting را شروع کند ممکن است هم در اصول مقدماتی آواز کلاسیک و هم belting صدایش آسیب ببیند. اما اگر ابتدا مقدمات آواز کلاسیک را فرا گیرد، احتمال خطر آسیب به صدا کمتر می‌شود و می‌تواند بعداً هر دو نوع را دنبال کند. بهتر است صبور باشید.

خوانندگی خوب در رزنانس و نفس‌گیری خوب است. تنها فرق بین آواز کلاسیک، belt، بلوز[1] یا هر سبک دیگر جای صداست. belting صدای خام سینه نیست. صدای خام سینه تغییرات دینامیک یا واریاسیون رنگ‌های صدا را روی یک نت مشکل می‌کند. زمانی که شخصی روی محدودهٔ بم به طور صحیح می‌خواند نسبت به زمانی که در محدودهٔ زیر می‌خواند، صدا بیشتر در سینه است. صدای بم باید با حفره‌های رزنانسی صدای زیر ترکیب شود. ولی باید توجه داشت که همیشه حداقل ده درصد از صدا، صدای سر باشد. belting تمرکز بیشتر و نفس‌گیری کاملی را از قسمت پایینی شکم می‌طلبد، احساسی که همهٔ خوانندگان باید داشته باشند.

در هنگام شروع کار روی صدای belting خواننده باید روی تمرینات مقدماتی کار کند (فصل ۵). یک خواننده قطعاً باید مطمئن باشد که تمام عضلات تنفسی برای belting آماده است.

دومین چیزی که باید در نظر گرفته شود جهتی است که صدا باید به آن هدایت شود تا رنگ belting به دست آید. در belting صدا بیشتر تودماغی است تا در کلاسیک، و جای آن با تمرین mee-oh-ee-oh (تمرین ۶ـ۳۲) پیدا می‌شود، که احساس رزنانس را در حفرهٔ بینی بیشتر می‌کند و این نکته در صدای belting از اهمیت بسیاری برخوردار است زیرا این تمرین به باز شدن فضای عقب کمک می‌کند. و این حقیقتاً برای تعادل صدای belting بسیار عالی است.

همیشه باید به خاطر داشته باشید که belting مستلزم تمرکز بسیار بالا در رزنانس است. تمریناتی که در افزایش تمرکز مؤثرند عبارت‌اند از:

---

۱. Blues، یکی از آوازهای سیاهپوستان آمریکا که حالت اندوه و حزن درونی آنها را به خوبی بیان می‌کند و در این آواز برای خلق فضای غم‌انگیز و حزن‌آور از نت‌ها یا اصوات سوم بمل و یا هفتم که حالات گرفته دارند استفاده می‌شود (فرهنگ تفسیری موسیقی، بهروز وجدانی). ــ م.

ning-ee (تمرین ۵ـ۴)، ng (۵ الف، ب و ج) و preh (تمرین ۵ـ۶)، که این تمرینات حفرهٔ بینی را باز می‌کند، و به حروف واکدار کوتاه رزنانس می‌دهد؛ که در نتیجه صدایی متمرکز در belting ایجاد می‌شود. برای بهترین صدای belting نیاز به حروف واکداری دارید کـه کاملاً جلو در ناحیهٔ سخت‌کام بنشینند نه در قسمت نرم‌کام. تمام تمرینات زیر را با تمرکز انجام دهید.

Nee-oh (تمرین ۶ـ۲۳)

Nee-oh-ay-ah-eye (تمرین ۶ـ۲۴)

Ning-ah و Ning-ee (تمرین ۶ـ۲۵)

Nee-ah و Nee (تمرین ۶ـ۲۶)

Nee-ah-ee-ah-ee-ah-ee (تمرین ۶ـ۲۹ الف)

Nah و Nee (تمرین ۶ـ۲۹ ب ۱)

Nee-ah-ee-ah-ee (تمرین ۶ـ۲۹ ب ۲)

Ming-ming-mee-may-mee (تمرین ۶ـ۳۱ الف)

Me-mee-mee (تمرین ۶ـ۳۱ ب)

Lah-bay-dah-may-nee-poh-too (تمرین ۸ـ۱)

زمانی که هنرجو شروع به یادگیری belt می‌کند، نباید سعی کند صدای بزرگی ایجاد کند. هرگز به صدا فشار وارد نیاورید! اجازه دهید که به صورت طبیعی رشد کند. زیرا خواننده برخورد صدا را به ناحیهٔ سخت‌کام کاملاً احساس می‌کند در شروع احتمالاً مـمکن است نتیجه، یک صدای ناخوشایند مثل جیغ باشد. با تمرین مداوم و دقیق خواننده از فضاهای حلقی بینی و سخت‌کام که به ایجاد صدای belting کمک می‌کند آگاهی می‌یابد و قدرت صدا افزایش می‌یابد.

فصل ۱۱

تکنیک‌ها و تمریناتی برای اجراهای دینامیکی و کرال مهیج

خواندن در گروه کر برای خواننده، شنونده و رهبر، تجربهٔ بسیار بزرگی است. بسیار مهم است که بدانیم چطور در کر یک صدای بخصوصی را برای اهداف دینامیک و دراماتیک و پراحساس به دست بیاوریم. اولین قدم به سوی این هدف همیشه یک شناخت اولیـه از ساز آوازی و اصول ایجاد صداست. رهبر کر در برابر سلامتی صدای افراد گروه مسئول است و باید مشوق عادات خوب آوازی در گروه باشد.

به خاطر داشته باشید که رهبر باید علاوه بر تکنیک، احساس شادی را نیز در افراد کر نگه دارد و این تمام آن چیزی است که در تمرین نمایش‌های کرال باید وجود داشته باشد. بسیار مهم است که شور و شوق در تمرینات نمایشی وجود داشته باشد. رهبر نباید فقط روی نت‌ها و ریتم‌ها کار کند، وجود شور و شوق نیـز در تـمرینات نـمایشی از اهمیت بسیاری برخوردار است.

گرم کردن صدا لازم و ضروری است

یکی از هدف‌های گرم کردن صدا این است که اعضای کر از نظر ذهنی آماده باشند. خیلی مهم است که شخصیت خواننده را حفظ کنیم. رهبر هیچ وقت نباید با توهین صداهـای ضعیف را مسخره کند زیرا اشتباهاتی که یکی از اعضای کر می‌کند به خاطر ندانستن است نه بی‌دقتی.

این نکته نیز مهم است که اعضای کر از لحاظ بدنی سرزنده و سالم باشند. گرم کردن صدا امری ضروری است. در مراحل گرم کردن اولین قسمت‌هایی که باید در نظر گرفته شـود عضلات بزرگ بدن است، یعنی ناحیهٔ شکم، تنه و شش‌ها که در جریان خون در تمام بدن مؤثرند. بعد از گرم کردن کلی بدن باید صدا را گرم کنید. بدین منظور تـمرینات آوایـی را

انجام دهید تا عضلات ریز کنترل‌کنندهٔ تارهای صوتی و عضلات حفره‌های بینی و ناحیهٔ حلقی گرم شود. همان طور که یک پیانیست و یا نوازندهٔ ویولن انگشتانش را قبل از اجرا گرم می‌کند، خوانندگان هم باید صدا و بدنشان را گرم کنند. نتیجهٔ مستقیم استفاده از تکنیک‌هایی برای گرم کردن صدا و بدن، کری است با تحمل بیشتر و کیفیت صدای بهتر.

تمرین آسیاب بادی

ابتدا باید افراد گروه را از هم جدا کنید، البته اگر فضای اتاق اجازه دهد، طوری که قادر باشند مرتباً دست‌هایشان را به صورت دایره در جلوی بدنشان بچرخانند. زانوها باید همیشه قابل انعطاف باشد و بدن به راحتی از قسمت کمر خم شود. هر خواننده باید یکی از دست‌هایش را در جهت عقربه‌های ساعت و به سمت بالای سر بچرخاند طوری که یک دایرهٔ کامل را ایجاد کند، و با هر چرخش دست، عمل دم و بازدم را انجام دهد. این کار را برای هر دست شش بار انجام دهید. باید به خاطر داشته باشید، همان طور که عمل دم را انجام می‌دهید، از بینی نفس بگیرید و از دهان آن را خارج کنید. زمانی که این تمرین تمام شد بدن احساس بسیار سبکی می‌کند زیرا عمل گردش خون در تمام بدن سریع انجام می‌شود.

تمرین عروسک پارچه‌ای

دومین تمرینی که مایلم انجام دهم « عروسک پارچه‌ای» است. در این تمرین به راحتی بدن از کمر به جلو خم می‌شود. زانوها را خم کنید، اگر امکان دارد نوک انگشتان باید کف زمین را لمس کند، سر و گردن را نباید سفت نگه دارید، باید احساس کنید که ستون فقرات از هم باز می‌شود، در این حالت کمر باید به راحتی قابل انعطاف باشد. سپس یک نفس عمیق از بینی بکشید طوری که احساس کنید قفسهٔ سینه در عقب باز می‌شود، سپس بدن باید به راحتی بالا بیاید. نفس را همچنان نگه دارید و پس از اینکه به حالت ایستاده برگشتید نفس را خیلی آسان بیرون بدهید و اجازه دهید عضلات شکم در عمل بازدم به داخل برود. سینه باید فراخ باقی بماند، هرگز سعی نکنید خودتان سینه را بالا نگه دارید، سینه باید به صورت طبیعی فراخ و بالا باشد.

تمرین شانه‌ها

تمرین بعدی به کشش در عقب شانه‌ها و پشت گردن می‌پردازد. شانه‌ها باید بالا و به سمت

گوش برده شوند و سپس بیفتند. این تمرین سه بار و خیلی راحت انجام می‌شود. بعد از انجام این تمرین باید با شانه‌های فراخ بایستید و سر را سه بار در جهت عقربه‌های ساعت بچرخانید. بعد از یک توقف کوتاه، سه مرتبه آن را خلاف جهت عقربه‌های ساعت بچرخانید. شانه‌ها باید پهن و فراخ و پشت گردن باید بسیار صاف باشد. خوانندگانی که شانه‌های افتاده‌ای دارند باید به تمرینات فصل ۴ مراجعه کنند.

تمرین تنه

در اولین تمرین برای گرم کردن تنه، دست‌ها باید روی کمر قرار گیرد، بدن باید به نرمی از کمر به جلو خم شود. سپس باید زانوها خم شود و بالاتنه در ابتدا به چپ و سپس به راست بچرخد. این تمرین را باید دو بار انجام دهید و در حین تمرین همیشه بدن باید از کمر بچرخد. در طی این تمرین سر و گردن باید خیلی راحت باشد.

خواننده باید دوباره صاف بایستد و یکی از دست‌هایش را تا حد ممکن به طرف بالا بلند کند و بکشد و به نوبت بازوها را عوض کند. سپس به حالت عروسک پارچه‌ای قرار گیرد و زمانی که خم می‌شود نفس‌گیری کند. بدن را باید به آسانی بالا آورد و نفسی را که در حالت عروسک پارچه‌ای گرفته شده است نگه داشت. عمل بازدم را باید با کشیدن قسمت پایین شکم به داخل انجام دهید و هوا را از بین لب‌ها به بیرون بدمید. سپس شکم باید به حالت آزاد در بیاید، سینه را بالا نگه دارید و اجازه دهید نفس وارد بدن شود.

بسیار مهم است که با اعضای کر راجع به آنچه من به آن تنظیم بدن یا حالت بدن می‌گویم صحبت کنید.

اولین چیزی که باید بر آن تأکید کرد این است که دنبالچه باید به زیر کشیده شود. انجام این کار زانوها را باز می‌کند و باعث نرم شدن و مانع خم و سفت شدن آنها می‌شود. وقتی استخوان دنبالچه در زیر قرار می‌گیرد لگن خاصره هم به همان حالت جمع می‌شود و این باعث می‌شود که قسمت پایین‌تر شکم احساس متفاوتی از زمانی که دنبالچه در بیرون و زانوها قفل شده است، داشته باشد. اگر زانوها قفل یا سفت شود تمام لگن خاصره را در یک حالت متفاوت قرار می‌دهد، و آن قسمت با دنبالچهٔ بیرون هرگز قابل انعطاف نخواهد بود.

برای تنظیم صحیح بدن (شکل ۴ ـ ۱ الف و ب) هر عضو کر باید ستون فقرات را بکشد، دنبالچه در زیر و سینه فراخ در جلو قرار بگیرد، و حس کنید که سر بدن را حمل می‌کند. حالا تمرین hook را چهار یا پنج مرتبه زمزمه کنید (فصل ۵) و بگذارید قسمت پایینی شکم در هنگام گفتن k به بیرون بزند.

لبخند داخلی

از تمامی اعضای گروه بخواهید که دهانشان را ببندند، اما نه دندان‌هایشان، مثل اینکه دارند به شخصی در اتاق لبخند می‌زنند، اما نباید لبخند آنها دیده شود. (شکل ۵ـ۱ الف و ب). من گروه‌های کری را دیده‌ام که رهبر به آنها می‌گوید: حالا لبخند، لبخند، لبخند بزنید. و آنها از بیرون، از گوشه‌های دهانشان لبخند می‌زنند. این تمرین ادا و اصولی بیش نیست و کاملاً نادرست است. با این عمل گروه کر صدای واضحی خواهد داشت. اما هـرگز نتِ آوایی گرمی از صدای آنها بیرون نخواهد آمد.

حقیقت این است که وقتی روی لبخند داخلی کار می‌کنید واقعاً احساس می‌کنید اتفاقی در ماسک می‌افتد، عضلات زیر چشم فعال می‌شوند و احساسی شبیه خمیازه داشتن به شما دست می‌دهد.

تمرینات آوایی

hee-ah از اولین تمرینات آوایی (تمرین ۵ـ۱) است و موجب می‌شود که فوراً نفس وارد صدا شود. خوانندگان در شروع باید آن را چهار یا پنج بار بخوانند و به تدریج، دفعات آن را روی یک نفس بیشتر کنند. ولی نه آن قدر که سینه بیفتد، همچنین باید بگذارند شکـم بتدریج به سمت داخل برود. سینه بـاید ثـابت بـاقی بمـاند. بـرخـی از خـوانـندگان، خوش‌شانس کُر که در هنگام خواندن سینه‌هایشان بالا می‌آید، که در واقع بـاید چـنین باشد. بعضی از سینه‌ها بسیار ضعیف است و حتی حرکت نمی‌کند. باید به خاطر داشت که سینه نباید در حین انجام این تمرینات پایین بیفتد؛ هر بار باید نیم پرده بالا برود، و حتی شاید سه یا چهار نیم پرده. سپس گروه کر باید تمرین بعدی را انجام دهد. برای داشتن یک گروه «کر خوشحال» پیشنهاد می‌کنم که با تمرینات hee-ah یک مسابقه ترتیب دهیـد و ببینید چه کسی می‌تواند مدت طولانی تری آن را ادامه دهد (فقط برای تفریح).

قبل از اینکه تمرین‌های k را شروع کنید، اعضای کر باید با یک آهی که قـابل شـنیدن باشد بگویند kah، گفتن kah به این صورت، به طور اتوماتیک حالت صحیح نرمکـام را تنظیم می‌کند.

تمرینات بعدی برای گروه کر تمرینات k است (تمرینات ۵ـ۲، ۶ـ۳، ۶ـ۴، ۶ـ۵). k بـه طور اتوماتیک نرمکام را فعال می‌کند و به آن قدرت می‌دهد و انعطاف پذیری آن را بیشتر می‌کند. اعضای کر باید احتیاط کنند که هرگز با قسمت عقب نرمکام آواز نـخوانـند. مـا همیشه فراموش می‌کنیم که باید آواز را با قسمت جلو بخوانیم.

تمرین بعدی Flah-flah-ning-ah (تمرین ۶ـ۱۱) است. گروه کر باید در محدودهٔ میانی، تریاد[1] دو را به صورت هم‌صدایی[2] شروع کند. در تمرینات باید چهار یا پنج نیم‌پرده را بالا رفت و دوباره به عقب برگشت.

در این تمرین رهبر باید مطمئن باشد که فک و زبان خوانندگان با هم حرکت می‌کنند. بعضی از رهبران صدا را با lah-lah-lah-lah-lah گرم می‌کنند که بدین شیوه فک سفت و بی‌حرکت می‌شود و فقط زبان فعال است. می‌دانم که رهبر می‌خواهد زبان خیلی شل و سبک باشد، اما به نظر من به دست آوردن چنین شلی‌ای با این تمرین برای صدا فاجعه است زیرا وقتی فک اجازه ندارد حرکت کند زبان بالا و در مقابل دندان‌های جلویی بالا قرار می‌گیرد و کششی در بیرون، درون گلو و در ریشهٔ زبان ایجاد می‌شود. اگر فک حرکت نکند، عضلات زبان در گلو به سمت پایین می‌رود، هنگامی که فک پایین است و زبان بالا، در آن کشیدگی ایجاد می‌شود. (ابداً هیچ کشیدگی در آن قسمت نباید ایجاد شود. به هر حال فک و زبان باید همیشه با هم حرکت کنند.)

سپس خوانندگان باید دست‌هایشان را روی کمر قرار دهند و با بینی نفسی کوتاه و عمیقی بکشند. گویی از طریق بینی و خیلی راحت دارند نفس می‌کشند. در هر نفس‌گیری با بینی عضلات پایینی شکم باید به بیرون بپرد ـــ اما نه اینکه با فشار بیرون بیاد. سپس باید تمرین zoh را با نفس‌گیری عمیق از بینی (تمرین ۶ـ۱۶) بخوانید.[3]

اعضای گروه کر باید احساس کنند که قسمت پایینی شکم باز می‌شود طوری که هوا به طور صحیح وارد شش‌ها شود نه اینکه به قسمت بالای سینه برود. گروه کر ابتدا باید تمرین ۶ـ۱۷ و سپس تمرین ۶ـ۱۸ را بخواند، و ریتم بسیار قوی‌ای را احساس کنند.

تمرین بعدی Zay-luh-zah-luh (تمرین ۶ـ۱۹) است. آلتو و باس‌ها را در مواقع ضروری حذف کنید. اما بگذارید سوپرانوها و تنورها تا دو یا سه نیم پرده بالا بروند. سپس صدای بالا باید به طرف پایین برگردد، بعد صداها در وسعت میانی به همدیگر ملحق می‌شوند، سوپرانوها و تنورها متوقف می‌شوند، و باس‌ها و آلتوها به خواندن در وسعت پایین‌تر

---

۱. تریاد نوعی آکورد سه‌تایی است که از یک نت پایه و نت سوم آکورد و پنجم تشکیل شده است. ـــ م.

۲. تولید یک صدا توسط دو یا چند صدا یا ساز. دو صوت با فرکانس برابر (فرهنگ تفسیری موسیقی، بهروز وجدانی). ـــ م.

۳. بسیار مهم است که تمرکزتان روی نفس باشد و نه روی عضلات و ماهیچه‌ها، این نکته را همیشه به یاد داشته باشید. ـ م.

ادامه می‌دهند. همچنین می‌توان به صداهای بم و زیر اجازه داد که تمرین را با هـمدیگر ترکیب کنند و آن را در فواصل سوم بخوانند.

بعد از اینکه تمرین ۶ـ۱۹ را خواندند، گروه کر باید تمریناتی را برای افـزایش قـدرت صدا انجام بدهند (تمرین ۶ـ۲۰). آنها باید بدانند که مغز به آنها اجازه می‌دهد به صدایی فکر کنند که در هنگام خواندن صدای قوی (forte) به داخل استخوان‌های صورت می‌آید. بعد از اینکه گروه کر احساس کردند صدا در کجا طنین می‌اندازد، یعنی دراستخوان‌های بالای زیر چشم و حفرهٔ بینی، شدت صدا را در آنجا احساس خواهند کرد. مثلاً کِرشندو را در فاصلهٔ سوم انجام می‌دهند و شدتشَ را در آنجا احساس خواهند کرد.

استفاده از این تمرین به رهبر کمک می‌کند که شدت صدا را توضیح دهد، بدون اینکه اعضای کر مجبور شوند به صدایشان فشار بیاورند. این کار به آسانی و با باز نگه داشتن فضاهای عقبی (لبخند داخلی) و نشستن صدا در جایی که با نفس‌گیری از طریق بینی در این تمرین باز می‌شود به دست می‌آید. کر باید تمرین ۶ـ۲۰ را با صدای زیر بـخوانـد. و دوباره به صورت ذهنی صدا را به عقب و بالای نرم‌کام هدایت کند، بدون اینـکه تـمرکز روی صدا را از دست بدهد.

توصیه‌های عمومی برای کر

توصیه نمی‌کنم که تمامی این تمرینات را در طول یک نمایش و یک‌دفعه انجام دهـید. تمرینات باید به طور پراکنده و در طول تمرینات نمایشی باشد. تـمامی رهـبران کـر بـا ساعت‌هایی که روی دیوار آویزان است و نشان دهندهٔ کمی وقت است، گـروه را تـحت فشار قرار می‌دهند. اما گرم کردن صدای گروه کر در تمام موارد، قبل از خواندن جـمعی الزامی است، طوری که احساس کنند صدا و نفس با همدیگر یکی می‌شود.

گروه کر باید تمرینات را به سبکی شروع کند و هرگز با صدای کامل شروع نکند. آیا یک ورزشکار یکباره به زمین دو می‌پرد، و دو سرعت ۱۰۰ متر را بدون گرم کـردن پـاهایش شروع می‌کند؟ آیا یک بازیکن بیسبال سریع‌ترین توپش را در شروع پرتاب می‌کند؟ خیر، ورزشکاران عضلاتشان را به تدریج گرم می‌کنند. آواز خواندن مثل ورزش کـردن است. اگر گروه کر قطعه‌ای را می‌خوانند که احتیاج به صداهای دینامیک بزرگ دارد، حتماً باید تمرین کرشندو و Zay-luh-zah-luh (تمرین ۶ـ۲۰) را نیز انجام دهند. اگر آنان قصد دارند چیزی را بخوانند که یک capella است باید تمرین zoh (تمرین ۶ـ۱۸) را انجام دهند. همیشه تمرین zay-luh-zah-luh (تمرین ۶ـ۲۰) را نیز اضافه کنید. به طوری که اعضای کر

بتوانند حس رزنانس را در بینی و حفره‌های دهانی به دست بیاورند.

لازم به تأکید است که دنبالچه باید همیشه باید در زیر قرار گیرد، بدن باید در ایجاد صدا دخالت کند، طوری که احساس شود جریان صدا از پاشنهٔ پا شروع و مستقیم تا قسمت پایینی شکم و حفرهٔ سینه ادامه دارد. مطمئن شوید که لگن خاصره و تنه در حالت صحیح قرار گرفته است. به نظر من رهبر کر باید روی این مساله تأکید کند که اعضای گروه هرگز نباید همهٔ صدایی را که در توان دارند بیرون بدهند. وقتی شخصی همهٔ صدایش را تا جایی که ممکن است بیرون می‌دهد صدایش خشن می‌شود. اگر مقداری از صدا نگه داشته شود آن صدا بسیار زیباتر خواهد بود.

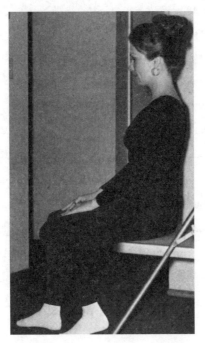

شکل ۱۱-۱
حالت صحیح بدن در هنگام نشستن در کر

بعضی اوقات اعضای کر باید به صورت نشسته روی صندلی آواز بخوانند، که این برای به دست آوردن فرم صحیح بدن خوب نیست. فرم صحیح بدن در حالت نشسته دقیقاً مثل زمان ایستادن می‌باشد (شکل ۱۱-۱). ستون فقرات و گردن باید کاملاً صاف باشد و دنبالچه دقیقاً در زیر قرار بگیرد، و احساس شود که سر بدن را حمل می‌کند، شانه‌ها نیز

باید کاملاً آویزان باشد. اگر اعضای کر باید روی صندلی‌ای که کمی گود است بنشینند و بخوانند مطمئناً بدن نمی‌تواند به صورت صحیح قرار بگیرد. آنها باید لبهٔ صندلی بنشینند و حالت بدن را صاف نگه دارند. باید گردن صاف و سر در حالت تعادل قرار بگیرد. آنها باید طوری بنشینند که بدون اینکه چانه‌هایشان را رو به بالا ببرند رهبر را ببینند. اگر سر و چانه به طرف بالا کشیده شود سازِ صدا از حالت خود خارج می‌شود و جای هوا تغییر می‌کند و بدین صورت کیفیت صدا نیز تغییر می‌یابد. بسیار مهم است که رهبر نگذارد گروه کر در تمام مدت تمرینات نمایشی بنشینند و یا بایستند. آنها باید گاهی بنشینند و گاهی بایستند. اگر به نظر می‌رسد که اعضای کر خسته هستند رهبر باید تمرین را متوقف کند و اجازه دهد که آنها تمرین عروسک پارچه‌ای را انجام دهند. روش دیگر این است که اعضای کر بایستند و لگن خاصره نسبت به زمین به صورت عمودی قرار بگیرد، سپس تنه را مستقیماً روی کفل با استفاده از عضلات پهن زیر شانه به طرف داخل بکشند؛ در این هنگام احساس خواهند کرد که عضلات hook بلافاصله فعال می‌شود. بعد اعضای کر باید شکم‌هایشان را به داخل بکشند و هوا را بدون هیچ مقاومتی از لب‌ها خارج کنند. سپس باید شکم را پر از هوا کنند و بعد هوا را خالی کنند بدون اینکه لب‌ها مانع این کار شوند. بعد باید سینه را بالا نگه دارند و سپس شکم را رها کنند و بگذارند که هوا وارد بدن شود. بدین ترتیب همهٔ تنش‌ها از بین می‌رود.

حالا باید به آنها بگویید که دوباره به حالت عروسک پارچه‌ای برگردند و در همان حالتِ عروسک پارچه‌ای، عمل بازدم را از طریق بینی انجام دهند. آنها باید احساس کنند که هوا تا انتهای شش‌هایشان وارد می‌شود. با هوایی که هنوز در بدنشان است آنها را مجبور کنید به حالت صحیح بایستند و دوباره تمام شکم را به داخل بکشند و هوا را خارج کنند. سپس آنها باید شکم را آزاد کنند و هوا را وارد بدن کنند. حالا گروه کر آمادهٔ خواندن است. داشتن یک تمرین نمایشی کرال بسیار مهیج است. پس از چنین تجربه‌ای همهٔ گروه نیرویی تازه می‌گیرند.

رهبر قبل از اینکه قطعات موسیقی را برای فصل آینده انتخاب کند باید گروهش را خوب بشناسد. انتخاب یک مجموعه (رپرتوار) فقط برای اینکه رهبر آن را دوست داشته و امیدوار بوده که یک روز آن را رهبری کند، بسیار خطرناک و مضر است و اگر خارج از توانایی آوازی گروه کر باشد باید آن را کنار بگذارد.

اغلب نت‌های کمی در محدوده‌های بسیار زیر و یا بم می‌توانند مؤثر باشند (اگر خوانندگانی دارید که بتوانند آن را به آسانی بخوانند). خوانندگان نباید مجبور به خواندن

نت‌هایی شوند که در آن زمان خارج از توانایی‌شان است. قطعاتی که به راحتی در محدودهٔ صدا خوانده می‌شود همیشه از نظر کیفیت صدا زیباتر است (شکل ۱۱ـ۲).

مسابقات و جشنواره‌ها

جشنوارهٔ کر بسیار مهم است، زیرا به هنرجویان و رهبران این شانس را می‌دهد که صدای سایر گروه‌های کری را که با آنها قابل مقایسه هستند بشنوند. رهبر هرگز نباید در جشنواره، با سوءاستفاده از خوانندگانش داوران را تحت تأثیر قرار دهد، و در صورت امکان کر نباید درست قبل از اجرای خودش به گروه‌های دیگر گوش بدهد. گروه کر قبل از اینکه روی صحنه بیایند و آواز بخوانند باید حداقل در حدود پانزده دقیقه صدایشان را گرم کنند. آنها همچنین باید جای کافی برای گرم کردن صدایشان داشته باشند؛ این امر بسیار ضروری است. رهبر کر باید قبل از اجراگروه را مجبور کند که صحبت کردن را به حداقل برسانند. انجام این کار اگر چه مشکل است اما بسیار مهم می‌باشد. اگر اعضای گروه صدایشان راگرم کنند و دوباره شروع به صحبت بکنند کیفیت زیبای صدا به میزان زیادی دوباره از بین می‌رود.

خوانندگان باید با این ایده بخوانند که از آواز خواندن لذت می‌برند نه برای کسب مقام بالاتر، در این صورت اجرای بهتری خواهند داشت. اگر آنها با این احساس که آنها مایهٔ مسرت می‌شوند و خود نیز احساس شادمانی می‌کنند در مسابقات شرکت کنند موفق‌تر خواهند بود.

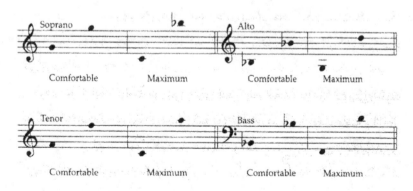

شکل ۱۱-۲
محدوده‌های راحت و زیر برای گروه کر

تئاتر موزیکال

این موضوع برای رهبران کر و بخش تئاتر چقدر مهم است؟ در بسیاری از دبیرستان‌ها و کالج‌ها نمایشنامه‌هایی اجرا می‌شود. این مساله تا زمانی خوب است که بدانند از این صداهای تعلیم‌ندیده و جوان چه انتظاراتی داشته باشند و چه انتظاراتی نداشته باشند. گاهی اوقات در دبیرستان‌ها صداهای تعلیم‌دیده‌ای نیز وجود دارد، اما حتی نمی‌دانند چطور بدون آسیب به صدای جوان آنها یک صدای belting به دست بیاورند.

یک بار در یک مدرسه، نمایش *Once Upon a Mattress* را دیدم که بسیار خوب انجام شد و در سال بعد در همان شهر کار دیگری اجرا شد که بسیار بد انجام شد و واقعاً به صداها آسیب زیادی رساند. رهبر *Once Upon a Mattress* فارغ‌التحصیل رشتهٔ تئاتر بود و به مدت پنج سال آواز کار کرده بود. این گروه چهار اجرا داشتند که چهارمین اجرا در یکشنبه شب و بعد از سئانسی بود که بعد از ظهر همان روز داشتند و من می‌شنیدم که همهٔ این خوانندگان در پایان اجرای چهارم، چقدر سرحال بودند. چرا آنها سرحال بودند؟ زیرا رهبر می‌دانست هم با صدای آوازی و هم با صدای صحبت کردن چه کار می‌کند.

برای حمایت صدا در صحبت کردن باید از همهٔ قسمت پایین شکم استفاده شود (فصل ۵). همچنین باید تمرین‌های نفس‌های عمیق با بینی (تمرین ۶ـ۲) را نیز انجام داد تا صدای صحبت کردن خسته نشود. اگر هنرجو تعلیم ندیده باشد که چطور در نقش‌هایش گفتگوهای یک شخصیت را به طور صحیح ادا کند، در این صورت احتمالاً هرگز قادر نخواهند بود قطعهٔ سولو (solo) را که پس از آن می‌آید بخواند.

هنرپیشهٔ مرد نقش اول، در یک گروه دبیرستانی که قرار بود نمایش چگونه بدون تلاش زیاد در تجارت موفق شویم[1] را اجرا کند، صدایش را قبل از اجرا از دست داد. چنین چیزی ممکن است در اجراهای دانشکده هم اتفاق بیفتد.

چگونه می‌توانیم از چنین اتفاقاتی جلوگیری کنیم؟ اولین و مهم‌ترین نکته این است که رهبر باید قطعاتی را انتخاب کند که در توانایی خوانندگانش باشد. اگر بعضی از قطعات (به عنوان مثال Climb Every Mountain از فیلم اشک‌ها و لبخندها[2]) در محدوده‌ای بسیار زیر برای شاگرد قرار دارد باید انتقال پیدا کند، طوری که در محدودهٔ صدایی آن خوانندهٔ جوان قرار گیرد. بعضی مواقع در اپراها، آریاها برای یک خوانندهٔ به خصوص

---

1. *How to Succeed in Business Without Realy Rtying*
2. *The Sound of Music*

دوباره‌نویسی می‌شود و به محدوده‌های زیر یا بم انتقال می‌یابد و به این ترتیب آن آواز در محدودهٔ صدایی آن خوانندهٔ جوان قرار می‌گیرد. این کار اصلاً بد نیست، اما این رسوایی است که رهبر باعث خرابی صدا شود.

دوم، رهبر باید با چگونگی ایجاد صدا آشنا باشد. در خواندن و صحبت کردن از اصول مشابهی استفاده می‌شود: نفس‌گیری، فضای باز در گلو و نرم‌کام و استفاده از لب‌ها، زبان و ماسک. همهٔ این تکنیک‌ها و جزئیات آن را در این کتاب قبلاً توضیح داده‌ایم.

سوم، تا زمانی که هنرجویان موسیقی را به طور کامل فرا نگرفته‌اند هرگز نباید با آنها تمرین رقص کرد و حتی بعد از اینکه موسیقی را شناختند نباید به آنها اجازه داد در هنگام فراگیری رقص، آواز بخوانند تا زمانی که رقص را یاد بگیرند. بیشترین ضرری که می‌تواند به صدا وارد شود زمانی است که به هنرجو اجازه داده شود که در زمان یادگیری رقص آواز نیز بخواند.

یک نکته برای رهبران کُر

رهبر کارهای زیادی برای انجام دادن دارد؛ اینکه گروه چگونه باید آواز بخواند، و انضباط از موارد الزامی است. سعی کنید شوخ طبعی را زیاد کنید. گاهی هم باید به گروه کر آسان گرفت، همیشه به خاطر داشته باشید که گروه‌های دیگر در هنگامی که یک گروه دارد خصوصاً روی یک قسمت مشکل کار می‌کند، نباید صحبت کنند. استفاده از دستانتان گروه را تحت تأثیر قرار می‌دهد. زدن اولین ضربهٔ میزان با دست یا بازو برای شروع باعث می‌شود که اعضای کر اولین نت جملهٔ موسیقی را بگیرند. همچنین زمانی که رهبر می‌خواهد گروه کُر پیانیسیمو (pp) بخوانند، می‌تواند با گفتن هیس آنها را متوجه کند که صدا را در گلویشان کم کنند تا اینکه صدا بالا و به طرف سر برود. همان طور که می‌دانید می‌توان با برگرداندن کف دست به سمت گروه به نرمی، به آنها به صورت صحیح علامت داد. کرشندو دینامیک یا اتاک می‌تواند با یک ضربهٔ معین انجام شود اما نه با یک ضربهٔ ناگهانی عضله‌ای. انرژی باید از رهبر به گروه کر منتقل شود، حالت صورت رهبر (تأثیر لبخند داخلی که بسیار در مورد آن صحبت کردم) می‌تواند به گروه کُر کمک کند که صدای شادی داشته باشند.

اجازه دهید که دوباره تأکید کنم قبل از اینکه گروه کُر شروع به خواندن کنند رهبر باید ذهن، گوش، و زبان آنها را آماده کند. آسیب بیشتر زمانی است که سعی کنید همه چیز را یکدفعه و با هم انجام دهید. اگر قطعه‌ای تند است آن را در ابتدا آهسته بخوانید تا تمام

موارد آن جا بیفتد (موسیقی در گوش، ریتم در گوش، متن روی زبان). قبل از اینکه بخواهید قطعه‌ای را رهبری کنید آن را دقیقاً مطالعه کنید، به اعضای گروه کر اجازه دهید که قطعات موسیقی را به خانه ببرند و روی قسمت‌های مختلف آن کار کنند، درست مثل زمانی که آنها سولیست هستند. با این کار بهترین کمک را در آواز به آنها می‌کنید. به خوانندگانتان اجازه ندهید که روی نت‌های پایین به صداهایشان فشار بیاورند، همچنین نگذارید که به زور روی محدوده‌های زیر بروند.

انرژی خود را با خواندن به حالت پیانو (آهسته) نگه دارید، این کار باعث می‌شود، که صدا زنده، با قدرت و کاملاً با نفس باشد.

همهٔ ما خواهان صدایی زیبا از گروه هستیم و صدای زیبا زمانی به وجود می‌آید که اصول این تکنیک به کار گرفته شود. در کر صداها با هم ترکیب می‌شوند و همیشه تحت کنترل خواهند بود وقتی که حروف بی‌واک دقیق و ریتمیک باشدکُر آرتیکلاسیون خوبی خواهد داشت. هنگامی که حروف صدادار بدرستی و با تمرکز شکل بگیرند و شکلشان را در تمام محدوده‌ها و سطوح دینامیک حفظ کنند، گروه از کیفیت صدای زیبایی برخوردار خواهد بود.

در دوران باروک موسیقی‌ای که برای پسرها نوشته می‌شد فقط دارای یک کیفیت صدا یا یک صدای کر رایج بود. اغلب شنیده‌ام که رهبران کر از افراد بالغی که موسیقی باروک می‌خوانند می‌خواهند که ویبراتو را از صدایشان خارج کنند. کلاً در صدای سوپرانوی پسرها ویبراتوی زیبای طبیعی وجود دارد (این صدا شبیه سوپرانو زن‌ها نیست و صدایی است کاملاً متفاوت) و فقط با استفاده از سوپرانوهای پسران می‌توان به یک صدای سوپرانوی پسرانه دست یافت و صدای یک خوانندهٔ بالغ سفت خواهد شد اگر به منظور تقلید یک صدای سوپرانوی پسرانه، ویبراتو را از صدایش خارج کند.البته از هیچ خواننده‌ای نباید خواست که صدای خواننده دیگر را تقلید کند زیرا این باعث فاجعه در صدا می‌شود.

آواز با میکروفون

امروزه گروه‌های کر زیادی را در تلویزیون می‌بینیم و می‌شنویم که با میکروفون می‌خوانند. اگر هیچ میکروفونی در دسترس نباشد، رهبر همیشه باید مواظب ترتیب جای اعضای کر باشد. اگر یک پسر که قدش ۶/۳ فوت است با یک دختر که قدش ۴/۶ فوت است با یک میکروفون بخوانند احتمالاً پسر جوان نمی‌تواند بدنش را طوری قرار دهد که

بتواند بامیکروفون بخواند، بنابراین گلویش کم کم ناراحت می‌شود. مراقب خوانندگانتان باشید. اگر خواننده میکروفون در دستش است باید اطمینان حاصل کند که سینه‌اش فراخ است و هرگز اجازه ندهد که دستانش میکروفون را به داخل بکشند، زیرا باعث می‌شود سینه فرو رود و دیر یا زود صدا صدمه ببیند.

اهمیت نوازندگان ارگ کلیسا

همهٔ ما باید از نوازندگان خوب ارگ کلیسا سپاسگزار باشیم. بسیار مهم است که رهبر کر از تعادل (بالانس) بین کر و ارگ آگاه باشد. اغلب شنیده‌ام که یک نوازندهٔ ارگ کلیسا با آهنگش صدای زیبای کر را کاملاً می‌پوشاند. یک رهبر کر برای اینکه مطمئن شود این اتفاق نمی‌افتد تنها یک راه برایش وجود دارد؛ اینکه در عقب، جایی که گروه عبادت‌کنندگان در یک کلیسا می‌نشینند، بایستد تا بتواند تعادل را بشنود و تشخیص دهد.

من صدای یک ارگ بزرگ را اگر در مقدمهٔ سرود استفاده شود، دوست دارم. نوازندهٔ ارگ باید بداند که فقط در هنگامی که کر می‌خواند باید آن را همراهی کند. در هنگامی که گروه عبادت‌کنندگان آواز می‌خوانند نوازندهٔ ارگ می‌تواند آنها را رهبری کند. از نظر من اگر یک نوازندهٔ ارگ ناگهان در هنگام خواندن گروه عبادت‌کنندگان رهبری‌اش را قطع کند کاری نابخشودنی انجام داده است. مارتین لوتر[1] یک گروه تمرین نمایشی برای سرودهای روحانی داشت که قرار بود روز یکشنبه بخوانند اما بهتر بود که افراد بیشتری را در آن گروه قرار می‌داد. هیچ چیز بیشتر از یک گروه آواز خیلی بزرگ در کلیسا انسان را تکان نمی‌دهد. و خواندن قطعات کلیسایی یکی از عواملی است که کلیساها با جذبهٔ جادویی قادر به تکان دادن و بالا بردن روح افراد می‌باشد.

یکی از بزرگترین آهنگسازان کر، یوهان سباستین باخ،[2] در بالای هر قطعه‌ای که ساخته، نوشته است: «همه چیز برای خشنودی خداوند است». ما باید به عنوان رهبران کر تا جایی که می‌توانیم اجراهایمان را باشکوه و باعظمت نشان دهیم.

---

1. Martin Luther
2. Johann Sebastian Bach

فصل ۱۲

چگونه با مشکلات حنجره کنار بیاییم: روش مطالعه و تمرینات

در این فصل دربارهٔ مشکلات بازسازی یک صدا و نتایج آن صحبت خواهم کرد، مواردی مثل پولیپ، گره‌های روی تارهای صوتی، خونریزی تارهای صوتی، التهاب حنجره، ضربه‌های روحی و آنچه بعد از یک عمل لوزه باید انجام دهید.

برای رفع یک مشکل خاص باید تمرینات آوازی به خصوصی داده شود، پس از آن هم باید یک دوره استراحت کرد. ممکن است در یک مورد نیاز به عملکرد قوی نرم‌کام باشد و در مورد دیگر تمرینات سازندهٔ مربوط به شکم و ریشهٔ زبان مورد نیاز باشد تا بتوان دوباره تعادل کشش‌های حنجره و کشیدن تارهای صوتی را به دست آورد.

هیچ چیز تا این حد یک معلم آواز را خوشحال نمی‌کند که بتواند مشکلات آوازی جدی یک خواننده را از میان بردارد و توانایی‌های صدایش را به او برگرداند تا دوباره به کارش ادامه دهد. تصور می‌کنم آنچه باعث شد من به این قسمت علاقه‌مند شوم تجربه‌های من در این زمینه است که آنها را در اول کتاب آورده‌ام.

روزی خانمی که معلمی بسیار خوب بود و قبلاً هم خوانندهٔ بسیار خوبی بود به نزد من آمد تا کمکش کنم. او برای من آواز خواند. صدای خفه‌ای داشت. فوراً از او پرسیدم که آیا به متخصص حنجره مراجعه کرده است یا نه. و او پاسخ داد بله اما دکتر به او گفته است که تارهای صوتی‌اش در شرایط خوبی است. من فوراً کار را با تمرینات درمانی که در فصل ۷ آمده شروع کردم، اما فایده‌ای نداشت.

در طی درس سوم، زمانی که شروع به خواندن کرد، صدای دو نت متفاوت بـه گـوش می‌رسید؛ و متوجه شدم که یک مشکل بیمارگونه‌ای وجود دارد. پس او را به دکتر حنجرهٔ خودم فرستادم. تست حنجره داد، و معلوم شد که یک پولیپ زیر تار صوتی راستش وجود دارد که باید سریعاً برداشته شود. حتی احتمال داشت که غدهٔ سرطانی باشد. دکتر معتقد

بود که پولیپ در یک نقش اپرایی که برای صدایش مناسب نبوده، ایجاد شده، یا حتی یک رگ خونی پاره شده و باعث شده که این پولیپ شکل بگیرد.

بعد از عمل از او دعوت کردم که در خانهٔ من بماند، تا بتوانم از نزدیک و خیلی بادقت تا بهبودی کامل او را زیر نظر داشته باشم. در روز دوم بعد از عمل او شروع به صحبت کرد، اما خیلی کم و خیلی آسان. یک هفته بعد از عمل جراحی، جراحش گفت که روزی پنج دقیقه می‌تواند صحبت کند.

به محض اینکه قادر به خواندن شد شروع به انجام تمرین‌های درمانی (فصل ۷) کردم. او شبیه پروانه‌ای بود که از پیله درمی‌آید. کیفیت صدایش واضح بود و صدای زیبا و گرمی داشت. این خواننده حالا در اروپا و امریکا اجرا دارد و یکی از بهترین معلمان آواز در این کشور است.

هر مشکلی منحصر به فرد است

هیچ فرمول کاملی برای شروع تمرینات درمانی وجود ندارد. درمانگر باید به صدای هنرجو گوش کند، و با تجزیه و تحلیل مشکل آن صدا را پیدا کند.

اگر هنرجویی مشکل گره در صدا دارد معلم باید با تمرینات درمانی شروع کند. اگر گره‌ها با زیاد آواز خواندن یا خواندن قطعاتی که برای صدا مناسب نبوده ایجاد شده‌اند، هنرجو باید در صورت امکان خواندن را برای مدت کوتاهی قطع کند، شاید حدود دو هفته. و در این مدت هر چیزی را که می‌خواهد بگوید بنویسد. اما اگر ناچار است در یک اجرا شرکت کند، باید تمرینات را شروع کند و قطعه‌ای را که قرار است اجرا کند به نزد معلم ببرد تا علت مشکلاتش را پیدا کند.

متخصصان حنجره معتقدند که بیشترین مشکلات حنجره از صحبت کردن نادرست به وجود می‌آید تا از نادرست آواز خواندن. شخصی که صحیح صحبت نمی‌کند عملاً غیرممکن است که آواز را هم خوب بخواند. خواننده باید همان اصولی را که برای خواندن به کار می‌گیرد در صحبت کردن نیز رعایت کند، همچنین موارد مهمی مثل نفس‌گیری، فضای باز در حلق و بینی و حفره‌های دهانی و شل کردن فک را نیز مد نظر داشته باشد.

علل کلی مشکلات صدا

فرم نادرست بدن (شکل ۴ـ۱ الف و ب)

عدم استفاده از نفس

سفت بودن فک

حالت‌های نادرست زبان

در طی تجربیات چندین ساله‌ام، متخصصان حنجره بیمارانی را نزد من فرستاده‌اند که خونریزی تارهای صوتی داشته‌اند، بیمارانی که به مدت دو سال التهاب حنجره داشته‌اند ــ که در نهایت صدایشان را از دست داده‌اند ــ یا بیمارانی که چیزی نداشتند جز صدایی که هنگام صحبت با جیغ و داد و فریاد بیرون می‌آمد، یــا بیمارانی کـه روی تــارهای صوتی‌شان گره داشتند. هر بیمار ابتدا باید فرم صحیح بدن را یاد بگیرد.

بیماری داشتم که تارهای صوتی‌اش خونریزی کرده بود، او در ایالات متحدهٔ امـریکا یک سخنران بود به او یاد داده بودند که شکم را خیلی سفت به داخل بکشد و سینه‌اش را بالا نگه دارد و این قطعاً خلاف آن چیزی بود که باید انجام مـی‌داد. او هـمچنین خـیلی محکم گلوی خود را تمیز و صاف می‌کرد. من به او گفتم که این کار اولین چیزی است که باید از انجامش خودداری کند. هرگز نباید گلویتان را تمیز و صاف کنید. احساس نیاز به تمیز کردن گلو به خاطر احساس ناراحتی آن قسمت است. اما با صاف کردن آن به تارهای صوتی فشار وارد می‌شود و حالتی غیر طبیعی پیدا می‌کند. این حس می‌تواند عصبی یا از روی عادت باشد.

در حدود دو سال هنرجویی داشتم که با سابقهٔ بیماری حنجره نزد من مـی‌آمد. او یک سیاستمدار بود و مدام صحبت می‌کرد. کاملاً صدایش را از دست داده بود و هیچ صدایی از گلویش بیرون نمی‌آمد. سینه‌ای فرورفته با شانه‌های افتاده داشت، الکل زیاد می‌نوشید و مدام سیگار می‌کشید. من به او گفتم برای دو هفته کاملاً استراحت کند و تأکید زیادی کردم که برای ارتباط برقرار کردن هر چیزی را که می‌خواهد بگوید، بنویسد. او حـتی اجـازهٔ زمزمه کردن هم نداشت ــ همان طوری که قبلاً گفتم، زمزمه کردن می‌توانـد بـه تـنهایی خودش مخرب‌تر از صحبت کردن عادی برای صدا باشد ــ و همچنین گفتم که سیگار را کاملاً کنار بگذارد و اگر ممکن است از نوشیدن الکل خودداری کند.

در کمتر از سه ماه سه بار در هفته و هر بار به مدت نیم ساعت با این بیماران کار کردم و زمانی که آنها اینجا را ترک می‌کردند، سلامتی کامل صدایشان را به دست آورده بودند.

دو مورد تاریخی

در زیر، جزئیات کارم را با این خانم‌ها آورده‌ام و امیدوارم که مطالب و شیوه‌های ذکرشده

در اینجا به سایر معلمان این ایده را بدهد که چگونه با مشکلات مشابه کنار بیایند. همیشه به خاطر داشته باشید که باید با هر مورد به طور جداگانه کار کرد و با آن کنار آمد.

مریضی نزد من آمد که هیچ مشکلی نداشت ولی با جیغ و فریاد صحبت می‌کرد. او اکنون یک خوانندهٔ حرفه‌ای است. در آن موقع او معلم آواز دانشکده بود. پس از برداشتن گره‌ها با جراحی، به مدت یک سال قادر نبود هیچ صدایی ایجاد کند. او به چند گفتار درمان و متخصص حنجره مراجعه کرده بود اما هیچ کدام نفهمیده بودند چرا او نمی‌تواند صحبت کند. دو بار در هفته و هر بار به مدت سی دقیقه با او کار می‌کردم و او هم در دانشکده معلمی‌اش را ادامه می‌داد. در پایان شش ماه نه تنها خوب صحبت می‌کرد بلکه با کیفیت و صدای بسیار خوب آواز می‌خواند. او کارش را با من در حدود یک سال ادامه داد. صدای صحبت او کاملاً طبیعی است و صدای آوازش نیز پیشرفت بسیاری کرده است.

طرز ایستادنش تا زمانی که به بالاتنه و فرم صحیح سایر قسمت‌های بدنش اهمیت می‌داد، خوب بود، گرچه جز جیغ و فریاد صدای دیگری از حنجره‌اش بیرون نمی‌آمد.

ابتدا مجبورش کردم نفسش را با کشیدن شکم به داخل خارج کند و سپس بگذارد که شکم به بیرون بزند و اجازه دهد که هوا وارد شش‌ها شود. بعد از او خواستم که شانه‌هایش را با لمس کردن پشتش، به عقب بکشد بعد بگذارد شانه‌ها به سمت جلو بیایند، اما تا حدی که سینه به صورت صاف باقی بماند. از او خواستم که این کار را به نرمی انجام دهد، و مواظب باشد که شانه‌هایش را بالا نبرد و آنها را فقط به سمت عقب ببرد، و برای چهارمین بار از او خواستم که پهنای شانه‌هایش را از عقب به پایین بکشد. پیدا کردن این حالت بسیار مهم است، زیرا سینه یکی از مهم‌ترین قسمت‌ها برای صدای صحبت کردن است، که باید پهن و قوی باشد.

کار بعدی این بودکه خیلی طبیعی لبخند بزند. همان طوری که لبخند روی صورتش بود از او خواستم که عضلات ماسکی به کار برده شده را نگه دارد و فک را سه یا چهار بار به سمت پایین حرکت دهد. تمرین بعد، تمرین عروسک پارچه‌ای بود.

باید اطمینان حاصل می‌کردم که وقتی به حالت ایستاده بر می‌گردد سینه‌اش فراخ باشد. با بعضی از هنرجویان در دفعهٔ اول انجام این تمرین غیرممکن است زیرا این قسمت بسیار ضعیف است. (به طور حتم این نشان می‌دهد این بیمار بخصوص در صدای صحبت کردن هم مشکل دارد.)

تمرین دیگری که انجام دادیم، نفس‌گیری عمیق از بینی بود (شکل ۵ـ۸). اگر ساختمان عضلانی مکانیزم صدا، فک یا نرم‌کام سفت شود صدا را کاملاً محدود می‌کند، و باعث

می‌شود شخص با حنجرهٔ خود در هنگام آواز خواندن و صحبت کردن مشکل داشته باشد. نفس‌های عمیق یکی از بهترین تمرین‌هایی است که کمک بسیاری به صدا می‌کند و باعث می‌شود که ناحیهٔ گلو در آن قسمت پهن و باز شود و برای صدایی که می‌خواهد از آن عبور کند آماده باشد. سپس او را مجبور کردم که تمرین hook را انجام دهد (فصل ۵).

سپس از او خواستم نفس‌گیری عمیق با بینی را با کمک ناحیهٔ شکمی انجام دهد ــ که آن را در تمرینات hook احساس کردیم. انجام دادن این تمرینات عضلات حنجره را می‌کشد و موجب می‌شود به مقدار لازم باز نشود. از او خواستم فقط ادای گفتن fah-ee-ah را درآورد و صحبت نکند. سپس ما به hook و نفس‌گیری عمیق با بینی برگشتیم و از او خواستم که با فکر کردن به فک صاف و افتاده بگوید fah-ee-ah-ee-ah.

تمرین بعدی mah بود. از او خواستم دوباره نفس عمیقی با بینی بکشد و بگوید mah-mah-mah. و در این حالت باید کمک عضلات hook را احساس می‌کرد. در این تمرین همچنین، لبخندی را که از داخل به ماسک بیرونی برخورد می‌کند باید احساس می‌کرد (لبخند داخلی) و این آخر درس اول بود. این دروس درمانی بسیار متمرکز هستند و نباید بیش از روزی ۳۰ دقیقه روی آنها کار کرد.

در درس دوم از او خواستم که دوباره تمرین hook، و سپس تمرین نفس‌گیری عمیق با بینی را شروع کند و هنگامی که می‌گوید fee-ah-ee، fah-ee-ah و mah-mah-mah مقاومت کمی را در قسمت پایینی شکم احساس کند. (به خاطر داشته باشید که این بیمار خوانندهٔ بسیار خوبی بود. بنابراین می‌توانستم برای او با فکر کردن دربارهٔ مقاومت در قسمت پایینی شکم شروع کنم. نباید احساس فشردگی در شکم وجود داشته باشد، همچنین نباید با اولین کلمه‌ای که می‌گوید به داخل برود) تمرین بعدی که به او دادم hee-oh بود. در طی این تمرین باید مدام به لبخند داخلی فکر می‌کرد. در درس سوم نفس‌گیری با گردش بازو را نیز اضافه کردم (شکل‌های ۴ـ۲، ۴ـ۳، ۴ـ۴، ۴ـ۵ و ۴ـ۶).

یکی از مهم‌ترین عوامل ایجاد مشکلات صدایی مردم، چه گوینده چه خواننده، نفس‌گیری نادرست است. به همین دلیل تا حد ممکن از تمرین‌های hook استفاده می‌کنم تا به قوی کردن سینه و قسمت پایینی شکم کمک کنم. همچنین از نفس‌گیری با گردش بازو استفاده می‌کنم تا کل حفرهٔ مربوط به قفسهٔ سینه تقویت شود. وقتی در ابتدا شروع به استفاده از تمرین hook می‌کنید ممکن است سینه حرکت نکند، درست مثل اینکه این قسمت مرده است، اما همین طور که این تمرینات را ادامه می‌دهید متوجه نیروی بیشتری

می‌شوید که وارد قسمت پایین شکم می‌شود، همچنین متوجه می‌شوید که قدرت و نیروی بیشتری نیز وارد سینه‌ها می‌شود.

یکی دیگر از مشکلات صدا ناشی از قسمت عقب زبان است. اگر چه ممکن است هیچ فشاری را در آنجا احساس نکنید ــ گاهی اوقات به وضوح می‌توانید آن را ببینید ــ عضلات زبان سفت می‌شود. تمرینی که به برطرف کردن این مشکل کمک می‌کند تمرین ng-ah (فصل ۷) می‌باشد. دوباره حالت ماسک پهن می‌شود و فک از محور خود به سمت پایین کشیده می‌شود. من از این هنرجوی به خصوص خواستم که تمرین ng-ah را فقط با من انجام دهد و هرگز سعی نکند آن را در خانه و به تنهایی انجام دهد. همچنین از او خواستم هیچ صدایی را ایجاد نکند اما فقط روی ساختمان عضلانی ماسک، مفصل فک و عقب زبان کار کند ــ این تمرینات هر کدام نباید بیش از سه دفعه تکرار شود.

در این درس ما به نفس‌گیری عمیق با بینی برگشتیم و از تمرین kee-kay-kee استفاده کردیم. حرف k از گلو بیرون می‌آمد، بنابراین این تمرین را فوراً متوقف کردم، زیرا مطمئن بودم که مشکلی در ناحیهٔ نرم‌کام و یا یک قسمت دیگر وجود دارد. در غیر این صورت k باید به راحتی خوانده می‌شد. ــ بعدها به آن برگشتیم. سپس با حرف بی‌صدایی که در جلو بود یعنی d با گفتن day شروع به کار کردیم. ما به تمرین ng-ah برگشتیم بدون اینکه صدایی ایجاد شود. دوباره یک نفس عمیق با بینی گرفتیم و گفتیم joice. سپس تمرین lah-lah-lah را انجام دادیم تا فک و زبان با همدیگر روی حرف l حرکت کنند، سپس loh-loh-loh را انجام دادیم؛ در اینجا نیز فک و زبان هنوز باید با همدیگر حرکت کنند. سپس در درس چهارم یا پنجم توانستیم بگوییم take. (لازم به ذکر است که ما همیشه دروس قبلی را مرور می‌کردیم)، سپس از او می‌خواستم که بگوید: « I told you so. زمانی که او جمله را با یک حرف واکدار شروع کرد یک شروع انسدادی در گلو داشت و هوای کمی راکه در تارهای صوتی وجود داشت می‌شد شنید. از او خواستم که کاملاً با بینی نفس بکشد و درست در نیمهٔ اول نفس‌گیری عمیق با بینی، درست هنگامی که می‌خواهد شروع به گفتن I بکند، فک را حرکت بدهد. حالا دیگر به صورت حلقی ادا نمی‌شد زیرا نفس زیر صدا قرار گرفته بود و تارهای صوتی در موقعیت صحیحی قرار داشت، و کلمات بسیار عالی ادا می‌شد.

بعد از هفته‌ها کار کردن، بتدریج حنجره داشت باز می‌شد و صدا رو به طبیعی شدن بود. سپس تمرین preh (تمرین ۵ـ۶) را شروع کردیم. در این تمرین، صدای صحبت کردن بین دندان‌ها می‌نشیند ــ درست مانند زمانی که آواز می‌خوانید. دراین حالت شخص باید

صدا را در مقابل سخت‌کام و با نیروی لب بالا احساس کند.

من در مورد ارتفاع صدا صحبت نمی‌کنم بلکه در عوض به هنرجویان اجازه می‌دهم که به صدایشان فکر کنند و نفس‌هایشان را زیر صدایشان قرار دهند و گلو را باز نگه دارند و روی هر ارتفاع صدایی که راحت هستند صحبت کنند. گاهی اوقات این ارتفاع بسیار بالاست. ولی هرگز نمی‌گویم که ارتفاع «صدا را پایین‌تر بیاورند» زیرا اگر این جمله را بگویید ممکن است برای رسیدن به صدای دلخواه هنرجو چندین مرتبه روی حنجره‌اش به سمت پایین فشار بیاورد.

خوانندگان و بیمارانی نزد من آمده‌اند که به آنها گفته‌اند که بسیار پایین صحبت کنند. آنها سعی می‌کنند که کوک صدایشان را بالا ببرند و برای این کار همهٔ مکانیزم حنجره را بالا می‌کشند که این کار فقط باعث سفت‌تر شدن گلو می‌شود.

بدین ترتیب صدا سطحی را پیدا می‌کند که صحبت کردن در آنجا برایش آسان‌تر است. وقتی نفس‌گیری صحیح باشد، در صدا رزنانس و قدرت و کیفیت وجود خواهد داشت. سینه قوی است و نمی‌افتد همچنین فضاهای رزنانس کاملاً باز است (با نفس‌گیری عمیق از بینی)، عضلات عقب زبان شل است (به خاطر تمرین ng-ah)، و حفرهٔ بینی نیز باز است (به خاطر تمرین preh). زمانی که فرم ساختمان عضلانی صحیح باشد و تمرینات به طور صحیح انجام شود رزنانس‌های بسیار زیبایی در صدا به وجود خواهد آمد.

تمرین بعدی که روی آن کار کردیم تمرین lah-bay-dah-may-nee-poh-too بود که با به خاطر آوردن فضایی در گلو، سینه‌ای پهن و نفس‌گیری همراه بود. ما سه سیلاب را در یک زمان و روی یک نفس می‌خواندیم و بعد آن را تا زمانی ادامه می‌دادیم که همه را بتوانیم با یک نفس بخوانیم. از او می‌خواستم که بین هر گروه سه تایی تمرین hook را انجام دهد. تمرین lah-bay-dah-may-nee-poh-too حروف بی‌صدا را در یک جمله ترکیب می‌کند. سپس تمرین mah-may-mee-moh-moo را انجام دادیم در حالی که روی m و عضلات ماسک قدرت بیشتری را احساس می‌کردیم. هر وقت گلو شروع به گرفتن می‌کرد من او را متوقف می‌کردم و از او می‌خواستم که تمرین hook را انجام دهد و یک نفس‌گیری کامل و عمیق انجام دهد. سپس روی نفسی که در نیمهٔ اول گرفته بود صحبت می‌کرد و گلو بسیار زیبا عمل می‌کرد اما بعد نفس از زیر صدایش خارج می‌شد و عضلات گلو شروع به بسته شدن می‌کرد، صدا دچار محدودیت شده و در حنجره‌اش گرفتگی ایجاد می‌شد. لازم به ذکر است که پس از این مرحله دیگر آواز نخواندیم چون در جلسهٔ دوم که می‌خواستیم آواز بخوانیم صدا خیلی بد بود. بنابراین از خواندن هر چیزی تا ماه دوم اجتناب کردیم.

به طور کلی در زمانی که این تمرین‌ها را شروع می‌کردیم من به او اجازهٔ صحبت کردن نمی‌دادم. اما او یک معلم بود و مسئولان به حد کافی به او لطف کرده بودند که فعلاً در مدرسه کار کند، علاوه بر این، او موسیقیدان برجسته و باهوشی بود. بنابراین او می‌توانست درس دادن را ادامه دهد و بتدریج صدای صحبت کردنش را دوباره به دست بیاورد.

وقتی احساس کردم که صدای صحبت کردن او بسیار پیشرفت کرده است از او خواستم که روی fah-ee از پنج به سه یک فاصلهٔ سوم را بخواند و نت آخر را نگه دارد. به او یادآور می‌شدم که همان احساسی را که در هنگام گفتن این تمرینات داشت در خود حفظ کند، و از نفس در زیر صدا، فضای باز در گلو، نفس‌گیری عمیق با بینی و حالت لبخند داخلی و حرکت مستقیم فک به سمت پایین استفاده کند. او نفس‌گیری عمیق با بینی را انجام می‌داد، سپس fee-ah را می‌خواند. از اینکه می‌دیدم صدایش کاملاً برای کار کردن آماده است بسیار خوشحال بودم.

حالا حرف k که قبلاً استفاده از آن برایش غیرممکن بود، خیلی آسان بیرون می‌آمد و ما آن را روی kee-kah و سپس kah-kee استفاده کردیم. این تمرین به صورت استاکاتو (مقطع) بر روی یک نت انجام می‌شد. تمرین بعدی که او خواند thee-ah (تمرین ۵ـ۳) و thah-ee (th بی‌صدا) بود. ما در حدود چهار یا پنج نیم‌پرده بالا رفتیم و او نیرویی را که از تمرین preh به دست آورده بود در لب بالا نگه می‌داشت و احساس می‌کرد که صدا به جلو می‌آید، و فضای عقب را باز نگه می‌داشت. او همین احساس را در تمرین نفس‌گیری‌های عمیق با بینی داشت. سپس تمرین nah-ee را شروع کردیم، که n بسیار پهن در ماسک احساس می‌شود. بسیاری از مواقع او را متوقف می‌کردم و از او می‌خواستم که تمرین hook را انجام دهد که نفس کم نیاورد.

خیلی وقت‌ها حرف oo برای خواننده مشکل است، اما حرف oo یکی از آسان‌ترین صداها برای این هنرجو بود. بنابراین به صورت پائین رونده روی ۵ـ۴ـ۳ـ۲ با boo شروع کردیم و آن را با ah روی یک تمام می‌کردیم. برای او آسان‌تر بود که از ``C شروع کند، که تا f یا f دیز بالا می‌رفت. در ابتدا صدا را در یک محدودهٔ کوتاه نگه داشتیم و به تدریج گذاشتیم که آخرین حرف واکدار ah-ee روی پایین‌ترین قسمت صدا بیاید.

او به من گفت که وقتی در تارهای صوتی‌اش گره وجود داشته با یک صدای خام و بسیار پایین که از سینه‌اش بیرون می‌آمده می‌خوانده است. همان طور که با او کار می‌کردم برایم جالب بود که فهمیدم این محدودهٔ بم (از ´g تا ´c) آخرین حد صدای او بود که به راحتی بیرون می‌آمد.

ما به تدریج کار روی گردش زبان به سمت جلو، نوک زبان در پشت دندان‌های جلویی و پهن بودن ماسک روی کلمهٔ nee (تمرین ۷ـ۱) فقط روی ۳-۲-۱ را شروع کردیم. سپس همین تمرینات را با nah روی ۳ـ۲ـ۱ انجام دادیم، بدون اینکه نت آخر را نگه داریم. سپس تمرین fee-ah را روی ۵ـ۳ـ۱ انجام دادیم و تا ´f بالا رفتیم و سرانجام به نت ´c برگشتیم.

بیش از سه یا چهار درس نگذشته بود که او به نزدمن آمد و گفت از وقتی که شروع به خواندن کرده بهتر می‌تواند صحبت کند. این امر موجب خوشحالی من شد زیرا می‌دانستم از آنجایی که صدای آواز خواندن در وسعتی بالاتر است، او مشکل کمتری با صدای صحبت کردنش خواهد داشت. صدای صحبت کردن وصدای آواز خواندن در ارتباط نزدیک با هم‌اند، به طوری که اگر کسی نادرست صحبت کند مطمئناً قادر نخواهد بود خوب بخواند. بنابراین مجبور بودیم که صدای صحبت کردن او را قبل از اینکه آواز بخواند به یک حد خوب برسانیم.

ما فهمیدیم که خواندن thee-ah در فاصلهٔ سوم از سه به یک، برای او در ابتدا آسان‌تر از thah-ee در همان فاصله است. بنابراین بتدریج کار کردیم و در نهایت ee را نیز اضافه کردیم، اما بعد از سه یا چهار درس توانستیم به این مرحله برسیم. تمرین boo واقعاً برای او آسان‌تر بود. و سرانجام توانستیم همهٔ اکتاورا تا ´f بالا برویم. اکنون ah براحتی ادا می‌شد. سپس ما از یک n که حرف واکدار را به جلو می‌آورد روی nee-ah استفاده کردیم، که حتی به نظر می‌رسید از thee-ah هم مفیدتر است. حالا فضاهای عقبی دهانش باز شده و زبان در قسمت عقب آزاد بود. نرم‌کام نیز آزاد بود. بنابراین توانستیم به راحتی روی تمرین nee-ah کار کنیم.

سپس روی hum-ee کار کردیم. در این تمرین حرف h از حلق ادا می‌شود و حرف m در زیر چشم‌ها پرطنین احساس می‌شود. به تدریج روی فاصلهٔ ۵ـ۳ـ۱ می‌رفتیم و می‌گفتیم thee-oh-ah و یک کمان را در داخل حفرهٔ دهانی به سمت پایین احساس می‌کردیم. ما روی اکتاو بالا ´c و تقریباً به طور پیوسته شروع کردیم که در ابتدا به نظر می‌رسید آنجا جایی است که صدا بسیار آزاد است. در تمام این مدت من از او می‌خواستم که تمرین عروسک پارچه‌ای و نفس‌گیری عمیق را چندین بار انجام دهد.

سرانجام از او خواستم تمرین lah-bay-dah-may-nee را و این بار روی فاصلهٔ ۵ـ۴ـ۳ـ۲ـ۱ انجام دهد. او باید نفس‌گیری می‌کرد و هر بار نیم‌پرده بالا می‌رفت و از لبخند داخلی و عضلات hook نیز استفاده می‌کرد. بعد از دو هفته او می‌توانست کل اکتاو را بخواند.

در این مرحله ما چند آواز کلاسیک ایتالیایی قدیمی را با استفاده از اصول تکنیکی که قبلاً روی آنها کار کرده بودیم شروع کردیم. شنیدن صدای او با چنین کیفیتی بسیار لذت‌بخش بود، این کار وقت زیادی می‌برد ولی هرگز به صدایش فشاری نیامد.

بعد از این کار تمرین ng (۵ـ۵ الف) را شروع کردیم و توانستیم ng را روی فاصلهٔ ۵، ۳، ۱ به طور استاکاتو انجام دهیم، به طوری که فک روی هر نت حرکت کند. و تا نت c پایین رفتیم. در تمام مدتی که روی این تمرین کار می‌کردیم، تمرین کشش شانه نیز فراموش نشد.

این یکی از بزرگ‌ترین و رضایت‌بخش‌ترین تجربه‌های من در تمام سال‌های تدریسم بود. هرگز اولین روزی را که همه چیز هماهنگ شده بود و او با یک صدای طبیعی صحبت می‌کرد، فراموش نمی‌کنم. هنگامی که او استودیو را ترک می‌کرد، اشک بر گونه‌هایش جاری بود. پس از گذشت یک یا دو هفته او گفت: «بسیار لذت‌بخش است که بتوانی صحبت کنی و مردم برنگردند و با تعجب به تو نگاه کنند که مشکلت چیست؟ چرا من نمی‌توانم با یک صدای طبیعی، مثل بقیهٔ افراد صحبت کنم؟ اگر صدای آوازم دوباره برگردد، این می‌تواند یک پاداش یا هدیه باشد. من با اتفاقی که دارد برای صدایم می‌افتد، بسیار هیجان‌زده‌ام.» من هم بسیار خوشحال بودم که صدای آوازش داشت برمی‌گشت و می‌توانست درس‌های آواز را ادامه بدهد.

بیمار بعدی که از آن صحبت خواهم کرد معلم مدرسهٔ ابتدایی بود. زمانی که پیش من آمد فقط می‌توانست با صدایی گرفته صحبت کند. او گفت صدایش را بتدریج و در طول سه سال از دست داده است. او که نمی‌خواست شغل معلمی‌اش را از دست بدهد، به روانپزشک و متخصص گفتاردرمانی مراجعه کرده بود، که روانپزشک او را نزد من فرستاد. وی معتقد بود که بیشترین مشکل این بیمار ناشی از هیجان است، اما از آنجا که آن روانپزشک خوانندهٔ خوبی هم بود گفت: «من تصور می‌کنم مشکل عمده‌اش علاوه بر هیجان ناشی از عملکردش است. شاید شما بتوانید به او کمک کنید.»

زمانی که با او شروع به کار کردم، راجع به گذشتهٔ او و فشارهای هیجانی‌ای که باعث شده بود صدایش رو به وخامت بگذارد سؤالاتی کردم. ساز صدا، خود یک ساز بسیار حساس است. افسردگی ناشی از فشار روحی، در گلو بیش از بقیهٔ اعضای بدن و بسرعت احساس می‌شود. امیدوارم که خوانندگان این کتاب، داستان ناراحتی‌های شخصی من را که در فصل ۷ به آن اشاره کردم به خاطر داشته باشند. من به طور حتم می‌دانم که احساسات به روی صدا تأثیر بسیاری دارد. شما همیشه می‌توانید از صدای یک شخص

بفهمید که او ناراحت، خوشحال، مریض یا هیجان‌زده است.

روانپزشک در پیدا کردن دلایل هیجان او بسیار مفید بود، و در این زمینه به او بسیار کمک کرد. من فقط به او گفتم که این فشارهای هیجانی هیچ کمکی به صدا نمی‌کند و تنها شرایط را برای او بدتر می‌کند. او روحیهٔ بهتری پیدا کرد و نسبت به قبل از مراجعه بـه روانپزشک، شناخت بهتری از خودش پیدا کرد. بنابراین من از همانجا شروع کردم و کار درمانی را ادامه دادم.

شانه‌های افتاده‌ای نداشت اما طرز ایستادنش صحیح نبود. بنابراین کار را با تمرینات فرم صحیح بدن شروع کردیم، دقیقاً مثل همان تمریناتی که به بیمار اول داده بودم.

همچنین از او خواستم که برای مدت یک هفته بلند صحبت نکند و هـر چـیزی را کـه می‌خواهد بگوید بنویسد، و به او توضیح دادم تا زمانی که عملکرد صحیح صدا را به دست نیاورده‌ایم اگر خارج از زمان درس صحبت یا زمزمه کند، فقط باعث کند شدن این مراحل می‌شود. قرار شد در اولین هفته فقط یک جلسهٔ سی دقیقه‌ای داشته بـاشیم و او اصـلاً صحبت نکند.

او بیماری بود که بسیار همکاری می‌کرد. بعد از اینکه طرز ایستادن بدن درست شد، ما کار روی ماسک را شروع کردیم. غیرممکن بود که او بتواند عضلات گونه را بالا ببرد. فقط زمانی که واقعاً شروع به خندیدن می‌کرد عضلات زیر چشم شروع به بالا آمدن می‌کرد. من به او گفتم، به فک اجازه بـدهد حـرکت کـند، درست از آن قسـمت پهنی کـه زیـر چشم‌هایش احساس می‌کند. در ابتدا انجام این کار برایش بسیار مشکل بود، بنابراین به او گفتم از آینه استفاده کند تا ببیند سعی دارد چه کاری را انجام دهد. در حدود سه هفته روی این تمرین کار کردیم تا بالاخره موفق شدیم.

ساختمان عضلانی او مثل بیماران دیگر هماهنگ نبود چون اصلاً خواننده نبود. و مـا مجبور بودیم روی قسمت سینه با کشاندن شانه‌ها به عقب کار کـنیم. ایـن کشش شـانه همیشه بعد از تمرین hook و نفس‌گیری عمیق با گردش بازو انجام می‌شد. بیشتر مواقع او را مجبور به انجام تمرین عروسک پارچه‌ای می‌کردم و سپس از او می‌خواستم بدون صدا بگوید: mah-mee-dah-dee؛ اما زبان او در دهانش بسیار بد به عقب کشیده می‌شد. سپس دوباره از او خواستم که به «پهنای لبخند» در زیر چشم‌ها فکر کند و فک را در عقب بسیار شل رها کند. (مفصل فک اغلب برای صدای صحبت کردن یا آواز خواندن مشکل ایجاد می‌کند و مردم اغلب با فک‌های بسیار سفت صحبت می‌کنند که این کار صـدای آواز را محدود می‌کند، زیرا تمام ساز را تحت فشار قرار می‌دهد.) از او خواستم که از نظر فیزیکی

عضلات ماسکش را تمرین دهد، فکش را حرکت داده و زبان را در جلو قرار بـدهد. در ابتدا زبان به هیچ وجه نمی‌خواست جلو بماند. او مجبور بود به آینه نگاه کـند و بسیار آگاهانه نه به طور مکانیکی به این عمل بپردازد.

او در ناحیهٔ پایین شکم بسیار ضعیف بود، بنابراین به او تمرین sh-sh-sh (تمرین ۶ـ۲۱) را دادم و اجازه دادم که شکم خیلی آهسته بیرون بیاید و سپس سینه پهن شود. در درس چهارم شروع به نفس‌گیری عمیق کردیم. وقتی به داخل دهان او نگاه می‌کردم به هیچ وجه نمی‌توانستم نرمکام را ببینم. من به او تمرین ng-ah (فـصل ۷) را دادم، امـا دوبـاره هـیچ صدایی ایجاد نشد، زیرا خود صدا با بستن گلو مشکلات بـیشتری ایـجاد مـی‌کرد. بـعد تمرینی را بدون صدا شروع کردیم که گلو را ماساژ دهد. از او خواستم کـه فـقط بـگوید mah-dah و ماسک را پهن نگه دارد و به فک اجازه بدهد خیلی شل حرکت کند، اما صدایی بیرون نیاید.

در درس پنجم بود که احساس کردم او از تمام قفسهٔ سینه استفاده نمی‌کند. حـتی در تمرین نفس‌گیری با گردش بازو ـ من قبلاً به او دو درس داده بودم، بنابراین کشش باله را نیز اضافه کردم (شکل ۴ـ۷).

در درس هفتم بود که شروع کردیم به نفس‌گیری عمیق با بینی، ماسک پهن، تمرین hook و احساس فضا و تمرین nah-dah-lah. صدا شروع کرد به بیرون آمدن از گلو، بدون اینکه بگیرد ـ قبلاً صدا بیرون می‌آمد ولی ناگهان متوقف می‌شد و این عـمل دوبـاره تکرار می‌شد. در طی درس بعدی تمرین mah-may-may و سپس lah-bay-dah را شروع کـردیم. بعد تمرین hook و پس از آن تمرین may-nee-poh را انجام دادیم.

بعد از این درس، او را مجبور کردم که فقط از عضلات استفاده کند، بدون هیچ صدایی، طوری که گویی می‌خواهد بگوید ming، و در زیر چشم‌ها کشش به سمت بالا را احساس کند. او باید فقط عضلات را به کار می‌گرفت و فکر می‌کرد که آن صدا کجا باید بنشیند و آن صدا هنگامی که می‌گوید ming کجا می‌نشیند. عضلات چهره و احساس و فکر برای شروع تمرین mah-dah-lah باید روی کوک خیلی بالایی باشد. قبلاً به او گفته بودم که به سـطح کوک فکر نکند، بلکه فقط بگذارد که صدا جایی که می‌خواهـد، بـیاید. او هـنگامی کـه صحبت می‌کرد صدایش شبیه صدای بچه بود.

برای صحبت کردن باید از بین دندان‌ها و با احساس قدرت زیاد، از زیر جناغ سینه برای حمایت از صدا کمک گرفت، بنابراین ما کار روی preh (تمرین ۵ـ۶) را شروع کـردیم، بدون هیچ صدایی فقط با حرکت لب بالایی. از او خواستم که چندین بار این تـمرین را

انجام دهد. و این تمرین را در حدود دو هفته انجام داد. سپس از او خواستم کـه تـمرین lah-bay-dah-may-nee-poh-too را انجام دهد و روی قدرت لب بالا تمرکز کند تا کوک در قسمت دندان‌ها پایین بیاید. به او اطمینان دادم که اگر از عضلات پایین شکم کمک بگیرد و حفره‌ها باز باشند و عضلات چهره کاملاً هماهنگ باشند ـ که شامل لب بالا و مـاسک می‌شود ـ کوک صدایش به سطحی که می‌خواهد پایین می‌آید، و این دقیقاً همان چیزی است که اتفاق افتاد.

در شروع درس ششم، او روی کارت نوشت ـ من هنوز به او اجازه نداده بودم خارج از تمرین‌های درس صحبت کند ـ «زمانی که به تنهایی دارم کار مـی‌کنم انـتظار دارم کـه صدایم بد باشد و می‌ترسم که صحبت کنم. اما زمانی که تمرین مـاسک، حـالت زبـان، نفس‌گیری‌های عمیق با بینی و نفس‌گیری با گردش بازو را انـجام مـی‌دهم، هـمه چـیز هماهنگ می‌شود و بدون هیچ مانعی در گلویم می‌توانم صحبت کنم.

شما نمی‌توانید ترس و اطمینان را با هم داشته باشید. وقـتی در مـورد بـعضی چـیزها می‌ترسید فوراً مانع آن می‌شوید. «خودت قبلاً گـفته‌ای زمـانی کـه تـمرینات را انـجام می‌دهی، و بعد صحبت می‌کنی، صدا خوب بیرون می‌آید. بنابراین اطمینانت را بـه ایـن تمرینات نگه دار و ترس را از ذهنت بیرون بریز.» این درس در پایان هفتۀ دوم بود ـ بـه خاطر داشته باشید که من سه بار در هفته با او کار می‌کردم ـ و این اولین باری بود کـه او صدای طبیعی و سالمی داشت.

در شروع هفتۀ سوم همانند همۀ درس‌های قبل با hook، گردش بـازو، کشش شـانه، نفس‌گیری عمیق با بینی ـ که او می‌توانست آن را با زبان به حالت طبیعی انجام دهد ـ و ng-ah، هنوز بدون هیچ صدایی و سپس hum را روی یک نت شروع کردیم، نتی که برای او آشنا بود. این اولین باری بود که با او خواندن یک صدا را شروع کردم.

در درس بعدی او پرسید که آیا من دوست دارم نواری را گوش بدهم که در طول تمرین انجام داده است. او یک شعر کودکانه خوانده بود و بسیار جالب بود که مـی‌دیدم چـقدر راحت می‌خواند. او گفت که پس از آواز خواندن، صحبت کردن بـرایش آسـان‌تر شـده است. حتماً به خاطر دارید که چنین اتفاقی برای بیمار دیگری نیز پیش آمده بـود. او در صدای صحبت کردن پیشرفت داشت و دیگر گلویش نمی‌گرفت، بنابراین شروع به آواز خواندن کرد. او همچنین گفت که بعد از آواز خواندن صحبت کردن برایش آسان‌تر است. دوباره برای من ثابت شد که چقدر عملکرد صدای آواز خواندن و صحبت کردن به هـم نزدیک‌اند. از آن پس ما روی آواز خواندن کار می‌کردیم، سپس صحبت کردن. من مجبور

شدم که درحدود دو هفته و نیم تعطیل کنم و بسیار مشتاق بودم که بدانم او در غیاب من چه پیشرفت‌هایی داشته است. او می‌توانست با صدای طبیعی صحبت کند ولی هنوز مجبور بود به طور مدام روی بسیاری از تمرینات مثل قفسهٔ سینهٔ پهن، ماسک و باز شدن قسمت عقب گلو با آگاهی فکر کند.

مراحل مقدماتی

اولین مرحله در ساختن صدا فرم صحیح بدن می‌باشد که برای نفس‌گیری صحیح بسیار ضروری است. لبخند داخلی مساله بعدی است که باید راجع به آن فکر کرد. هـماهنگی صحیح ماسک، زبان و فک نیز بسیار حیاتی است.

۱. اولین تمرینی که معمولاً استفاده می‌شود fah-ee-ah است. بعد هنرجو باید این تمرین را متوقف کند و hook را قبل از هر یک از تمرینات گفته‌شده انجام دهد، طوری که قسمت پایینی شکم فوراً فعال شود و شش‌ها پر از هوا شوند، سینه ـ نه شانه‌ها ـ صاف بالا بیاید و به صورت فراخ باشد. ah آخر نباید کشیده شود، این تمرین باید یک یا دو بار انجام شود، بستگی به شخص دارد. فک باید خیلی شل از محور خود حرکت کند و ماسک‌های زیر چشم‌ها پهن باشد. همین تمرین باید روی fee-ah-ee انجام شود.

۲. mah: ماسک باید پهن باشد و mah را نباید بکشید.

۳. نفس‌گیری عمیق با بینی (شکل ۸ـ۵).

۴. ng-ah: همان طور که در فصل ۷ توضیح داده شده آن را با صدای صحبت انجام دهید نه آواز.

۵. lah-bay-dah-may-nee-poh-too: هر سیلاب را جدا با شکم که بین هر سیلاب به بیرون می‌زند انجام دهید. ماسک باید به خاطر لبخند داخلی پهن باقی بماند و سپس سه سیلاب باید در یک زمان گفته شود. سعی کنید بین هر سه سیلاب نفس نگیرید تا زمانی که همهٔ آنها را بتوانید با فضاهای باز در گلو و یک ماسک قوی با یک نفس بخوانید.

زمانی که معلم روی این مسائل کار می‌کند باید کاملاً مثبت فکر کند و کمک‌های لازم را به هنرجو بکند و با شوخی تنش را کاهش بدهد. معلم باید بتواند هنرجویان را به راحتی به لبخند زدن و خندیدن وادارد، به طوری که ماسک بالا برود و فضای حنجره باز شود. نکتهٔ دیگر این است که اگر حرف بی‌صدایی نگذارد حرف واکدار بعدی‌اش به راحتی ادا شود، معلم نباید با آن حرف بی‌صدا ادامه دهد، بلکه باید تغییرش دهد. همیشه از اصول حروف بی‌واک و با صدا که در فصل ۸ آمده پیروی کنید.

کنار آمدن با جراحی

برای همهٔ ما جراحی کردن خبر بدی است. به هر حال علم پزشکی چنان پیشرفتی کرده است که من دیگر مثل قبل از جراحی نمی‌ترسم. در اینجا من از شرایط بدی که جراحی در گذشته به وجود آورده چیزی نمی‌نویسم، ولی معتقدم که در مورد خوانندگان باید احتیاط شود.

به پزشک متخصص بیهوشی باید گفته شود که مریض او یک خواننده است. در حین بیهوشی یک لولهٔ نای‌مانند باید از تارهای صوتی عبور داده شود. یک متخصص بیهوشیِ خوب باید دقت کند که اندازهٔ این لوله متناسب باشد، یعنی نه خیلی بزرگ و نه خیلی کوچک. و همان طور که آن را از میان تارهای صوتی عبور می‌دهد باید مواظب باشد که خراش ایجاد نشود.

اگر جراحی شکم صورت می‌گیرد، جراح باید از مشکلات بالقوهٔ چنین جراحی‌ای برای یک خواننده آگاه باشد. و تا جایی که ممکن است باید مراقبت‌های لازم را به عمل بیاورد تا هیچ گونه بافت ناشی از زخم در عضلات شکم شکل نگیرد و قابلیت ارتجاعی عضلات شکمی که در کنترل تنفس بسیار مهم است، از بین نرود.

سعی کنید بعد از جراحی‌های بزرگ زود شروع به آواز خواندن نکنید. یک بیهوشی عمومی همیشه شوک بسیار بزرگی برای بدن است. خواننده باید به بدن وقت بدهد که بهبود پیدا کند و نیرویش را به دست بیاورد، و به آن سطحی که قبل از جراحی آواز می‌خواند برسد.

بعد از عمل لوزه چه باید کرد

عمل لوزه زمانی انجام می‌شود که لوزه‌ها آن قدر مریض‌اند که ممکن است باعث بیماری بدن شوند یا آن قدر بزرگ شده‌اند که با سنگینی نرم‌کام را به پایین می‌کشند، و باعث بسته شدن حفرهٔ گلو می‌شوند. اگر خواننده چنین مشکلی دارد، برای برداشتن آن باید به بهترین دکتر حنجره مراجعه کند. عمل لوزه یک عمل کوچک نیست و خواننده باید بداند چه کاری می‌خواهد انجام دهد.

یکی از شاگردان من که یک فینالیست در آزمون صدای متروپولیتن[1] و همچنین یک فینالیست در مسابقات انجمن ملی معلمان آواز بود، لوزه‌اش را عمل کرد و عمل با

---

1. Mertopolitan

موفقیت انجام شد. بعد از عمل ما دستورات متخصص حنجره را بسیار دقیق دنبال کردیم و تا ده روز بعد از عمل بدون اینکه هیچ گونه صدایی ایجاد کند منتظر ماندیم. بعد از آن فقط پنج دقیقه در روز صحبت می‌کرد، و کم‌کم این مدت را تا ده دقیقه در روز افزایش دادیم. دکتر توضیح داده بود که این مانع از ایجاد چسبندگی و هر گونه خونریزی قبل از بهبود کامل می‌شود.

پس از دو هفته درس اول را فقط به مدت سی دقیقه گرفت. جلو آمدن صدا خوب بود و صدا هم سالم بود و به آسانی حرکت می‌کرد. او تمرین ng (تمرین ۵ـ۵ ج) را تا ″b انجام داد (این کوک در وسعت طبیعی صدایش بود). زمانی که او شروع به آواز خواندن کرد ما روی آوازهای کلاسیک ایتالیایی قدیمی کار کردیم. در درس روز بعد صدا روی ng تا ‴#C رفت.

در درس سوم و سه روز بعد، او آرپژها را می‌خواند (تمرین ۶ـ۲۹ الف) تا ‴#C، اما در هنگام شروع آواز خارش و سوزشی در گلو احساس می‌کرد و این علامتی برای من بود که روی نت بالاتر نروم. اگر شخصی برای مدتی از عضلات بدنش، هر کجای بدنش، استفاده نکند (مانند یک دست شکسته که برای اولین بار از گچ بیرون می‌آید)، هنگامی که جریان خون شروع به حرکت طبیعی خود می‌کند سوزش کمی در آن ایجاد می‌شود. در مورد گلو هم همین طور است وقتی خواننده برای مدتی صدایی را ادا نمی‌کند، و بعد از آن مدت دوباره شروع به خواندن می‌کند و می‌خواهد به محدودهٔ زیر برود، گلویش کمی سوزش یا خارش پیدا می‌کند تا اینکه ساختمان عضلات کاملاً هماهنگ شود. او باید مدتی منتظر بماند تا این حالت رفع بشود و دوباره بتواند ادامه دهد، اما نباید تا محدودهٔ زیر صدا برود.

به جز تمرینات ng که برای شروع از آن استفاده می‌کردیم تمرینات تریاد را نیز انجام می‌دادیم: fah-ee-ah (۱ـ۳ـ۵)، fee-ah-ee (۵ـ۳ـ۱) kee-kah-kee (۱ـ۳ـ۵) و flah-flah-nee-ah-ee (۱ـ۳ـ۵ـ۳ـ۱).

نیازی نبود که صدایش دوباره بازسازی شود. اما دقت در استفاده از عضلات بسیار مهم بود. در درس دوم ما از گام‌های پایین‌رونده پنج صدایی استفاده کردیم.

این هنرجو یک ماه بعد از عمل، آواز روسینی را می‌خواند (una-voce poca fa). و صدایش به نظر قوی‌تر از قبل از جراحی بود. (این بدان معنی نیست که شما را تشویق به عمل لوزه بکنم. اما من از یک جراح خوب سپاسگزارم) اما صدای زیر کاملاً تا زمانی که نرم‌کام انعطاف‌پذیر نشد، باز نگشت. جراح به ما گفت که عدم انعطاف‌پذیری نرم‌کام، به

خاطر اثر زخمی است که از جراحی باقی مانده است. و این مشکل به مرور زمان با تمرین k و نفس‌گیری عمیق با بینی رفع شد.

او تا پنج درس اول چهل و پنج دقیقه بیشتر نمی‌توانست بخواند زیرا بدنش هنوز کاملاً بهبود نیافته بود و به او گفته شده بود که از انجام تمرینات فیزیکی بپرهیزد ـــ تا سه هفته بعد از جراحی نباید دوچرخه‌سواری می‌کرد ـــ تا اینکه زخم‌هایش کاملاً خوب شود زیرا امکان خونریزی وجود داشت. (به ما گفته شده بود که خونریزی خیلی بـندرت اتـفاق می‌افتد و تقریباً هیچ‌گاه بعد از روز هفتم اتفاق نمی‌افتد.) در درس پنجم قفسهٔ سینه هنوز قدرت قبل را نداشت بنابراین قبل از شروع اجرای آریاهای دراماتیک در مـحدوده‌های زیر منتظر ماندیم تا بدن قدرت کامل خود را به دست بیاورد. از درس پنجم بـه بـعد او می‌توانست به مدت یک ساعت بخواند.

بعد از جراحی زمان از اهمیت زیادی برخوردار است. بـدن بـاید قـوی بـاشد وگـرنه احساس می‌کنید که گلو هم درگیر خواندن است، چیزی که ما اصلاً نمی‌خواهیم. هـرگز نباید در گلو چیزی احساس شود. خواننده تا بدنش به اندازهٔ کافی قوی نشده یک آریای دراماتیک خیلی بلند را نباید یکدفعه بخواند. وقتی بدنش قدرت کافی را برای حـمایت نفس به دست بیاورد، در آن زمان ساز صدا به بهترین نحو خود عمل خواهد کرد.

فصل ۱۳

سؤالات کلیدی همراه با جواب

سؤالات زیر به طور مکرر در استودیو و سمینارها مطرح شده که مربوط به نکات کلیدی این کتاب است:

ــ می‌توانم خواهش کنم صدای متعادل را توضیح دهید.
صدایی است که از عضلات جلویی و عضلات درونی در یک زمان استفاده کند.

ــ چرا لغات را در آواز فرانسه می‌توان حذف کرد اما در آواز انگلیسی خیر؟
زیرا حذف کردن یکی از ویژگی‌های زبان فرانسه است ولی در زبان انگلیسی این طور نیست.

ــ اگر فقط یک طرف لب بالایی به سمت بالا کشیده شود چه کار باید کرد؟
ابتدا باید به صورت ذهنی و سپس به صورت فیزیکی آن قسمت را بالا کشید. در طول روز این کار را در زمان‌های مختلف چندین بار باید انجام داد.

ــ ممکن است راجع به جای عضلات بالابرنده بیشتر توضیح دهید و بگویید که چه موقع از آنها استفاده می‌شود؟
عضلات عقبی در محل نرم‌کام، و عضلات جلویی در بینی، و عضلات ماسک در صورت قرار دارند و همهٔ آنها برای ایجاد حالت‌های مختلف به کار گرفته می‌شوند (فصل ۱۰).

ــ منظور شما از اصطلاح صدای خنثی چیست؟

حرف واکداری است که در هنگام ادا شدن خیلی کم صدا می‌دهد مانند سیلاب آخر evil (فصل ۸).

ــ چه مدتی شما هنرجویان را در یک محدودهٔ معین نگه می‌دارید. آیا به تـدریج، محدودهٔ تمرین را با تمرینات اولیه گسترش می‌دهید؟

صدای هنرجویان با یکدیگر فرق می‌کند. ابتدا صدا به تدریج یعنی نیم‌پرده به نیم‌پرده گسترش پیدا می‌کند. پس از آن صدا در محدودهٔ زیر یا بم در مدت یک هفته یک پرده و گاهی یک و نیم پرده افزایش می‌یابد تا وسعت نـهایی آن صـدا بـه دست بـیاید. هنرجویانی که بین دروس به طور مکرر و با تمرکز کـامل تـمرین مـی‌کنند هـمیشه پیشرفت می‌کنند.

ــ نظرتان دربارهٔ تأثیر احساسات روی صدا چیست؟

مرد سی ساله‌ای را می‌شناسم که صدایش مانند کل بدنش بیش از اندازه سفت بود، تا اینکه عاشق شد. با اینکه بعضی از مشکلات آوازی او فوراً از بین رفت یا بهتر بگویم، مشکل او یعنی تنش بیش از حدش از بین رفت، اما مشکلات دیگری جایگزین آن شد. احساسات تأثیر فوق‌العاده‌ای روی صدا دارند. ناراحتی، فشـارهای عـصبی و نگرانی‌ها همه باعث سفت شدن تارهای صوتی مـی‌شود. خـوشحالی نـیز هـمیشه خودش را در صدا نشان می‌دهد.

ــ از کجا می‌توانم طرح تارهای صوتی را تهیه کنم؟

آن را از کتاب‌های پزشکی تهیه کنید، یا فصل ۳ را مطالعه کنید.

ــ چرا از هنرجویان می‌خواهید تمرین hook را چندین بار در طی درس انجام دهند؟

می‌خواهم از رهاکردن عضلات پایین شکم و نفس‌گیری صحیح اطمینان حاصل کنم.

ــ در مورد بالا یا پایین رفتن سر چه باید کرد؟

هنرجویانی که سرشان را تکان مـی‌دهند مـعمولاً روی احسـاساتشان بـا نت‌هـا یـا ضربه‌های ریتم تأکید می‌کنند. آنها خیلی ساده باید تعلیم ببینند که این کـار را انـجام ندهند. سر نباید سفت و محکم باشد، همین طور نباید آن را به بالا یا پایین حرکت داد و برای تأکید روی کلمات از آن استفاده کرد.

ــ گفتید به جای تمیز کردن گلو سرفه کنید، در صورتی که در یکی دیگر از سمینارها گفته بودید وقتی می‌خندیم یا سرفه می‌کنیم یا فـریاد مـی‌زنیم یـا گـلو را تـمیز می‌کنیم، تارهای صوتی به یک صورت کشیده می‌شود.

تمیز کردن گلو و سرفه کردن سبک انواع مختلف سرفه‌اند، یک سـرفهٔ سـبک فـقط فرستادن جریان کمی از هوا روی تارهای صوتی است و بیشتر شبیه تـمرین hook می‌باشد.

ــ با توجه به تمرین belting (تمرین ۶ـ۳۲)؛ ۱. آیا بینی در تمام مدت تمرین گرفته می‌شود یا فقط در قسمت اول؟ ۲. آیا این تمرین فقط در زمانی انجام می‌شود که صدای belting می‌خواهیم یا اینکه هر روز با دیگر تمرینات باید انجام شود؟ ۳. آیا می‌توان تمرین belting را انجام داد، و در عین حال « صدای کنسرت » را نیز حفظ کرد؟

۱. بینی برای دو قسمت تمرین نگه داشته می‌شود.

۲. این تمرین فقط برای ایجاد صدای belting استفاده نمی‌شود بلکه فواید دیگری هم دارد؛ و باعث ایجاد تمرکز در صدا می‌شود. من هر روز از آن استفاده می‌کنم.

۳. می‌توانید تمرین belting را انجام دهید و صدای کنسرت را نیز حفظ کنید، البته اگر تمام قطعات ادبی کنسرت و تمرینات دیگر را ادامه دهید (فصل ۱۰).

ــ گاهی اوقات باید روی کوک بم و با صدای بلندتر آواز خواند. آیا تمرینات خاصی وجود دارد که در این زمینه مؤثر باشد؟

از تمرین hee-ah (تمرین ۶ـ۱۲) استفاده کنید، از بـه کـارگیری پـاها، نـفس‌گیری و عضلات پایین شکم اطمینان حاصل کنید. همچنین تمرین waw-ee (۶ـ۱۳) را انجام دهید.

ــ آیا هنرجویان پیشرفتهٔ شما نیز همین تمرینات مبتدیان را انجام می‌دهند؟

بله، آنها همیشه با تمرینات مبتدی شروع می‌کنند تا صدایشان گرم شـود، سـپس از تمرینات پیشرفته استفاده می‌کنند.

ــ یک رهبر کر چطور می‌تواند از بخش آلتوهای جوان صدایی سالم به دست بیاورد؟

با توجه به اینکه آلتوهای تعلیم‌ندیده معمولاً نمی‌توانند در محدودهٔ آلتـو بـدون نفس زدن بخوانند؟

آلتوهای جوان اغلب هیچ تمرکزی روی صداهایشان ندارند و باید از تمرین preh (۵ـ۶) و ning-ee و ning-ah (تمرین ۵ـ۴) استفاده کنند تا صدا به جلو بیاید. اگر سعی کنید که صدا را به جلو بیاورید، به آن فشار وارد خواهد شد؛ برای پیش بردن صدا به زور متوسل نشوید، صدا خودش بیرون خواهد آمد. کوک صدای آلتوی بم بیشتر از بین دندان‌ها و همین طور از قسمت بالای سینه و تقریباً زیر استخوان گردن احساس می‌شود طوری که انگار روی نت‌های بم‌تر قرار می‌گیرد.

ــ صدای بم چیست؟ و کجا قرار دارد؟

اگر صدا مستقیماً از میان حفرهٔ دهانی بدون هیچ کمان (قوسی) بیرون بیاید آن صدا، صدای خام سینه محسوب می‌شود. در محدوده‌های پائین‌تر صدا ، و با وجود آنکه صداها بم هستند و رزنانس صدای سینه را دارند، اما همیشه باید مقداری از رزنانس صدای سر را هم در خود داشته باشند.

ــ در کرهای مبتدی چهل و پنج نفره، صدای یک سوپرانو بسیار باشکوه است، اما او به طور پیوسته فالش می‌خواند، بهترین راه برای تصحیح آن چیست؟

شخصی که فالش می‌خواند احتمالاً به صدایش دارد فشار وارد می‌کند یا به زور آن را به جلو می‌کشاند. صدا باید در حد تعادل باشد (عضلات جلویی و عقبی). از تمرین preh (۵ـ۶) و نفس‌گیری عمیق با بینی (تمرین ۵ـ۸) استفاده کنید و مطمئن شوید که نفس‌گیری کامل است. از تمرین kah روی یک نفس برای فعال کردن کام‌ها استفاده کنید.

ــ چطور می‌توان یک گروه کر مبتدی را تشویق کرد که بیشتر خودشان را نشان دهند، یعنی در هنگام کنسرت بهتر بخوانند؟

اگر کسی از یک گروه یا یک شخص صدای بلندتری بخواهد، معمولاً صدای کمتری به دست می‌آورد، زیرا در این صورت هنرجو با زور به گلویش فشار وارد می‌کند. اگر به نفس‌گیری و تلفظ آنها بیشتر توجه کنید بهتر می‌توانند بخوانند.

ــ یکی از هنرجویان پایه نُه من در صدایش هوا داشت. او از پایهٔ هفتم به بعد حتی با تمرینات نفس‌گیری کمتر پیشرفت کرده بود. برای صداهایی که با هوای بسیار همراه هستند چه پیشنهادی دارید؟

نفس‌گیری برای حذف هوا در صدا بسیار مهم است. تمرینات داده‌شده برای کنترل نفس در این کتاب بسیار ضروری است. در این سطح ممکن است نفس‌ها بیشتر شود اما به تدریج همان طور که نفس و صدا هماهنگ می‌شوند آن هوا از بین می‌رود و صدا رزنانس پیدا می‌کند. این امر نباید به زور انجام شود.

ـ چرا ایجاد ویبراتو در صداهای روشن ضرر دارد؟

زیرا عضلات نرم‌کام و ناحیهٔ حنجره محدود می‌شود، و این عمل بیشتر مواقع ضرر دارد.

ـ آیا ممکن است یک صدا رزنانس داشته باشد ولی ویبراتو نداشته باشد؟

فکر نمی‌کنم.

ـ آیا هیچ مدرک علمی وجود دارد که نشان دهد لوزه‌ها در ایجاد صدا مؤثرند، و آیا باید آنها را برداشت؟

زمانی که لوزه به طور غیرطبیعی بزرگ است، قسمتی از فضای ناحیهٔ حلقی را مسدود می‌کند و صدا نمی‌تواند با قدرت قبلی بیرون بیاید. لوزه‌ها را بر ندارید، مگر اینکه به طور جدی مریض باشند و باعث بیماری شوند، یا اینکه خیلی بزرگ باشند و نرم‌کام را به سمت پایین بکشند و فضای عقب حفرهٔ دهانی را ببندند (فصل ۱۲).

ـ چه تمرینی برای نیرومند کردن عضلات شکم مناسب است تا از لرزش‌های احتمالی که در زمان آواز خواندن اتفاق می‌افتد جلوگیری شود؟

Hook و تکنیک الکساندر و نفس‌گیری با گردش بازو (شکل ۴ـ۲ تا ۴ـ۶). شاید عضلات شکم به این دلیل تکان می‌خورد که موقع آواز خواندن به صدا فشار می‌آورید، یا خواندن آن قطعهٔ آوازی برایتان مشکل است.

ـ چند بار این تمرینات را باید انجام داد، آیا دفعات تمرینات با پیشرفت هنرجو افزایش پیدا می‌کند؟

هر تمرینی باید روی سه، چهار یا پنج نیم‌پرده انجام شود. سپس می‌توان آن تمرین را تغییر داد. به خاطر داشته باشید که با این تمرینات عضلات کوچکی را گرم می‌کنیم که تارهای صوتی و نرم‌کام و غیره را کنترل می‌کنند. بنابراین همان طور که پیشرفت می‌کنند تعداد دفعات تمرینات را افزایش ندهید.

ــ در زمان آواز خواندن زبان باید چگونه باشد؟

زبان همیشه باید پهن، شل، آزاد و به طرف جلو در مقابل دندان‌های پایینی جلو قرار بگیرد. زبان روی a، ay، ee، eh و ih قوس پیدا می‌کند، اما مجبور نیستید خودتان آن را قوس دهید. به هر حال زبان باید همیشه در داخل دهان باشد.

ــ آیا اندازهٔ جثه با اندازهٔ صدا ارتباط مستقیم دارد؟ آیا یک شخص ریزنقش می‌تواند واگنر بخواند؟

من هرگز نشنیده‌ام که افراد ریزنقش واگنر بخوانند، اما شنیده‌ام که این افراد صدای گفتاری خوبی دارند. صدا برای زیبا بودن حتماً نباید بزرگ باشد. در یک صدای بزرگ بدن با نفس‌گیری عمیق پهن‌تر می‌شود. اغلب خوانندگانی که صداهای بزرگی دارند، سینه‌شان پهن و بزرگ و شبیه یک بشکه است.

ــ چند ساعت قبل از اجرا باید غذا خورد؟ چه مقدار باید خورد؟ آیا گرم یا داغ بودن غذاهای آبکی عملاً به صدا کمک می‌کند یا فقط موجب استراحت عضلات می‌شود؟

دو یا سه ساعت قبل از اجرا غذا بخورید. مقدار غذا خوردن در افراد متفاوت است. یک بار کرستن فلگستد[1] را دیدم که بین دو پردهٔ اپرا داشت می‌خورد. چایی نعنایی با عسل برای گرم کردن عضلات گلو مناسب است. مایعات گرم با نرم و ارتجاعی کردن عضلات گلو و نرم‌کام، به صدا کمک می‌کنند. همان طور که می‌دانید مایعات با تارهای صوتی تماس پیدا نمی‌کنند.

ــ چه مدت قبل از اجرا باید ساکت بود و حرف نزد؟

بیشتر روز را (فصل ۱۰).

ــ با توجه به اینکه نمی‌توان به صدای خود گوش داد اگر کسی نادرست تمرین کند چه اتفاقی می‌افتد؟

باید با احساسات ایجادشده پیش رفت. این احساسات را در هنگام خواندن نمونه‌های مختلف حروف بی‌واک و صدادار در قسمت‌های مختلف حفرهٔ دهانی و ناحیهٔ حلقی بینی می‌توان احساس کرد. در زمان آواز خواندن هیچ احساس فیزیکی نباید در گلو ایجاد شود.

---

1. Kirsten Flagstad

ــ چگونه این تمرینات در زنان و در دوران حاملگی و بعد از آن تأثیر می‌گذارد؟

انجام این تمرینات در دوران حاملگی بسیار خوب است زیرا باعث قوی‌تر شدن عضلات شکم می‌شود. بعد از آن زنان نباید آوازهای سنگین بخوانند تا اینکه قدرت بدن کاملاً برگردد.

ــ آیا بالا بردن وزنه در هنگام آواز، به خواندن کمک می‌کند؟

خیر، وزنه‌برداری فقط برای بدنسازی است. هرگز در هنگام آواز خواندن این کار را انجام ندهید.

ــ چطور می‌توان فهمید که سر تراز است؟

در اوایل کار که به حالت صحیح عادت ندارید، ممکن است مجبور باشید به آینه نگاه کنید. باید احساس کنید که سر بدن را حمل می‌کند (فصل ۴).

ــ آیا یک صدای «کوچک» یا «تودماغی» می‌تواند تبدیل به یک صدای بزرگ شود؟ یا اینکه بعضی صداها کاملاً محدودند؟

همهٔ صداها می‌توانند رشد کنند. به هر حال در بعضی موارد محدودیت‌های فیزیکی خاصی وجود دارد. تا زمانی که مطالعهٔ صحیح دنبال نشود این نکته معلوم نیست. اگر صدای خواننده‌ای تودماغی باشد و با استفاده از این تمرینات تودماغی بودن آن کاهش نیابد، یک متخصص حنجره باید او را معاینه کند و ببیند که آیا قسمت نرمکام سالم و طبیعی است، آیا دیوارهٔ بینی صاف است، آیا لوزهٔ حلقی و لوزه‌ها مانع ایجاد نکرده است؟

ــ چرا تمرین ng وسعت صدا را زیاد می‌کند؟

زیرا روی عضلات درونی کار می‌کند و به افزایش وسعت صدا کمک می‌کند.

ــ آیا تمامی تمرینات مقدماتی برای صداهای زیر و مبتدی مناسب‌اند؟

تمامی تمرینات فصل ۵ کاملاً مناسب و مطمئن‌اند. البته به استثنای تمرین ng که باید با دقت در هر مرحله کنترل شود.

ــ اگر تارهای صوتی خواننده ملتهب باشد، آیا یک متخصص حنجره می‌تواند مشکل او را حل کند؟

مطمئناً متخصص حنجره می‌تواند به او کمک کند. اما باید علت تورم تارهای صوتی را پیدا کرد و آن را از بین برد. در صورتی که این یک حالت همیشگی است توصیه می‌شود که حرف نزنید، آواز هم نخوانید و به یک متخصص حنجره و یک معلم آواز خوب مراجعه کنید.

ـ آیا برای گفتن ng زبان باید در پشت دندان‌های عقب باشد و سقف دهان را لمس کند؟

نوک زبان باید در پشت دندان‌ها باشد اما لازم نیست قسمت عقب آن سقف دهان را لمس کند (شکل ۵ـ۹).

ـ آیا به نظر شما نشان دادن راه صحیح و نادرست در ایجاد یک صدا به هنرجویان مهم است؟

اگرچه این کار ضروری نیست، ولی فکر می‌کنم مفید است. و این یکی از دلایلی است که من نوارهای ویدیویی آواز را ساخته‌ام.

ـ اگر از لب‌های بالا استفاده شود صدای بهتری ایجاد خواهد شد. چرا این تکنیک غیرطبیعی به نظر می‌رسد؟

تمرینات لب بالایی بتدریج عضلات جلویی را قوی می‌کند به طوری که از بیرون شاهد هیچ چیز غیرطبیعی‌ای نخواهیم بود. و عضلات داخلی لب به تدریج قوی‌تر می‌شود.

ـ چطور می‌توانیم از انجام صحیح این تمرینات مطمئن شویم؟

با نگاه کردن به آینه و احساس آزاد بودن صدا.

ـ منظور شما از اینکه «اجازه دهید فک خیلی سبک حرکت کند» چیست؟

یعنی با فشار به سمت پایین کشیده نشود یا هیچ احساس عضله‌ای در آن وجود نداشته باشد (فصل ۷).

ـ آیا در هنگام آواز خواندن باید به پایین آوردن حنجره فکر کنیم؟ و آیا این برای سلامتی صدا مضر نیست؟

خیر، زمانی که نفس‌گیری، و عمل فک و زبان صحیح انجام شود، حنجره خود به خود تنظیم می‌شود.

ــ بعضی از معلمان از هنرجویان می‌خواهند که فکشان را تکان بدهند زیرا می‌خواهند کشیدگی عضلات را مرتب کنترل کنند، آیا شما این تکنیک را توصیه می‌کنید؟

نه، فک همیشه باید درست به سمت بالا و پایین حرکت کند و از محور خود بسیار شل باشد (فصل ۷).

ــ هدف از شروع تمرین hee-ah با یک h چیست؟

h حرف حلقی است و برای ادای آن از قسمت پایینی شکم کمک می‌گیریم که بـرای نفس‌گیری بسیار مهم است (تمرین ۵ـ۱).

ــ آیا درست است که برای حذف هوا از صدا، کل صدای بم را تا قسمت پاساژ صدا بالا ببریم؟

کل صدای بم را بالا نبرید، بلکه از قسمت پایینی صدای زیر کمک بگیرید. من از واژهٔ پاساژ استفاده نمی‌کنم. همان طور که می‌دانیم ساز صدا به طور طبیعی در دو نقطه در گام تنظیم می‌شود، اما نباید راجع به تنظیم آن فکر کنیم، خودش تنظیم می‌شود. مـا فقط بین نقاط تنظیم و نفس‌گیری هماهنگ با ng (تمرین ۵ـ۵) ارتباط ایجاد می‌کنیم، که این باعث می‌شود شکستگی در صدا از بین برود. وقتی نفس‌گیری صحیح باشد، با استفاده از این تمرینات صدا رزنانس پیدا کند و هوا از بین می‌رود. هوای موجود در صداکه به علت بیش از حد خواندن یا نادرست خواندن ایجاد می‌شود با رفع علتش از بین می‌رود.

ــ آیا استفاده از قرص‌های مکیدنی گلو که دارای مواد بی‌حس‌کننده هستند در زمانی که گلو آسیب دیده و مجبور به خواندن هستیم، مناسب است؟

هرگز از قرص‌های مکیدنی که دارای مواد بی‌حس‌کننده‌است استفاده نکنید. در این حالت بهتر است که اصلاً نخوانید.

ــ چطور می‌توان به هنرجویان کر کـمـک کـرد تـا نت‌هـای زیـر را خیلی راحت‌تـر بخوانند؟

به کمک نفس‌گیری صحیح، حمایت پاها، حرکت فک روی هر نت زیر از پهنای ایجاد شده با لبخند داخلی و قرار دادن حروف بی‌واک در آخر فواصل.

ـ برای تبدیل صداهای کوچک و همراه با هوا به یک صدای زنده و آزاد، رهبر کر چه باید بکند؟ چه پیشنهادی برای دو یا سه هفتهٔ اول کار با کر دارید؟

من تمرینات مقدماتی فصل ۵ را پیشنهاد می‌کنم و روی فرم صحیح بدن (در فصل ۳) و تمرین ning-ee-ning-ah (۵ـ۴) که بسیار مفیدند، تأکید می‌کنم.

ـ بعضی از افراد برای گفتن r می‌توانند آن را گرد کنند و بعضی دیگر نمی‌توانند. برای به دست آوردن این توانایی چه باید کرد؟

کسانی که نمی‌توانند r را گرد کنند، می‌توانند این مشکل را با استفاده از لب بالا و تمرین trah یا گفتن d-t به طور مداوم، برطرف سازند.

ـ آیا گذاشتن یک پسر سوپرانو جوان در کر صحیح است؟

اگر رهبر کر صدای پسر جوان را بشناسد و قطعاتی به او بدهد که راحت در محدودهٔ صدایش آنها را بخواند و صدای پسر را در فواصل کوتاه امتحان کند اشکالی ندارد (فصل ۳).

ـ آیا به کودکان می‌توان درس آواز داد؟

بله، با استفاده از تکنیک‌های این کتاب کودکان حدود شش ساله را می‌توان آموزش داد.

ـ یک رهبر کر چگونه می‌تواند صداها را به سوپرانو، تنور، آلتو و باس (STAB) و مهم‌تر از آن به سوپرانو اول و دوم، آلتو اول و دوم و غیره تقسیم کند؟

به طور اساسی، با رنگ و طنین صداها می‌توان این کار را انجام داد. اگر از صدای سوپرانو بخواهیم که آلتو بخواند فقط به این دلیل که کس دیگری را نداریم که آن را بخواند کاملاً اشتباه کرده‌ایم. صداهای باریتون بالا نیز که تنور می‌خوانند ممکن است صداهایشان آسیب ببینند. صداها را برای ایجاد تعادل در کر قربانی نکنید. سعی کنید مکرراً صدای اعضای کر را به طور جداگانه بشنوید. در فواصل مختلف در زمان تغییر صدا آزمون صدا به عمل بیاورید.

ـ آیا به نظر شما اگر همهٔ عضلات بالا برنده بدن کار نکنند توانایی نفس‌گیری به تدریج کاهش می‌یابد؟

بله، هنگامی که از عضلات بالابرنده استفاده می‌شود، خط آوازی بالاتر است و نفس کمتری گرفته می‌شود.

ــ چه ارتباطی بین عضلات بالابرنده و قسمت حمایت‌کنندهٔ شکمی وجود دارد؟ آیا ارتباطشان کاملاً ذهنی است؟

خیر، ارتباط فیزیکی است. هنگامی کـه از عـضلات حـمایت‌کنندهٔ شکمی کـمک می‌گیرید عضلات بالابرندهٔ دیگر خیلی راحت‌تر کار می‌کنند.

ــ چرا در هنگام آواز خواندن بیرون دادن نفس باعث افتادن سریع شکم می‌شود؟

شکم هرگز نباید بیفتد بلکه باید به داخل کشیده شود. هر چه عضلات بین دنده‌ها و قسمت پایینی شکم قوی‌تر شود شکم کمتر به داخل می‌رود.

ــ آیا گواتر یا عدم تعادل غدهٔ تیروئید روی صدا تأثیر می‌گذارد؟ آیا در این زمینه پیشنهاد یا تمرینی دارید که مفید واقع شود؟

بله، تعادل غدهٔ تیروئید تأثیر بسیار زیادی روی صدا دارد. اما اگر غدهٔ تیروئید متعادل نباشد، تمرینات آوازی هیچ کمکی به صدا نمی‌کند.

ــ چگونه نت شروع هر تمرین را انتخاب می‌کنید؟

در محدودهٔ میانی و بم با هر صدا (فصل ۵).

ــ دلیل منطقی برای انتخاب حروف صدادار در تمرین hee-ah-ee-ah چیست؟

ee حرف واکداری است که بیشتر روی آن تمرکز می‌کنیم و باعث می‌شود که صدا از همان ابتدا در جلو قرار بگیرد. ah بازترین حرف واکداری است که داریم. با انجام این تمرین مکانیزم صدا دامنهٔ فعالیت نت‌های بم‌تر را افزایش می‌دهد.

ــ آیا این درست است که ماهیچه‌های لب، گلو و صورت هرگز نباید کشیده و سفت شوند، خصوصاً در تمرین hook؟

بله، کاملاً درست است. کشیدگی اطراف لب‌ها در تمرین hook باعث سفتی قسـمت گلو می‌شود.

ــ آیا می‌شود تمرین hook را زیاد انجام داد؟

در یک زمان بله، می‌توان آن را چند بار در طی روز انجام داد. معلمانی که این تمرین را می‌دهند باید مواظب باشند که با انجام بیش از حد آن به بدن آسیب نرسانند. شما می‌توانید هر تمرین فیزیکی را بیش از حد انجام دهید.

ـ بعضی وقت‌ها که تمام روز را صحبت می‌کنم، در پایان روز در گلویم احساس خارش می‌کنم، آیا این می‌تواند به خاطر صحبت کردنم از گلو باشد؟ وقتی به آرامی با کسی صحبت می‌کنیم آیا لازم است از لبخند داخلی و غیره استفاده کرد؟

اگر در پایان روز در گلویتان احساس خراشیدگی یا خارش می‌کنید، مطمئن باشید که در طول روز به طور صحیح صحبت نکرده‌اید. قبل از صحبت کردن باید نفس‌گیری کنید و از آن نفس در تمام مدت صحبت کردن استفاده کنید. همچنین صدای صحبت کردنتان را به نقطه‌ای که در هنگام گفتن ng در hung می‌لرزد هدایت کنید و نگذارید صدایتان پایین بیفتد. همیشه باید از حمایت نفس برخوردار باشید و فضای حفرهٔ دهان، حفرهٔ بینی و حلقی باز باشد. همچنین مطمئن باشید که فک را از محور خود سفت نکرده‌اید. در زمانی که بدن خسته می‌شود بهتر است که به نفس‌گیری فکر کنید، زیرا وقتی کمکِ نفس آنجا نباشد، عضلات گلو شروع به کار می‌کند و در آنجا خراشیدگی و خارش به وجود می‌آورید. وقتی با شخصی آرام صحبت می‌کنید باید به تمامی موارد اشاره شده در خواندن فکر کنید. بسیاری از اوقات حتی همین صحبت کردن آرام بدون استفاده از این اصول است که به صدا بیشترین آسیب را می‌رساند.

ـ چه چیز باعث لرزش قسمت حنجره در زمان خواندن می‌شود؟

وقتی صدا کاملاً با نفس حمایت نشود و عضلات جلویی و عقبی به حد لازم قوی نباشند این اتفاق می‌افتد و احتمالاً به عقب زبان فشار می‌آید.

ـ چه چیز باعث می‌شود که رگ‌های گردن در زمان آواز خواندن برجسته شود؟

فشار آوردن می‌تواند باعث بیرون زدن رگ‌های گردن شود، اما عوامل دیگر مثل کمبود حمایت نفس یا ناهنجاری رگ‌ها نیز در این امر مؤثر است.

ـ آیا زمزمه کردن برای صدا ضرر دارد، مخصوصاً وقتی که حنجره در شرایط خاصی باشد؟

بله، برای گلو زمزمه کردن بسیار سخت‌تر از صحبت کردن است. اگر شخصی مجبور

است برای موضوعات تئاتری زمزمه کند، باید شـیوهٔ صـحیح آن را یـاد بگـیرد. راه صحیح زمزمه کردن این است که همهٔ گلو را باز نگه دارید و اجـازه دهـید حـروف بی‌واک به وضوح با زبان و دندان‌ها و با حمایت زیاد از قسمت hook شکم و نـقطهٔ نفس‌گیری بیان شود. و در آخر نیز باید این نکتهٔ مهم را ذکر کنم که بدون معلم‌های بزرگ خوانندگان بزرگ وجود نخواهند داشت.

نتیجه‌گیری

یک معلم می‌تواند به هنرجویان اعتماد به نفس بدهد یا آن را از آنها بگیرد. عاقلانه نیست که یک معلم قبل از ارزشیابی سواد موسیقایی، و تعهد و انضباط یک هنرجو از هنرجو کاری را بخواهد که فقط احساس می‌کند قادر به انجامش است. همچنین عاقلانه این است که سن هنرجو، هدف، و زمینهٔ قبلی موسیقی، و نوع کاری را که می‌خواهد دنبال کند بداند. امروزه برای کسی که توانایی خواندن دارد راه‌های بسیار زیادی وجود دارد و حتماً نباید جنبهٔ شغلی داشته باشد.

آواز خواندن برای جسم و روح، هر دو بسیار خوب می‌باشد. متخصصان اعصاب ثابت کرده‌اند که تنها موسیقی است که از هر دو قسمت مغز به طور همزمان استفاده می‌شود. آواز خواندن برای سلامتی بسیار مفید است زیرا با نفس‌گیری‌های عمیقی که در آواز انجام می‌شود، همان هورمون‌های طبیعی ترشح می‌شود که در هنگام دویدن.

کسی که اجرا دارد، خواه سولو خواه در کر، همیشه احساس خوبی را تجربه می‌کند و چه بهتر که این احساس با خواندن به دست بیاید.

چقدر شگفت‌انگیز است هنرجویی که از امتیاز نوازندگی، تعهد، انضباط و تمایل به ایثار برای رسیدن به یک هدف برخوردار است، صدای خوبی نیز داشته باشد.

ما معلمان همواره باید در حال تجزیه و تحلیل کردن صدای هنرجویان خود باشیم، مانند زمانی که برای اولین بار آن را می‌شنویم. و از عامل بالقوه یا آنچه «به نظر می‌رسد» فاقد آن هستند آگاه باشیم. گفتم به «نظر می‌رسد» زیرا اغلب صداهای کوچکی را می‌بینیم که در ابتدا توجهمان را جلب نمی‌کنند اما بعداً به موفقیت‌هایی دست می‌یابند که دور از انتظارات ماست. چنین هنرجویانی بدون استثنا کسانی هستند که خود را کاملاً وقف خواندن می‌کنند. از طرف دیگر هنرجویانی نیز وجود دارند که ساز صدای شگفت‌انگیزی دارند اما به خاطر انضباط کم هرگز به آن درجه از موفقیت افرادی که به نظر می‌آید استعداد کمتری دارند نمی‌رسند.

توجه داشته باشید که شخصیت هنرجو هرگز نباید کوچک شود. اگر یک هنرجو دارد یک متن یا یک تمرین را نادرست می‌خواند، معلم باید او را متوقف کند و برای او توضیح

دهد که چرا صدا در جای صحیح نمی‌نشیند. وقتی هنرجو علت آن را درست بفهمد سعی می‌کند آن شیوهٔ صحیح را به کار ببرد، و فوراً تفاوت را احساس می‌کند و می‌گوید: «حالا در خواندن راحت‌تر شده‌ام و در حقیقت احساس نمی‌کنم که دارم کاری می‌کنم».

بسیار مهم است که تأکید کنیم صدا یک شبه ساخته نمی‌شود، صبر شرط لازم است و پاداش خودش را دارد. باید تأکید کنیم که هنرجو باید به تدریج به موانع آواز غلبه کند. هنرجو نباید راجع به همهٔ آنچه برای آواز خواندن لازم است، همزمان فکر کند؛ زیرا این موجب نگرانی او خواهد شد. با دنبال کردن مداوم تمرینات، همان طور که در این کتاب آمده است نتیجهٔ دلخواه سریع‌تر به دست می‌آید.

تمریناتی که در این کتاب داده شده است با اینکه آسان است اگر صحیح انجام شود واقعاً صدا را می‌سازد. من به این جمله اطمینان دارم.

هنرجویی که برای مدت دو سال با من کار می‌کرد و جایزهٔ مارتا بیرد راکفلر[1] را دریافت کرد، می‌گفت زمانی که انجام این تمرینات را شروع کرد حتی تصور نمی‌کرد که این تمرینات بتوانند صدای او را این قدر بسازند، و اما بعد از شش ماه تمرین متوجه شده که با این تکنیک صدایش سریع‌تر و آسان‌تر، از تکنیک‌هایی که قبلاً استفاده کرده گرم می‌شود. همچنین متوجه شده که می‌تواند متن‌ها را سریع‌تر و آسان‌تر بخواند.

معلم باید با هنرجویانش صادق باشد و زمانی که آنها می‌پرسند چه انتظاری می‌توانند از صدایشان داشته باشند (البته به خاطر داشته باشید که هیچ کدام از ما پاسخ آن سؤال را به طور حتم نمی‌دانیم) به آنها پاسخ مناسب را بدهد. معلم یکی از بزرگ‌ترین کنترآلتوها، ارنستین شومان هاینک،[2] به او گفت: «آواز را فراموش کن. در خانه بمان و مواظب بچه‌هایت باش.» اگر او به حرف چنین معلمی گوش می‌داد، می‌دانید چه زیانی به دنیای آواز وارد می‌آمد؟

برای ساختن یک تکنیک، اصول خاصی را باید در نظر بگیریم. بر فراگیری تجزیه و تحلیل تمرینات و دانستن شیوهٔ صحیح آنها نباید زیاد تأکید کرد. همچنین نباید انتظار داشته باشیم که با انجام تمرینات به صورت بی‌قاعده به نتیجهٔ مطلوب دست یابیم. تمرکز کامل در طول پانزده تا سی دقیقهٔ اول برای گرم کردن صدا و خواندن متن‌ها بسیار ضروری است. پس از آن تکنیک به طور خودکار انجام می‌شود. نفس‌گیری بنیاد تکنیک محسوب می‌شود و بسیار مهم است.

---

1. Martha Baird Rockefeller   2. Ernestine Schumann-Heink

ابتدا محدودهٔ میانی و سپس محدوده‌های زیرتر و بم‌تر گسترش می‌یابند. در ابتدا متن باید به سادگی و بدون فکر کردن به احساسات یا حالت بیان آن خوانده شود. توجه داشته باشید که بدون تکنیک هیچ اجرایی وجود نخواهد داشت. بسیاری از هنرجویان قبل از اینکه تکنیک‌هایی را که در اجرا مؤثرند، بفهمند بیشتر روی حالت‌ها و اجرا تأکید می‌کنند. بسیاری دیگر برای خواندن متن قبل از اینکه حتی ریتم را خوب بدانند عجله می‌کنند. این خط مشی فقط پیشرفت آنها را به تأخیر می‌اندازد. هر هنری شامل دو قسمت تکنیکی مکانیکی و زیبایی‌شناختی است. خواننده‌ای که بر مشکلات قسمت اول غلبه نکرده است هرگز نمی‌تواند به طور عالی به قسمت دوم برسد، حتی اگر نابغه باشد.

از صبر ماد داگلاس توئیدی بسیار سپاسگزارم. نمی‌توانم از گفتن این مطلب در آخر کتاب خودداری کنم که او می‌دانست چه کار می‌کند. در مدت سه سال اولی که هنرجوی او بودم، او حتی یک بار هم از من تعریف نکرد اما مرا دلسرد هم نکرد. به هر حال می‌دانستم که گلوی من از دردی که از سه سال قبل از پیدا کردن او داشتم، دارد رها می‌شود. از خدا سپاسگزارم که او را پیدا کردم. وقتی او را پیدا کردم او مرا به عنوان هنرجو پذیرفت هرچند که صدایم در آن زمان افتضاح بود ــ این بهترین لغتی است که می‌توانم برایش به کار ببرم. او با این کارش نه تنها صدایم را نجات داد و باعث شد خوانندهٔ خوبی شوم و به کار تدریس بپردازم، بلکه زندگی‌ام را نیز نجات داد. در آخر امیدوارم که دو پیام مهم را توانسته باشم در این کتاب برسانم: وقتی شخصی از هماهنگی‌های طبیعی کل بدن استفاده می‌کند می‌تواند بسیار راحت و بدون فشار به صدا آواز بخواند. دوم اینکه آواز خواندن یکی از سالم‌ترین شغل‌هایی است که هر انسانی می‌تواند به آن مشغول شود.

همان طور که تکنیک‌های این کتاب، که به مدت پنجاه سال از آنها استفاده کرده‌ام، برای من بسیار مفید بوده است امیدوارم این کتاب برای کسانی که از آن استفاده می‌کنند نیز نتایج مهمی به ارمغان بیاورد.